teoría

*traducción de*
FLORA BOTTON BURLÁ

# LA CONQUISTA DE AMÉRICA

*el problema del otro*

*por*
TZVETAN TODOROV

siglo
veintiuno
editores

## siglo veintiuno editores, sa de cv
CERRO DEL AGUA 248, DELEGACIÓN COYOACÁN, 04310 MÉXICO, D.F.

## siglo veintiuno de españa editores, sa
CALLE PLAZA 5, 28043 MADRID, ESPAÑA

## siglo veintiuno argentina editores

## siglo veintiuno editores de colombia, ltda
CARRERA 14 NÚM. 80-44, BOGOTÁ, D.E., COLOMBIA

edición al cuidado de martí soler
portada de maría luisa martínez passarge

primera edición en español, 1987
segunda edición en español, 1989
© siglo xxi editores, s. a. de c. v.
ISBN 968-23-1217-5

primera edición en francés, 1982
título original: *la conquête de l'amérique, la question de l'autre*
© éditions du seuil
ISBN 2-02-006147-3

# ÍNDICE GENERAL

DEDICO ESTE LIBRO A LA MEMORIA DE UNA
MUJER MAYA DEVORADA POR LOS PERROS

El capitán Alonso López de Ávila prendió una moza india y bien dispuesta y gentil mujer, andando en la guerra de Bacalar. Ésta prometió a su marido, temiendo que en la guerra no la matasen, no conocer otro hombre sino él y así no bastó persuasión con ella para que no se quitase la vida por no quedar en peligro de ser ensuciada por otro varón, por lo cual la hicieron aperrear.

DIEGO DE LANDA,
*Relación de las cosas de Yucatán, 32*

# 1. DESCUBRIR

## EL DESCUBRIMIENTO DE AMÉRICA

Quiero hablar del descubrimiento que el *yo* hace del *otro*. El tema es inmenso. Apenas lo formula uno en su generalidad, ve que se subdivide en categorías y en direcciones múltiples, infinitas. Uno puede descubrir a los otros en uno mismo, darse cuenta de que no somos una sustancia homogénea, y radicalmente extraña a todo lo que no es uno mismo: yo es otro. Pero los otros también son yos: sujetos como yo, que sólo mi punto de vista, para el cual todos están *allí* y sólo yo estoy *aquí*, separa y distingue verdaderamente de mí. Puedo concebir a esos otros como una abstracción, como una instancia de la configuración psíquica de todo individuo, como el Otro, el otro y otro en relación con el *yo*; o bien como un grupo social concreto al que *nosotros* no pertenecemos. Ese grupo puede, a su vez, estar en el interior de la sociedad: las mujeres para los hombres, los ricos para los pobres, los locos para los "normales"; o puede ser exterior a ella, es decir, otra sociedad, que será, según los casos, cercana o lejana: seres que todo acerca a nosotros en el plano cultural, moral, histórico; o bien desconocidos, extranjeros cuya lengua y costumbres no entiendo, tan extranjeros que, en el caso límite, dudo en reconocer nuestra pertenencia común a una misma especie. Esta problemática del otro exterior y lejano es la que elijo, en forma un tanto cuanto arbitraria, porque no se puede hablar de todo a la vez, para empezar una investigación que nunca podrá acabarse.

Pero ¿cómo habla de ella? En tiempos de Sócrates, el orador solía preguntar al auditorio cuál era su modo de expresión, o género, preferido: ¿el mito, o sea el relato, o bien la argumentación lógica? En la época del libro, no se puede dejar esta decisión al público: ha sido necesario hacer una elección previa para que el libro exista, y uno se conforma con imaginar, o desear, un público que respondiera de tal manera con preferencia a tal otra; y uno se conforma, también, con escuchar la respuesta que sugiere o impone el tema mismo. He elegido contar una historia. Más cercana al mito que a la argumentación, se distingue de ellos en dos planos: primero porque es una his-

toria verdadera (cosa que el mito *podía* pero no *debía* ser), y luego
porque mi interés principal es más el de un moralista que el de un
historiador; el presente me importa más que el pasado. A la pregunta de cómo comportarse frente al otro, no encuentro más forma de
responder que contando una *historia ejemplar* (ése será el género elegido), una historia que es, pues, tan verdadera como sea posible, pero
respecto a la cual trataré de no perder de vista lo que los exégetas
de la Biblia llamaban el sentido tropológico, o moral. Y en este libro
alternarán, algo así como en una novela, los resúmenes, o visiones
de conjunto sumarias; las escenas, o análisis de detalle, llenas de citas;
las pausas, en las que el autor comenta lo que acaba de ocurrir; y,
claro está, frecuentes elipsis u omisiones: pero ¿no es ése el punto
de partida de toda historia?

De los numerosos relatos que se nos ofrecen, he escogido uno:
el del descubrimiento y la conquista de América. Para hacer mejor
las cosas, me he dado una unidad de tiempo: el centenar de años que
siguen al primer viaje de Colón, es decir, en bloque, el siglo XVI; una
unidad de lugar: la región del Caribe y de México (lo que a veces
se llama Mesoamérica); por último, una unidad de acción: la percepción que tienen los españoles de los indios será un único tema, con
una sola excepción, que se refiere a Moctezuma y a los que lo rodean.

Dos justificaciones fundamentaron —*a posteriori*— la elección de
este tema como primer paso en el mundo del descubrimiento del otro.
En primer lugar el descubrimiento de América, o más bien el de los
americanos, es sin duda el encuentro más asombroso de nuestra historia. En el "descubrimiento" de los demás continentes y de los demás
hombres no existe realmente ese sentimiento de extrañeza radical:
los europeos nunca ignoraron por completo la existencia de África,
o de la India, o de China; su recuerdo está siempre ya presente, desde los orígenes. Cierto es que la Luna está más lejos que América,
pero sabemos hoy en día que ese encuentro no es tal, que ese descubrimiento no implica sorpresas del mismo tipo: para poder fotogra-
fiar a un ser vivo en la Luna, es necesario que un cosmonauta vaya
a colocarse frente a la cámara, y en su casco sólo vemos un reflejo,
el de otro terrícola. Al comienzo del siglo XVI los indios de América, por su parte, están bien presentes, pero ignoramos todo de ellos,
aun si, como es de esperar, proyectamos sobre los seres recientemente
descubiertos imágenes e ideas que se refieren a otras poblaciones lejanas (cf. fig. 1). El encuentro nunca volverá a alcanzar tal intensidad,
si ésa es la palabra que se debe emplear: el siglo XVI habrá visto per-
petrarse el mayor genocidio de la historia humana.

Pero el descubrimiento de América no sólo es esencial para nosotros hoy en día porque es un encuentro extremo, y ejemplar: al lado de ese valor paradigmático tiene otro más, de causalidad directa. Cierto es que la historia del globo está hecha de conquistas y de derrotas, de colonizaciones y de descubrimientos de los otros; pero, como trataré de mostrarlo, el descubrimiento de América es lo que anuncia y funda nuestra identidad presente; aun si toda fecha que permite separar dos épocas es arbitraria, no hay ninguna que convenga más para marcar el comienzo de la era moderna que el año de 1492, en que Colón atraviesa el océano Atlántico. Todos somos descendientes directos de Colón, con él comienza nuestra genealogía —en la medida en que la palabra "comienzo" tiene sentido. Desde 1492 estamos en una época que, como dijo Las Casas refiriéndose a la navegación de Colón, es "tan nueva y tan nunca [. . .] vista ni oída" (*Historia de las Indias*, I, 88).[1] Desde esa fecha, el mundo está cerrado (aun si el universo se vuelve infinito), "e el mundo es poco", como habrá de declarar en forma perentoria el propio Colón ("Carta a los Reyes", 7.7.1503; una imagen de Colón transmite algo de este espíritu, cf. fig. 2); los hombres han descubierto la totalidad de la que forman parte mientras que, hasta entonces, formaban una parte sin todo. Este libro será un intento de comprender lo que ocurrió aquel día, y durante el siglo que le siguió, por medio de la lectura de algunos textos, cuyos autores serán mis personajes. Ellos monologarán, como Colón; iniciarán el diálogo de los actos, como Cortés y Moctezuma, o el de las palabras sabias, a la manera de Las Casas y Sepúlveda; o aquel otro, menos evidente, de Durán o de Sahagún con sus interlocutores indios.

—Pero basta de preliminares: vamos a los hechos.

Se puede admirar la valentía de Colón (y no se ha dejado de hacerlo, miles de veces): Vasco de Gama o Magallanes quizás emprendieron viajes más difíciles, pero sabían adónde iban; a pesar de toda su seguridad, Colón no podía tener la certeza de que al final del océano no estuviera el abismo y, por lo tanto, la caída al vacío; o bien de que ese viaje hacia el oeste no fuera el descenso de una larga cuesta —puesto que estamos en la cima de la tierra—, y que después no fuera demasiado difícil volverla a subir; es decir, no podía tener la certeza de que el regreso fuera posible. La primera pregunta en esta

---

[1] En el texto aparecen referencias abreviadas; para los datos completos, remitirse a la *Nota bibliográfica* incluida al final de este estudio. Salvo que se indique lo contrario, los números entre paréntesis remiten a los capítulos, secciones, partes, etc., y no a las páginas.

Fig. 1. *Barcos y castillos en las Indias occidentales*

Fig. 2. *Don Cristóbal Colón*

encuesta genealógica será entonces: ¿qué fue lo que lo impulsó a partir? ¿Cómo pudo producirse el asunto?

Al leer los escritos de Colón (diarios, cartas, informes), se podría tener la impresión de que su móvil esencial es el deseo de hacerse rico (aquí y más adelante digo de Colón lo que podría aplicarse a otros; ocurre que muchas veces fue el primero y que, por lo tanto, dio el ejemplo). El oro, o más bien la búsqueda de oro, pues no se encuentra gran cosa en un principio, está omnipresente en el transcurso del primer viaje. En el día mismo que sigue al descubrimiento, el 13 de octubre de 1492, ya anota en su diario: "No me quiero detener por calar y andar muchas islas para fallar oro" (15.10.1492). "Mandó el Almirante que no se tomase nada, porque supiesen que no buscaba el Almirante salvo oro" (1.11.1492). Incluso su plegaria se ha convertido en: "Nuestro Señor me aderece, por su piedad, que halle este oro. . ." (23.12.1492); y, en un informe posterior ("Memorial a Antonio de Torres", 30.1.1494), se refiere lacónicamente al "ejercicio que acá se ha de tener en coger este oro". Son también los indicios que cree encontrar de la presencia del oro los que deciden su recorrido. "Determiné [. . .] ir al Sudueste a buscar el oro y piedras preciosas" (*Diario*, 13.10.1492). "Deseaba ir a la isla que llaman Babeque, adonde tenía nueva, según él entendía, que había mucho oro" (13.11.1492). "Y creía el Almirante que estaba muy cerca de la fuente, y que Nuestro Señor le había de mostrar dónde nace el oro" (17.12.1492; pues en esa época el oro "nace"). Así va errando Colón, de isla en isla, pues es bastante posible que en eso hayan encontrado los indios una forma de deshacerse de él. "En amaneciendo, dio las velas para ir su camino a buscar las islas que los indios le decían que tenían mucho oro y de algunas que tenían más oro que tierra" (22.12.1492). . .

¿Fue entonces una codicia vulgar lo que impulsó a Colón a hacer su viaje? Basta con leer la totalidad de sus escritos para convencerse de que no es así. Sencillamente, Colón sabe el valor de señuelo que pueden tener las riquezas, y el oro en particular. Con la promesa del oro es como tranquiliza a los demás en los momentos difíciles. "Este día perdieron por completo de vista la tierra; y temiendo no poder volver a verla en mucho tiempo, muchos suspiraban y lloraban. El Almirante, después de haberlos confortado a todos con grandes ofertas de muchas tierras y riquezas, para hacerles conservar la esperanza y perder el miedo que le tenían al largo camino. . ." (H. Colón, 18). "Aquí la gente ya no lo podía sufrir: quejábase del largo viaje. Pero el Almirante los esforzó lo mejor que pudo, dándoles buena esperanza de los provechos que podrían haber" (*Diario*, 10.10.1492).

No sólo esperan hacerse ricos los simples marinos; los propios comanditarios de la expedición, los reyes de España, no se hubieran comprometido en la empresa sin la promesa de una ganancia. Ahora bien, el diario de Colón está destinado a ellos; es necesario entonces que los indicios de la presencia del oro se multipliquen en cada página (a falta del oro mismo). Recordando, en ocasión del tercer viaje, la organización del primero, dice bastante explícitamente que el oro era, en cierta forma, el señuelo para que los reyes aceptaran financiarlo: "Fue también necesario de hablar del temporal, adonde se les amostró el escrebir de tantos sabios dignos de fe, los cuales escribieron historias. Los cuales contaban que en estas partes había muchas riquezas" ("Carta a los Reyes", 31.8.1498); en otra ocasión dice haber recogido y preservado el oro "con que se alegrasen sus Altezas y por ello comprendiesen el negocio con una cantidad de piedras grandes llenas de oro" ("Carta al ama", noviembre de 1500). Por lo demás, Colón no se equivoca cuando imagina la importancia de dichos móviles: ¿acaso su desgracia no se debe, por lo menos en parte, al hecho de que no haya habido más oro en esas islas? "Nació allí mal decir y menosprecio de la empresa comenzada en ello, porque no había yo enviado luego los navíos cargados de oro" ("Carta a los Reyes", 31.8.1498).

Sabemos que una larga querella enfrentará a Colón con los reyes (y luego habrá un proceso entre los herederos de uno y otros), querella que se refiere precisamente al monto de las ganancias que el Almirante estaría autorizado a percibir en las "Indias". A pesar de todo esto, la codicia no es el verdadero móvil de Colón: si le importa la riqueza, es porque significa el reconocimiento de su papel de descubridor; pero preferiría para sí el burdo hábito del monje. El oro es un valor demasiado humano para interesar verdaderamente a Colón, y debemos creerle cuando escribe en el diario del tercer viaje: "Nuestro Señor [. . .] bien sabe que ya no llevo estas fatigas por atesorar ni fallar tesoros para mí, que, cierto, yo conozco que todo es vano cuanto acá en este siglo se hace, salvo aquello que es honra y servicio de Dios" (Las Casas, *Historia*, i, 146); o al final de su relación sobre el cuarto viaje: "Yo no vine este viage a navegar por ganar honra ni hacienda: esto es cierto, porque estaba ya la esperanza de todo en ella muerta. Yo vine a V. A. con sana intención y buen zelo, y no miento" ("Carta a los Reyes", 7.7.1503).

¿Cuál es esa sana intención? En el diario del cuarto viaje, Colón la formula con frecuencia: quiere encontrar al Gran Kan, o emperador de China, cuyo retrato inolvidable ha sido dejado por Marco Polo. "Tengo determinado de ir a la tierra firme y a la ciudad de Guisay y dar las cartas de Vuestras Altezas al Gran Can y pedir respuesta y venir con ella" (21.10.1492). Más adelante este objetivo se queda algo relegado, pues los descubrimientos presentes ya ocupan lo suficiente la atención, pero de hecho nunca se olvida. Pero ¿por qué esta obsesión que parece casi pueril? Porque, otra vez según Marco Polo, "el Emperador del Cataya ha días que mandó sabios que le enseñen en la fe de Cristo" ("Carta a los Reyes", 7.7.1503); y Colón quiere abrir el camino que permitirá cumplir ese deseo. La expansión del cristianismo está infinitamente más cerca del corazón de Colón que el oro, y se explicó claramente al respecto, especialmente en una carta al papa. Su futuro viaje se realizará "en nombre de la Sancta Trinidad [. . .], el cual será a su gloria y honra de la Santa Religión Cristiana", y para ello, dice Colón, "yo espero de Aquel Eterno Dios la victoria d'esto como de todo el passado"; lo que hace es "magnánimo y ferviente en la honra y acrescentamiento de la Sancta fe cristiana". Su objetivo es, entonces: "yo espero en Nuestro Señor de divulgar su Santo Nombre y Evangelio en el Universo" ("Carta al papa Alejandro VI", febrero de 1502).

La victoria universal del cristianismo, éste es el móvil que anima a Colón, hombre profundamente piadoso (nunca viaja en domingo), que, por esta misma razón, se considera como elegido, como encargado de una misión divina, y que ve la intervención divina en todas partes, tanto en el movimiento de las olas como en el naufragio de su nave (¡en Nochebuena!), y agradece a Dios "por muchos milagros señalados que ha mostrado en el viaje" (*Diario*, 15.3.1493).

Por lo demás, la necesidad de dinero y el deseo de imponer al verdadero Dios no son mutuamente exclusivos; incluso hay entre los dos una relación de subordinación: la primera es un medio y la segunda, un fin. En realidad, Colón tiene un proyecto más preciso que la exaltación del Evangelio en el universo, y tanto la existencia como la permanencia de ese proyecto son reveladoras de su mentalidad: tal un Quijote con varios siglos de atraso en relación con su época, Colón quisiera ir a las Cruzadas a liberar Jerusalén. Sólo que la idea es absurda en su época y como, por otra parte, no tiene dinero, nadie quiere escucharlo. ¿Cómo podía realizar su sueño, en el siglo xv, un hombre sin recursos y que quisiera lanzar una cruzada? Es tan sencillo como el huevo de Colón: no hay más que descubrir América para conseguir los fondos necesarios. . . O más bien, ir a China por el camino occidental "directo", puesto que Marco Polo y otros escritores medievales han afirmado que el oro "nace" ahí en abundancia.

Hay numerosas pruebas de la realidad de ese proyecto. El 26 de diciembre de 1492, durante el primer viaje, revela en su diario que espera encontrar oro, "y aquello en tanta cantidad que los Reyes antes de tres años emprendiesen y aderezasen para ir a conquistar la casa santa, 'que así —dice él— protesté a Vuestras Altezas que toda la ganancia de esta mi empresa se gastase en la conquista de Jerusalén, y Vuestras Altezas se rieron y dijeron que les placía, y que sin esto tenían aquella gana' ". Más tarde vuelve a recordar este episodio: "Al tiempo que yo me moví para ir a descubrir las Indias fui con intención de suplicar al Rey y a la Reina Nuestros Señores que de la renta que de Sus Altezas de las Indias hobiere que se determinase de la gastar en la conquista de Jerusalén, y así se lo supliqué" ("Constitución de mayorazgo", 22.2.1498). Ése era, pues, el proyecto que Colón había ido a exponer a la corte real, para buscar la ayuda necesaria para su primera expedición; en cuanto a sus Altezas, no tomaban la cosa muy en serio y habrían de reservarse el derecho de emplear las ganancias de la empresa, si es que las había, para otros fines.

Pero Colón no olvida su proyecto y lo recuerda en una carta al papa: "Esta empresa se tomó con fin de gastar lo que d'ella se oviesse en presidio de la Casa Sancta a la Sancta Iglesia. Después que fui en ella y visto la tierra, escreví al Rey y a la Reina, mis Señores, que dende a siete años yo le pagaría çincuenta mill de pie y cinco mill de cavallo en la conquista d'ella, y dende a cinco años otros cincuenta mill de pie y otros cinco mill de cavallo, que serían dies mill de cavallo e cient mill de pie para esto" (febrero de 1502). Colón no sospecha que la conquista está a punto de iniciarse, pero en una dirección totalmente diferente, muy cerca de las tierras que ha descubierto y, en última instancia, con muchos menos guerreros. Su llamado, por lo tanto, no provoca muchas reacciones: "El otro negocio famosísimo está con los brazos abiertos llamando: extrangero ha sido fasta ahora" ("Carta a los Reyes", 7.7.1503). Por ello es que, queriendo afirmar su intención incluso después de su propia muerte, instituye un mayorazgo y da instrucciones a su hijo (o a los herederos de éste): reunir la mayor cantidad posible de dinero para que, si los Reyes renuncian a su proyecto, pueda "ir solo con el más poder que tuviere" (22.2.1498).

Las Casas dejó un célebre retrato de Colón, en el cual sitúa bien su obsesión por las cruzadas dentro del contexto de su profunda religiosidad: "Cuando algún oro o cosas preciosas le traían, entraba en su oratorio e hincaba las rodillas, y decía 'demos gracias a Nuestro

Señor, que de descubrir tantos bienes nos hizo dignos'; celosísimo era en gran manera del honor divino; cúpido y deseoso de la conversión destas gentes, y que por todas partes se sembrase y ampliase la fe de Jesucristo, y singularmente aficionado y devoto de que Dios le hiciese digno de que pudiese ayudar en algo para ganar el Santo Sepulcro, y con esta devoción y la confianza que tuvo de que Dios le había de guiar en el descubrimiento deste Orbe que prometía, suplicó a la serenísima reina doña Isabel que hiciese voto de gastar todas las riquezas que por su descubrimiento para los reyes resultasen en ganar la tierra y santa casa de Jerusalem, y así la reina lo hizo" (*Historia*, I, 2).

No sólo le interesan mucho más a Colón los contactos con Dios que los asuntos puramente humanos, sino que también su forma de religiosidad es particularmente arcaica (para la época): no es casual que el proyecto de las cruzadas se haya abandonado desde la Edad Media. Así pues, paradójicamente, es un rasgo de la mentalidad medieval de Colón el que lo hace descubrir América e inaugurar la era moderna. (Debo admitir, e incluso anunciar, que el empleo que hago de los dos adjetivos, "medieval" y "moderno", no es muy preciso; sin embargo, no puedo prescindir de ellos. Entiéndanse primero en su sentido más usual, pero irán adquiriendo, al filo de las páginas que siguen, un contenido más particular.) Pero, como también veremos, Colón mismo no es un hombre moderno, y este hecho es pertinente en el desarrollo del descubrimiento, como si aquel que había de dar origen a un mundo nuevo no pudiera pertenecerle de entrada.

Sin embargo, también hay en Colón rasgos de una mentalidad más cercana a la nuestra. Así pues, por una parte somete todo a un ideal externo y absoluto (la religión cristiana), y toda cosa terrestre no es más que un medio con miras a la realización de ese ideal. Por otra parte, empero, parece encontrar, en la actividad que desempeña con más éxito, el descubrimiento de la naturaleza, un placer que hace que dicha actividad se baste a sí misma; deja de tener la menor utilidad y se convierte de medio en fin: en la misma forma en que, para el hombre moderno, una cosa, una acción o un ser sólo son hermosos si encuentran su justificación en sí mismos, para Colón "descubrir" es una acción intransitiva. "Quiero ver y descubrir lo más que yo pudiere", escribe el 19 de octubre de 1492, y el 31 de diciembre del mismo año: "Y dice que no quisiera partirse hasta que hobiere visto toda aquella tierra que iba hacia el Leste y andarla toda por la costa"; basta con que le hagan notar la existencia de una nueva isla para que tenga ganas de visitarla. En el diario del tercer viaje, encontramos estas palabras decididas: "[. . .] todos los pospusiera por descubrir más tierras y ver los secretos dellas" (Las Casas, *Historia*, I, 136). "Descubrir más [era] lo que él mucho quisiera" (*ibid.*, I, 146). En otro momento reflexiona: "Cuánto será el beneficio que de aquí se puede haber, yo no lo escribo; es cierto, Señores Príncipes, que donde hay tales tierras, que debe haber infinitas cosas de provecho; mas yo no me detengo en ningún puerto porque querría ver todas las más tierras que yo pudiese para hacer relación dellas a Vuestras Altezas" (*Diario*, 27.11.1492). Las ganancias que "deben" encontrarse ahí sólo interesan secundariamente a Colón: lo que cuenta son las "tierras" y su descubrimiento. En verdad, éste parece estar sometido a un objetivo, que es el relato de viaje: diríase que Colón ha emprendido todo eso para poder hacer relatos inauditos, como Ulises; pero ¿acaso no es el mismo relato de viaje el punto de partida, y no sólo el punto de llegada, de un nuevo viaje? ¿Acaso Colón mismo no partió porque había leído el relato de Marco Polo?

## COLÓN HERMENEUTA

Para probar que la tierra que tiene ante los ojos es efectivamente el continente, Colón hace el siguiente razonamiento (en su diario del tercer viaje, transcrito por Las Casas): "Yo estoy creído que ésta es tierra firme, grandísima, de que hasta hoy no se ha sabido, y la razón me ayuda grandemente por esto deste tan grande río y mar, que es dulce, y después me ayuda el decir de Esdras, en el libro IV, cap. 6, que dice que las seis partes de mundo son de tierra enjuta y la una de agua, el cual libro aprueba Sant Ambrosio en su *Hexameron*, y Sant Agustín [. . .]; y después desto, me ayuda el decir de muchos indios caníbales que yo he tomado otras veces, los cuales decían que al Austro dellos era tierra firme" (*Historia*, I, 138).

Tres argumentos vienen a apuntalar la convicción de Colón: la abundancia de agua dulce; la autoridad de los libros santos; la opinión de otros hombres que ha encontrado. Ahora bien, está claro que estos tres argumentos no se deben colocar en el mismo plano, sino que revelan la existencia de tres esferas que comparten el mundo de Colón: una es natural, la otra divina, y la tercera, humana. Así pues, quizás no sea casual el que hayamos encontrado tres móviles para la conquista: el primero humano (la riqueza), el segundo divino, y el tercero relacionado con el disfrute de la naturaleza. Y en su comunicación con el mundo, Colón muestra comportamientos diferentes, según que se esté dirigiendo a la naturaleza, a Dios o a los hombres (o que éstos se dirijan a él). Volviendo al ejemplo de la tierra firme, si Colón tiene razón eso sólo se debe al primer argumento (y podemos ver, en su diario, que éste sólo toma forma poco a poco, en el contacto con la realidad): al observar que el agua es dulce muy adentro en el mar, deduce de ello, en forma clarividente, la fuerza del río, y por lo tanto la distancia que éste recorre; en consecuencia, se trata de un continente. En cambio, es muy probable que no haya entendido nada de lo que le decían los "indios caníbales". Anteriormente, en el mismo viaje, relata así sus conversaciones: "Dice [Colón] que es cierto que aquélla era isla, que así lo decían los indios", y Las Casas añade: "Y así parece que no los entendía" (*Historia*, I, 135). En cuanto a Dios. . .

En efecto, no podemos considerar estas tres esferas en el mismo plano, como debían estarlo para Colón; para nosotros sólo hay dos intercambios reales, el que se produce con la naturaleza y el que se produce con los hombres; la relación con Dios no está en el campo de la comunicación aunque pueda influir, o incluso predeterminar, toda forma de comunicación. Éste es precisamente el caso de Colón: hay una relación segura entre la forma de su fe en Dios y la estrategia de sus interpretaciones.

Cuando se dice que Colón es creyente, el objeto importa menos que la acción: su fe es cristiana, pero uno tiene la impresión de que, aunque fuera musulmana, o judía, no hubiera actuado de otra manera; lo que importa es la fuerza de la creencia misma. "San Pedro cuando saltó en la mar andovo sobr'ella en cuanto la fe fue firme. Quien toviere tanta fe como un grano de paniso le obedecerán las montañas; quien toviere fe demande, que todo se le dará; pusad y abriros han", escribe en el prefacio de su *Libro de las profecías* (1501). Por lo demás, Colón no sólo cree en el dogma cristiano: también cree (y no es el único en su época) en los cíclopes y en las sirenas, en las amazonas y en los hombres con cola, y su creencia, que por lo tanto es tan fuerte como la de san Pedro, le permite encontrarlos. "Entendió también que lejos de allí había hombres de un ojo, y otros con hocicos de perros" (*Diario*, 4.11.1492). "El día pasado, cuando el Almirante iba al Río de Oro, dijo que vido tres serenas que salieron bien alto de la mar, pero no eran tan hermosas como las pintan, que en alguna manera tenían forma de hombre en la cara" (9.1.1493). "Ellas [las mujeres del lugar] no usan ejercicio femenil, salvo arcos y flechas como los sobredichos de cañas, y se arman y cobijan con láminas de alambre de que tienen mucho" ("Carta a Santángel", febrero-marzo de 1493). "Quedan de la parte de Poniente dos provincias que yo no he andado, la una de las cuales llaman Cibau, adonde nace la gente con cola" (*ibid.*).

Cierto es que la más notable de las creencias de Colón es de origen cristiano: se refiere al paraíso terrenal. Leyó en la *Imago Mundi* de Pedro de Ailly que el paraíso terrenal debía encontrarse en una región templada más allá del ecuador. No encuentra nada durante su primera visita al Caribe, lo cual no es de asombrar; pero ya de regreso, en las Azores, declara: "El Paraíso terrenal está en el fin de Oriente, porque es lugar temperatísimo; así que aquestas tierras que agora él ha descubierto, dice él, es el fin de Oriente" (21.2.1493). El tema se vuelve obsesivo durante el tercer viaje, cuando Colón se acerca más al ecuador. Primero cree percibir una irregularidad en la redondez de la tierra: "Fallé que [el mundo] no era redondo en la forma que escriben, salvo que es de la forma de una pera que sea toda muy redonda, salvo allí donde tiene el pezón, que allí tiene más alto, o como quien tiene una pelota muy redonda y en un lugar della fuese como una teta de muger allí puesta, y que esta parte deste pezón sea la más alta e más propinca al cielo, y sea debajo la línea equinoccial, y en esta mar Océana, en el fin del Oriente" ("Carta a los Reyes", 31.8.1498).

Esa elevación (¡un pezón sobre una pera!) se convierte en un argumento más para afirmar que ahí se encuentra el paraíso terrenal. "Creo que allí es el Paraíso terrenal, adonde no puede llegar nadie, salvo por voluntad divina. [. . .] Yo no tomo quel Paraíso terrenal sea en forma de montaña áspera, como el escrebir dello nos muestra, salvo que sea en el colmo, allí donde dije la figura del pezón de la pera, y que poco a poco, andando hacia allí desde muy lejos, se va subiendo a él" (*ibid.*).

Podemos observar aquí la forma en que las creencias de Colón influyen en sus interpretaciones. No se preocupa por entender mejor las palabras de los que se dirigen a él, pues sabe de antemano que va a encontrar cíclopes, hombres con cola y amazonas. Bien ve que las sirenas no son, como se ha dicho, mujeres hermosas; pero, en vez de concluir que las sirenas no existen, corrige un prejuicio con otro: las sirenas no son tan hermosas como se supone. En otro momento, durante el tercer viaje, Colón se pregunta sobre el origen de las perlas que a veces traen los indios. El asunto tiene lugar frente a sus ojos; pero lo que relata en su diario es la explicación de Plinio, tomada de un libro: "Junto a la mar, infinitas ostias pegadas a las ramas de los árboles que entran en la mar, las bocas abiertas para recibir el rocío que cae de las hojas, hasta que cae la gotera de que se engendran las piedras, según dice Plinio y alega el Vocabulario que se llama *Catholicon*" (Las Casas, *Historia*, I, 137). Lo mismo ocurre en el caso del paraíso terrenal: el signo constituido por el agua dulce (por lo tanto gran río, por lo tanto montaña) es interpretado, después de una breve vacilación, "conforme a la opinión destos santos e sacros teólogos" (*Historia*, I, 141). "Yo muy asentado tengo en el ánimo que allí donde dije es el Paraíso terrenal, y descanso sobre las razones y autoridades sobreescriptas" ("Carta a los Reyes", 31.8.1498). Colón practica una estrategia "finalista" de la interpretación, al modo en que los Padres de la iglesia interpretaban la Biblia: el sentido final está dado desde un principio (es la doctrina cristiana); lo que se busca es el camino que une el sentido inicial (la significación aparente de las palabras del texto bíblico) con este sentido último. Colón no tiene nada de un empirista moderno: el argumento decisivo es un argumento de autoridad, no de experiencia. Sabe de antemano lo que va a encontrar; la experiencia concreta está ahí para ilustrar una verdad que se posee, no para ser interrogada, según las reglas preestablecidas, con vistas a una búsqueda de la verdad.

Aunque Colón siempre era finalista, hemos visto que era más perspicaz cuando observaba la naturaleza que cuando trataba de entender a los indígenas. Su comportamiento hermenéutico no es exactamente el mismo en un caso que en el otro, como podremos ver ahora con mayor detalle.

"De muy pequeña edad entré en la mar navegando y lo he continuado fasta oy. La mesma arte inclina a quien le prosigue a desear de saber los secretos d'este mundo", escribe Colón en el inicio del *Libro de las profecías* (1501). Insistiremos aquí en la palabra "mundo" (por oposición a "hombres"): el que se identifica con la profesión de marino más bien se relaciona con la naturaleza que con sus prójimos; y en su mente la naturaleza ciertamente es más afín a Dios que los hombres: Colón escribe de un solo trazo, en el margen de la *Geografía* de Tolomeo: "Admirable es la arremetida tumultuosa del mar. Admirable es Dios en las profundidades." Los escritos de Colón, y muy particularmente el diario del primer viaje, revelan una atención constante a todos los fenómenos naturales. Peces y pájaros, plantas y animales son los personajes principales de las aventuras que relata. "Pescando los marineros con redes, tomaron un pece, entre otros muchos, que parecía propio puerco, no como tonina, y era todo concha muy tiesa y que no tenía cosa blanda sino la cola y los ojos, y un agujero debajo della para expeler sus superfluidades; mandolo salar para llevarlo a los reyes" (16.11.1492). "Vinieron al navío más de cuarenta pardeles juntos y dos alcatraces, y al uno le dio una pedrada un mozo de la carabela. Vino a la nao un rabiforcado y una blanca como gaviota" (4.10.1492). "Y vide muchos árboles muy disformes de los nuestros, y dellos muchos que tenían los ramos de muchas maneras y todo en un pie, y un ramito es de una manera y otro de otra, y tan disforme, que es la mayor maravilla del mundo cuanta es la diversidad de la una manera a la otra; verbigracia, un ramo tenía las fojas a manera de cañas y otro de manera de lentisco, y así en un solo árbol de cinco o seis destas maneras, y todos tan diversos" (16.10.1492). Durante el tercer viaje hace escala en las islas del Cabo Verde, que sirven en aquella época a los portugueses como lugar de deportación para todos los leprosos del reino. Se supone que éstos se van a curar comiendo tortugas y lavándose con su sangre. Colón no presta ninguna atención a los leprosos y a sus singulares costumbres; pero se lanza de inmediato a una larga descripción de las costumbres de las tortugas. El naturalista aficionado se vuelve también etólogo experimental en la célebre escena del combate entre un pecarí y un mono, descrita por Colón en un momento en que su situación es casi trágica y en que uno no espera verlo concentrarse en la observación de la naturaleza: "Animalias menudas y grandes hay hartas y muy diversas de las nuestras. Dos puercos hube yo en presente, y un perro de Irlanda no osaba esperarlos. Un ballestero había herido una animalia, que se parece a gato paul, salvo que es mucho más grande, y el rostro de hombre: teníale atravesado con una saeta desde los pechos a la cola, y porque era feroz le hubo de cortar un brazo y una pierna: el puerco en viéndole se le encrespó y se fue huyendo: yo cuando esto vi mandé echarle *begare*, que así se llama adonde estaba: en llegando a él, así estando a la muerte y la saeta siempre en el cuerpo, le echó la cola por el hocico y se la amarró muy fuerte, y con la mano que le quedaba le arrebató por el copete como a enemigo. El auto tan nuevo y hermosa montería me hizo escribir esto" ("Carta a los Reyes", 7.7.1503).

Colón, atento a los animales y a las plantas, lo es aún más para todo lo relacionado con la navegación, aun si esta atención tiene más que ver con el sentido práctico del marino que con la observación científica rigurosa. Como conclusión al prólogo de su primer diario, se conmina a sí mismo de la siguiente manera: "Y sobre todo, cumple mucho que yo olvide el sueño y tiente mucho el navegar, porque así cumple, las cuales serán gran trabajo", y se puede decir que se obedeció al pie de la letra: no hay un día sin anotaciones referentes a las estrellas, los vientos, la profundidad del mar, el relieve de la costa; los principios teológicos no intervienen aquí. Mientras que Pinzón, comandante de la segunda nave, desaparece en busca del oro, Colón pasa su tiempo haciendo levantamientos geográficos: "Esta noche toda estuvo a la corda, como dicen los marineros, que es andar barloventeando y no andar nada, por ver un abra, que es una abertura de sierras como entre sierra y sierra, que le comenzó a ver al poner del sol, adonde se mostraban dos grandísimas montañas" (*Diario*, 13.11.1492).

El resultado de esta observación vigilante es que Colón logra verdaderas hazañas en materia de navegación (a pesar del naufragio de su nave): siempre sabe elegir los mejores vientos y las mejores velas; inaugura la navegación siguiendo a las estrellas y descubre la declinación magnética; uno de sus compañeros del segundo viaje, Michele de Cuneo, que no trata de halagarlo, escribe: "Durante las navegaciones, le bastaba mirar una nube o una estrella en la noche para saber lo que iba a suceder y si iba a haber mal tiempo." En otras palabras, sabe interpretar los signos de la naturaleza en función de sus intereses; por lo demás, la única comunicación verdaderamente eficaz que establece con los indígenas se efectúa sobre la base de su ciencia de las estrellas: es cuando, con una solemnidad digna de las tiras cómicas clásicas, aprovecha su conocimiento de un inminente eclipse lunar. Varado desde hace ocho meses en la costa de Jamaica, ya no logra convencer a los indios de que le traigan comida gratis; los amenaza entonces con robarles la luna y, la noche del 29 de febrero de 1504, empieza a poner en ejecución su amenaza, ante los ojos aterrados de los caciques. . . El éxito es inmediato.

Pero en Colón coexisten (para nosotros) dos personajes, y en el momento en que ya no está en juego el oficio de navegante, la estrategia finalista se vuelve primordial en su sistema de interpretación: ésta ya no consiste en buscar la verdad, sino en encontrar confirmaciones para una verdad conocida de antemano (o, como se dice, en tomar sus deseos por realidades). Por ejemplo, durante todo el primer viaje de travesía (Colón toma poco más de un mes para ir de las Canarias a Guanahaní, la primera isla que ve en el Caribe), está buscando indicios de la tierra; los encuentra, claro está, sólo una semana después de su partida. "Vieron mucha hierba y muy a menudo, y era hierba que juzgaban ser de peñas" (17.9.1492). "Apareció a la parte del Norte una gran cerrazón, que es señal de estar sobre la tierra" (18.9.1492). "Vinieron unos lloviznos sin viento, lo que es señal cierta de tierra" (19.9.1492). "Vinieron a la nao dos alcatraces y después otro, que fue señal de estar cerca de tierra" (20.9.1492). "Vieron una ballena, que es señal que estaban cerca de tierra, porque siempre andan cerca" (21.9.1492). Colón ve "señales" todos los días, y sin embargo ahora sabemos que esas señales mentían (o que no había señales), puesto que no llegarán a tierra sino el 12 de octubre, o sea, más de veinte días después.

En el mar, todas las señales indican la cercanía de la tierra, puesto que eso es lo que desea Colón. En tierra, todas las señales revelan la presencia del oro: también de eso está convencido de antemano. "Dice más, que creía que había grandísimas riquezas y piedras preciosas y especiería en ellas" (14.11.1492). "Y creía el Almirante debía haber buenos ríos y mucho oro" (11.1.1493). A veces la afirmación de esa convicción se mezcla ingenuamente con la admisión de ignorancia. "Y aun creo que ha en ellas muchas herbias y muchos árboles que valen mucho en España para tinturas y medicinas de especería, mas yo no los cognozco, de lo que llevo grande pena" (19.10.1492). "Y después ha árboles de mil maneras y todos de su manera fruto, y todos huelen que es maravilla, que yo estoy el más penado del mundo de no los cognoscer, porque soy bien cierto que todos son cosa de valía" (21.10.1492). Durante el tercer viaje, sigue con el mismo esquema de pensamiento: piensa que esas tierras son ricas, pues desea que lo sean; su convicción siempre es anterior a la experiencia. "Y también [quisiera] penetrar los secretos de aquellas tierras, que no creía ser posible que no tuviesen cosas de valor" (Las Casas, *Historia*, I, 136).

¿Cuáles son las "señales" que le permiten confirmar sus convicciones? ¿Cómo procede Colón hermeneuta? Un río le recuerda al Tajo. "Acordóse que en el río Tejo que al pie de él junto a la mar se halló oro, y parecióle que cierto debía tener oro" (*Diario*, 25.11.1492): no sólo no prueba nada una vaga analogía de este tipo, sino que hasta el punto de partida es falso: el Tajo no lleva oro. O también: "Dice que donde cera hay también debe haber otras mil cosas buenas" (29.11.1492): esta inferencia no alcanza la categoría del célebre "no hay humo sin fuego"; lo mismo pasa con otra, en que la belleza de la isla lo lleva a la conclusión de que posee riquezas.

Uno de sus corresponsales, mosén Jaume Ferrer, le había escrito en 1495: "La mayor parte de las cosas buenas vienen de región muy caliente; donde los moradores de allá son negros o loros..." Los negros y los loros se consideran entonces como señales (pruebas) de calor, y este último, como señal de riquezas. No es de asombrar entonces que Colón nunca deje de anotar la abundancia de loros, la negrura de la piel y la intensidad del calor. "Los indios que traía en el navío tenían entendido que el Almirante deseaba tener algún papagayo" (13.12.1492): ¡ahora sabemos por qué! En el tercer viaje, va más al sur: "Allí es la gente negra en extrema cantidad, y después que allí navegué al Occidente tan extremos calores" ("Carta a los Reyes", 31.8.1498). Pero el calor es bienvenido: "Por este calor que allí el Almirante dice que padecía, arguye que en estas Indias y por allí donde andaba debía de haber mucho oro" (*Diario*, 21.11.1492). Las Casas hace notar con acierto a propósito de otro ejemplo semejante: "Y es cosa maravillosa cómo lo que el hombre mucho desea y asienta una vez con firmeza en su imaginación, todo lo que oye y ve, ser en su favor a cada paso se le antoja" (*Historia*, I, 44).

La búsqueda de la localización de la tierra firme (del continente) representa otro ejemplo asombroso de este comportamiento. Desde el primer viaje, Colón registra en su diario la información pertinente: "Aquella isla Española [Haití], o la otra isla Yamaye [Jamaica], estaba cerca de tierra firme diez jornadas de canoa, que podía ser sesenta o setenta leguas, y que era la gente vestida allí" (6.1.1493). Pero tiene sus convicciones, a saber que la isla de Cuba es la que forma parte del continente (de Asia), y decide eliminar toda información que tienda a probar lo contrario. Los indios que encontró Colón le decían que esa tierra (Cuba) era una isla; como la información no le convenía, ponía en entredicho la calidad de sus informadores. "E como ellos son gente bestial e piensan que todo el mundo es islas e non saben qué cosa sea tierra firme, ni tienen letras ni memorias antiguas, nin se deleitan en otra cosa sino en comer y en mugeres, dezían que era isla" (Bernáldez transcribiendo el diario del segundo viaje). Uno puede preguntarse precisamente en qué el gusto por las mujeres invalida la afirmación de que ese país es una isla. Sea como fuere, hacia el final de esta segunda expedición asistimos a una escena célebre, y grotesca, en la que Colón renuncia definitivamente a verificar por la experiencia si Cuba es una isla, y decide aplicar el argumento de autoridad en lo que respecta a sus compañeros: todos bajan a tierra, y cada uno de ellos pronuncia un juramento en el que afirma "que ciertamente no tenía dubda alguna que fuese la tierra-firme; antes lo afirmaba y defendería que es la tierra-firme y no isla; y que antes de muchas leguas, navegando por la dicha costa, se fallaría tierra adonde tratan gente política de saber, y que saben el mundo. [. . .] [Con] pena de diez mil maravedís por cada vez que lo que

dijere cada uno que después en ningún tiempo el contrario dijese de
lo que agora diría, e cortada la lengua; y si fuere grumete o persona
de tal suerte, que le daría cien azotes y le cortarían la lengua" ("Juramento sobre Cuba", junio de 1494). ¡Asombroso en verdad, eso de
jurar que se *va* a encontrar gente civilizada!

La interpretación de los signos de la naturaleza que practica Colón
está determinada por el resultado al que tiene que llegar. Su hazaña
misma, el descubrimiento de América, está en relación con el mismo comportamiento: no la descubre, la encuentra en el lugar donde
"sabía" que estaría (en el lugar donde pensaba que se encontraba la
costa oriental de Asia). "Siempre tuvo en su corazón —informa Las
Casas—, por cualquier ocasión o conjetura que le hobiese a su opinión
venido [era por las lecturas de Toscanelli y de las profecías de Esdras],
que habiendo navegado de la isla del Hierro por este mar Océano
750 leguas, pocas más o menos, había de hallar tierra" (*Historia*, I,
39). Cuando lleva recorridas setecientas cincuenta leguas, prohibe
navegar de noche, por temor a dejar pasar la tierra, de la que *sabe*
que está muy cercana. Esta convicción es muy anterior al viaje mismo. Fernando e Isabel se lo recuerdan en una carta que sigue al descubrimiento: "Todo lo que al principio nos dijistes que se podría
alcanzar, por la mayor parte todo ha salido cierto, como si lo hobié-
rades visto antes que nos lo dijésedes" (carta del 16.8.1494). Colón
mismo, después de los hechos, atribuye su descubrimiento a ese saber
*a priori*, que identifica con la voluntad divina y con las profecías (a
las que, de hecho, recurre mucho en este sentido): "Ya dije que para
la ejecución de la empresa de las Indias no me aprovechó razón ni
matemática ni mapamundos; llenamente se cumplió lo que dijo Isaías"
("Prólogo" al *Libro de las profecías*, 1501). Igualmente, si Colón descubre (en el tercer viaje) el continente americano propiamente dicho,
es porque busca de manera muy clara lo que llamamos América del
Sur, como lo revelan sus anotaciones en el libro de Pedro de Ailly:
por razones de simetría, debe haber cuatro continentes sobre el globo: dos en el norte, dos en el sur; o, vistos en el otro sentido, dos
en el este, dos en el oeste. Europa y África ("Etiopía") forman la primera pareja norte-sur; Asia es el elemento norte de la segunda; queda por descubrir, no, por encontrar ahí donde está su lugar, el cuarto continente. Con lo cual la interpretación "finalista" no es
forzosamente menos eficaz que la interpretación empirista: los demás
navegantes no osaban emprender el viaje de Colón, pues no tenían
su certidumbre.

Este tipo de interpretación, fundado en la presciencia y la autoridad, no tiene nada de "moderno". Pero, como hemos visto, esta actitud se encuentra compensada por otra, que nos es mucho más familiar; es la admiración intransitiva de la naturaleza, con tal intensidad que se libera de toda interpretación y de toda función: es un disfrute de la naturaleza que ya no tiene ninguna finalidad, y Las Casas da cuenta de este fragmento del diario del tercer viaje que muestra a Colón prefiriendo lo bello a lo útil: "Y dice que aunque otra cosa de provecho no se hobiese, sino estas tierras tan fermosas, [. . .] se deberían mucho de estimar" (*Historia*, I, 131). Nunca acabaríamos de enumerar todas las admiraciones de Colón. "Toda aquella tierra es montañas altísimas muy hermosas, y no secas ni de peñas, sino todas andables y valles hermosísimos. Y así los valles como las montañas eran llenos de árboles altos y frescos, que era gloria mirarlos" (*Diario*, 26.11.1492). "Aquí son los peces tan disformes de los nuestros que es maravilla. Hay algunos hechos como gallos de las más finas colores del mundo, azules, amarillos, colorados y de todas colores, y otros pintados de mil maneras; y las colores son tan finas que no hay hombre que no se maraville y no tome gran descanso a verlos. También hay ballenas" (16.10.1492). "Aquí en toda la isla [los árboles] son todos verdes y las hierbas como en el abril en el Andalucía; y el cantar de los pajaritos que parece que el hombre nunca se querría partir de aquí, y las manadas de los papagayos que escurecen el sol; y aves y pajaritos de tantas maneras y tan diversas de las nuestras que es maravilla" (21.10.1492). Hasta el soplo del viento, en ese lugar, es "muy amoroso" (24.10.1492).

Para describir su admiración por la naturaleza, Colón no puede dejar el superlativo. El verde de los árboles es tan intenso que ya no es verde. "Y los árboles de allí diz que eran tan viciosos que las hojas dejaban de ser verdes y eran prietas de verdura" (16.12.1492). "Vino el olor tan bueno y suave de flores o árboles de la tierra, que era la cosa más dulce del mundo" (19.10.1492). "Dice que es aquella isla la más hermosa que ojos hayan visto" (28.10.1492). "Dijo que otra cosa más hermosa no había visto, por medio del cual valle viene aquel río" (15.12.1492). "Es cierto que la hermosura de la tierra de estas islas, así de montes e sierras y aguas, como de vegas donde hay ríos cabdales, es tal la vista que ninguna otra tierra que sol escaliente puede ser mejor al parecer ni tan fermosa" ("Memorial para Antonio de Torres", 30.1.1494).

Colón está consciente de lo que pueden tener de inverosímil y, por ende, de poco convincente esos superlativos; pero asume los riesgos, puesto que le es imposible proceder de otra manera. "Hoy fue

[. . .] a ver aquel puerto; el cual vido ser tal que afirmó que ninguno se le iguala de cuantos haya jamás visto, y excúsase diciendo que ha loado los pasados tanto que no sabe cómo lo encarecer, y que teme que sea juzgado por manificador excesivo más de lo que es verdad. A esto satisface. . ." (*Diario*, 21.12.1492). Jura que no exagera en nada: "Dice tantas y tales cosas de la fertilidad y hermosura y altura de estas islas que halló en este puerto, que dice a los Reyes que no se maravillen de encarecellas tanto, porque les certifica que cree que no dice la centésima parte" (14.11.1492). Y deplora la pobreza de sus palabras: "Iba diciendo a los hombres que llevaba en su compañía que para hacer relación a los Reyes de las cosas que vían no bastaran mil lenguas a referillo ni su mano para lo escribir, que le parecía que estaba encantado" (27.11.1492).

La conclusión de esta admiración ininterrumpida es lógica: es el deseo de no dejar ya este colmo de belleza. "Era gran placer ver aquellas verduras y arboledas, y de las aves, que no podía dejallas para se volver", leemos el 28 de octubre de 1492, y unos días más tarde concluye: "Fue cosa maravillosa ver las arboledas y frescuras y el agua clarísima y las aves y la amenidad, que dice que le parecía que no quisiera salir de allí" (27.11.1492). Los árboles son las verdaderas sirenas de Colón. Frente a ellos, olvida sus interpretaciones y su búsqueda de ganancia, para reiterar incansablemente aquello que no sirve para nada, que no lleva a nada, y que por lo tanto sólo puede ser *repetido*: la belleza. "Se detenía más de lo que quería por el apetito y deleitación que tenía y recebía de ver y mirar la hermosura y frescura de aquellas tierras donde quiera que entraba" (27.11.1492). Tal vez vuelve a encontrar en eso un móvil que ha animado a todos los grandes viajeros, lo hayan sabido o no.

La observación atenta de la naturaleza conduce, pues, en tres direcciones diferentes: a la interpretación puramente pragmática y eficaz, cuando se trata de asuntos de navegación; a la interpretación finalista, en la que los signos confirman las creencias y las esperanzas que uno tiene, para toda otra materia; por último, a ese rechazo de la interpretación que es la admiración intransitiva, la sumisión absoluta a la belleza, en la que uno ama un árbol porque es bello, porque *es*, no porque podrá utilizarlo como mástil de una nave o porque su presencia promete riquezas. Frente a los signos humanos el comportamiento de Colón habrá de ser, finalmente, más sencillo.

De unos a otros, hay solución de continuidad. Los signos de la naturaleza son indicios, asociaciones estables entre dos entidades, y basta con que una esté presente para que se pueda inferir inmediata-

mente la otra. Los signos humanos, es decir, las palabras de la lengua, no son simples asociaciones, no relacionan directamente un sonido con una cosa, sino que pasan por intermedio del sentido, que es
una realidad intersubjetiva. Ahora bien, y éste es el primer hecho
notable, en materia de lenguaje Colón sólo parece prestar atención
a los nombres propios, que en ciertos aspectos son lo que está más
emparentado con los indicios naturales. Observemos primero esta
atención y, para empezar, la preocupación que Colón dedica a su propio nombre; a tal punto que, como se sabe, cambia varias veces su
ortografía en el curso de su vida. Una vez más, cedo aquí la palabra
a Las Casas, gran admirador del Almirante y fuente única de innumerables informaciones que a él se refieren, y quien revela el sentido
de esos cambios (*Historia*, I, 2): "Pero este ilustre hombre, dejado el
apellido introducido por la costumbre, quiso llamarse Colón, restituyéndose al vocablo antiguo, no tanto acaso, según es de creer, cuanto por voluntad divina, que para obrar lo que su nombre y sobrenombre significaba lo elegía. Suele la divinal Providencia ordenar
que se pongan nombres y sobrenombres a personas que señala para
se servir conformes a los oficios que les determina cometer, según
asaz parece por muchas partes de la Sagrada Escritura; y el Filósofo,
en el IV de la *Metafísica*, dice que los nombres deben convenir con
las propiedades y oficios de las cosas. Llamose, pues, por nombre,
Cristóbal, conviene a saber, *Christum ferens*, que quiere decir traedor
o llevador de Cristo, y así se firmaba él algunas veces; como en la
verdad él haya sido el primero que abrió las puertas deste mar Océano, por donde entró y él metió a estas tierras tan remotas y reinos
hasta entonces tan incógnitos a nuestro Salvador Jesucristo. [. . .]
Tuvo por sobrenombre Colón, que quiere decir poblador de nuevo,
el cual sobrenombre le convino en cuanto por su industria y trabajos fue causa que descubriendo a estas gentes, infinitas ánimas dellas,
mediante la predicación del Evangelio [. . .] hayan ido y vayan cada
día a poblar de nuevo aquella triunfante ciudad del cielo. También
le convino, porque de España trujo él primero gente (si ella fuera
cual debía ser) para hacer colonias, que son nuevas poblaciones traídas de fuera, que puestas y asentadas entre los naturales, constituyeran una nueva, [. . .] cristiana Iglesia y felice república."
  Colón (ya se entiende por qué me importa esta ortografía)★ y después de él Las Casas, como muchos de sus contemporáneos, creen
entonces que los nombres, o por lo menos los nombres de las perso

---

★ Todorov escribe *Colon* en el original, cuando la ortografía normal en francés es *Colomb* [T.].

nas excepcionales, deben constituir la imagen de su ser; y Colón había conservado en su persona dos rasgos dignos de figurar hasta en su nombre: el evangelizador y el colonizador; después de todo, no estaba equivocado. La misma atención al nombre, rayana en el fetichismo, se manifiesta en los cuidados con que rodea su firma; pues no firma, como cualquiera, con su nombre, sino con una rúbrica particularmente elaborada —tan elaborada, por cierto, que todavía no se ha llegado a descifrar su secreto—; y no se conforma con utilizarla, sino que también la impone a sus herederos; en efecto, leemos en la institución de mayorazgo: "Don Diego, mi hijo, o cualquier otro que heredare este mayorazgo, después de haber heredado y estado en posesión de ello, firme de mi firma, la cual agora acostumbro, que es una X con una S encima y una M con una A romana encima, y encima de ella una S y después una Y griega con una S encima, con sus rayas y vírgulas, como yo agora fago y se parecerá por mis firmas, de las cuales se hallarán muchas y por ésta parecerá" (22.2.1498).

¡Hasta los puntos y las comas están reglamentados de antemano! Esta atención extrema a su propio nombre encuentra una prolongación natural en su actividad de nominador, en el curso de sus viajes. Como Adán en el paraíso, Colón se apasiona por la elección de los nombres del mundo virgen que tiene ante los ojos, y, como en su propio caso, esos nombres deben estar motivados. La motivación se establece de varias maneras. Al principio, asistimos a una especie de diagrama: el orden cronológico de los bautizos corresponde al orden de importancia de los objetos asociados con esos nombres. Serán, en este orden: Dios; la virgen María; el rey de España; la reina; la heredera real. "A la primera [isla] que yo fallé puse su nombre San Salvador, a conmemoración de su alta Magestad, el cual maravillosamente todo esto ha dado; los indios la llaman Guanahaní. A la segunda puse nombre la isla de Santa María de Concepción, a la tercera, Fernandina, a la cuarta, la Isabel, a la quinta, isla Juana, e así a cada una nombre nuevo" ("Carta a Santángel", febrero-marzo de 1493).

Colón, entonces, sabe perfectamente que esas islas ya tienen nombres, naturales en cierta forma (pero en otra acepción del término); sin embargo, las palabras de los demás le interesan poco y quiere volver a nombrar los lugares en función del sitio que ocupan en su descubrimiento, darles nombres *justos*; además, el dar nombres equivale a una toma de posesión. Más tarde, cuando ha agotado un poco el registro religioso y el de la realeza, recurre a una motivación más tradicional, por parecido directo, cuya justificación también nos da.

"Al cual [cabo] puse nombre cabo Fermoso, porque así lo es" (19.10.1492). "[Las] llamó las islas de Arena por el poco fondo que tenían de la parte del sur hasta seis leguas" (27.10.1492). "Vido cabo lleno de palmas y púsole cabo de Palmas" (30.10.1492). "Hay un cabo que entra mucho en la mar alto y bajo, y por eso le puso nombre cabo Alto y Bajo" (19.12.1492). "Hallaban metidos por los aros de los barriles pedacitos de oro, y lo mismo que en los aros de la pipa. Puso por nombre el Almirante al río el río de Oro" (8.1.1493). "Cuando vido la tierra, llamó a un cabo que vido el cabo de Padre e Hijo, porque a la punta de la parte del leste tiene dos farallones, mayor el uno que el otro" (12.1.1493; I, 195). "Llamé allí a este lugar Jardines, porque así conforman por el nombre" ("Carta a los Reyes", 31.8.1498).

Las cosas deben tener los nombres que les convienen. En ciertos días esta obligación precipita a Colón en un estado de verdadera rabia nominativa. Así, el 11 de enero de 1493: "Navegó al leste, hasta un cabo que llamó Belprado, cuatro leguas; y de allí al sueste está el monte a quien puso monte de Plata, y dice que hay ocho leguas. De allí al cabo del Belprado al leste, cuarta del sueste, está el cabo que dijo del Ángel, y hay diez y ocho leguas. [. . .] Del cabo del Ángel al leste, cuarta del sueste, hay cuatro leguas, a una punta que puso del Hierro; y al mismo camino, cuatro leguas, está una punta que llamó la Punta Seca; y de allí al mismo camino, a seis leguas, está el cabo que dijo Redondo; y de allí al leste está el cabo Francés. . ." Su placer parece ser tan grande que en ciertos días da sucesivamente dos nombres al mismo lugar (así, el 6 de diciembre de 1492 un puerto que al amanecer fue nombrado María se convierte en San Nicolás a la hora de vísperas); en cambio, si alguien más quiere imitarlo en su acción nominadora, anula la decisión para imponer sus propios nombres: durante su escapatoria, Pinzón había dado su nombre a un río (cosa que el Almirante nunca hace), pero Colón se apresura a volverlo a bautizar "río de Gracia". Ni siquiera los indios escapan a la marejada de nombres: los primeros hombres que se lleva de vuelta a España reciben los nuevos nombres de don Juan de Castilla y don Fernando de Aragón. . .

El primer gesto que hace Colón al entrar en contacto con las tierras recién descubiertas (es decir, el primerísimo contacto entre Europa y lo que habrá de ser América) es una especie de acto de nominación extendido: se trata de la declaración según la cual esas tierras forman parte, desde entonces, del reino de España. Colón baja a tierra en una barca decorada con el pendón real, y acompañado por sus dos capitanes, así como por el notario real provisto de su tintero. Ante los ojos de los indios probablemente perplejos, y sin preocuparse para nada de ellos, Colón hace levantar un acta. "Dijo que le diesen por fe y testimonio como él por ante todos tomaba, como de hecho tomó posesión de la dicha isla por el Rey e por la Reina sus señores. . ." (12.10.1492). El que éste sea el primerísimo acto realizado por Colón en América nos dice mucho sobre la importancia que tenían para él las ceremonias de nominación.

Ahora bien, como ya hemos dicho, los nombres propios constituyen un sector muy particular del vocabulario: desprovistos de sentido, sólo están al servicio de la denotación pero no, directamente, de la comunicación humana; se dirigen a la naturaleza (al referente), y no a los hombres; a pesar de los indicios, son asociaciones directas entre secuencias sonoras y segmentos del mundo. La parte de la comunicación humana que capta la atención de Colón es entonces precisamente aquel sector del lenguaje que sólo sirve, por lo menos en un primer tiempo, para designar a la naturaleza.

En cambio, cuando tienen que ver con el resto del vocabulario, Colón demuestra muy poco interés y revela aún más su concepción ingenua del lenguaje, puesto que siempre percibe los nombres confundidos con las cosas: toda la dimensión de la intersubjetividad, del *valor* recíproco de las palabras (por oposición a su capacidad denotativa), del carácter humano, y por lo tanto arbitrario, de los signos se le escapa. Veamos un episodio significativo, una especie de parodia del trabajo etnográfico: una vez que ha aprendido la palabra india "cacique", se esfuerza más por ver a qué palabra española corresponde exactamente que por saber cuál es su significado en la jerarquía, convencional y relativa, de los indios, como si fuera evidente que los indios establecen las mismas distinciones que los españoles; como si el uso español no fuera una convención entre otras, sino el estado natural de las cosas: "Hasta entonces no había podido entender el Almirante si lo dicen por rey o por gobernador, y otro nombre por grande que llaman *nitayno*; no sabía si lo decían por hidalgo o gobernador o juez" (*Diario*, 23.12.1492). Colón no duda un instante de que los indios distingan, como los españoles, entre grande, hidalgo y gobernador; su curiosidad, que por lo demás es limitada, sólo se refiere al equivalente indio exacto de esos términos. Para él, todo el vocabulario está hecho a imagen de los nombres propios y éstos vienen naturalmente de las propiedades de los objetos que señalan: el colonizador debe llamarse Colón. Las palabras son, y sólo son, la imagen de las cosas.

Tampoco sorprenderá ver cuán poca atención dedica Colón a las lenguas extranjeras. Su reacción espontánea, que no siempre hace explícita pero que subyace en su comportamiento, es que, en el fondo, la diversidad lingüística no existe, puesto que la lengua es natural. El asunto es tanto más asombroso cuanto que Colón mismo es políglota, y al mismo tiempo carece de lengua materna: emplea igualmente bien (o mal) el genovés, el latín, el portugués, el español; pero las certidumbres ideológicas siempre han sabido dominar las contingencias individuales. Su misma convicción de que Asia está cerca, que le da el valor de partir, descansa en un malentendido lingüístico caracterizado. La opinión común de su tiempo quiere que la tierra sea redonda, pero se piensa, y con razón, que la distancia entre Europa y Asia por la vía occidental es muy grande, incluso insalvable. Colón toma por autoridad al astrónomo árabe Alfragano, que indica con bastante exactitud la circunferencia de la tierra, pero que se expresa en millas árabes, superiores en un tercio a las millas italianas familiares a Colón. Ahora bien, éste no puede imaginar que las medidas sean convencionales, que el mismo término tenga significados diferentes según las diferentes tradiciones (o lenguas, o contextos); traduce entonces en millas italianas, y la distancia le parece a la medida de sus fuerzas. Y aunque Asia no esté donde cree que se encuentra, tiene el consuelo de descubrir América. . .

Colón desconoce pues la diversidad de las lenguas, lo cual, frente a una lengua extranjera, sólo le deja dos posibilidades de comportamiento complementarias: reconocer que es una lengua pero negarse a creer que sea diferente, o reconocer su diferencia pero negarse a admitir que se trate de una lengua. . . Esta última reacción es la que provocan los indios que encuentra muy al principio, el 12 de octubre de 1492; al verlos, se promete: "Yo, placiendo a Nuestro Señor, llevaré de aquí al tiempo de mi partida seis a V.A. para que deprendan fablar" (estos términos chocaron tanto a los diferentes traductores franceses de Colón que todos ellos corrigieron: "que aprendan nuestra lengua"). Más tarde, admite que tienen una lengua pero no llega a acostumbrarse totalmente a la idea de que es diferente, y persiste en oír palabras familiares en lo que dicen, y en hablarles como si debieran comprenderlo, o en reprocharles la mala pronunciación de nombres o de palabras que cree reconocer. Con ayuda de la deformación auditiva, Colón emprende diálogos chuscos e imaginarios, el más prolongado de los cuales se refiere al Gran Kan, objetivo de su viaje. Los indios enuncian la palabra *Cariba*, para designar a los habitantes (antropófagos) del Caribe. Colón oye *caniba*, es decir la gente del Kan.

Pero también entiende que según los indios esos personajes tienen cabezas de perro (*can*) con las que, precisamente, se los comen. Pero eso sí le parece una fábula, y se la reprocha a los indios: "Y creía el Almirante que mentían, y sentía el Almirante que debían de ser del señorío del Gran Can, que los captivaban" (26.11.1492).

Cuando Colón reconoce por fin la extrañeza de una lengua, quisiera que por lo menos fuera también igual a todas las demás; en suma, por un lado están las lenguas latinas, y por el otro las lenguas extranjeras; los parecidos son grandes en el interior de cada grupo, si juzgamos sobre la base de la facilidad que tiene Colón para las primeras, y por el especialista en lenguas que se lleva consigo, para las segundas: cuando oye hablar de un gran cacique en el interior de las tierras, el cual imagina que es el Kan, es decir el emperador de China, le envía como emisario "un Luis de Torres, que había vivido con el Adelantado de Murcia, y había sido judío y sabía diz que hebraico y caldeo, y aun algo arábigo" (2.11.1492). Cabe preguntarse en qué idioma se habrían desarrollado las conversaciones entre Colón y el cacique indio, alias emperador de China; pero este último no acudió a la cita.

El resultado de esa falta de atención al idioma del otro es fácil de prever: en realidad, durante todo el primer viaje, antes de que hubieran aprendido a "hablar" los indios que se llevó a España, la incomprensión es total, o, como dice Las Casas al margen del diario de Colón: "Al revés entendían de lo que los indios por señas les hablaban" (30.10.1492). Después de todo, el asunto no es chocante, ni siquiera sorprendente; en cambio, lo que sí sorprende es el hecho de que Colón pretenda regularmente que comprende lo que le dicen, al tiempo que da pruebas de su incomprensión. Por ejemplo, el 24 de octubre de 1492 escribe: "Oí de esta gente que [la isla de Cuba] era muy grande y de gran trato y había en ella oro y especerías y naos grandes y mercaderes." Pero dos líneas más adelante, el mismo día, añade: "por lengua no los entiendo". Lo que "oye", pues, es sencillamente un resumen de los libros de Marco Polo y de Pedro de Ailly. "Entendía el Almirante que allí venían naos del Gran Can, y grandes, y que de allí a tierra firme había jornada de diez días" (28.10.1492). "Torno a decir como otras veces dije, dice él, que Caniba no es otra cosa sino la gente del Gran Can, que debe ser aquí muy vecino." Y añade este sabroso comentario: "Cada día entendemos más a estos indios y ellos a nosotros, puesto que muchas veces hayan entendido uno por otro (dice el Almirante)" (11.12.1492). Contamos con otro relato que ilustra la forma en que los hombres de Colón se hacían entender

por los indios: "Y creyendo que saliendo dos o tres hombres de las
barcas no temieran, salieron dos cristianos diciendo que no hobiesen
miedo en su lengua, porque sabían algo de ella por la conversación
de los que traen consigo. En fin, dieron todos a huir, que ni grande
ni chico quedó" (27.11.1492).

Por lo demás, Colón no siempre se deja engañar por sus ilusiones, y admite que no hay comunicación (lo cual vuelve todavía más
problemáticas las "informaciones" que cree sacar de sus conversaciones): "No sé la lengua, y la gente de estas tierras no me entienden
ni yo ni otro que yo tenga a ellos" (27.11.1492). Y también dice que
no entendía su lengua "sino por discreción" (15.1.1493); sin embargo, ya sabemos lo poco confiable que es ese método. . .

La comunicación no verbal no logra mayores éxitos que el intercambio de palabras. Colón se apresta a desembarcar en la ribera con
sus hombres. "Uno de ellos [los indios que habían venido] se ade-
lantó en el río junto con la popa de la barca e hizo una grande plática
que el Almirante no entendía [no es de sorprender], salvo que los
otros indios de cuando en cuando alzaban las manos al cielo y daban
una grande voz. Pensaba el Almirante que lo aseguraban y que les
placía de su venida [típico ejemplo de *wishful thinking*]; pero vido al
indio que consigo traía [y que sí entendía el idioma] demudarse la
cara y amarillo como la cera, y temblaba mucho, diciendo por señas
que el Almirante se fuese fuera del río, que los querían matar"
(3.12.1492). Y aun cabe preguntar si Colón entendió bien lo que el
indio le decía "por señas". Y aquí tenemos un ejemplo de emisión
simbólica casi tan lograda como la anterior: "Ya deseaba mucho haber
lengua [con los indios], y no tenía ya cosa que me pareciese que era
de mostrarles para que viniesen, salvo que hice sobir un tamborín
en el castillo de popa que tañesen, e unos mancebos que danzasen,
creyendo que se allegarían a ver la fiesta; y luego que vieron tañer
y danzar todos dejaron los remos y echaron mano a los arcos y los
encordaron, y embrazó cada uno su tablachina, y comenzaron a tirar-
nos flechas" ("Carta a los Reyes", 31.8.1498).

Estos fracasos no sólo se deben a la falta de comprensión del idioma, a la ignorancia de las costumbres de los indios (aunque Colón
hubiera podido tratar de superarlas): los intercambios con los europeos no tienen mucho más éxito. Así, en el camino de regreso del
primer viaje, en las Azores, vemos a Colón cometer falta tras falta
en su comunicación con un capitán portugués que le es hostil: Colón,
demasiado crédulo al principio, ve cómo arrestan a sus hombres,
cuando esperaba tener la mejor de las acogidas; más tarde, con gro-

sero disimulo, no logra atraer a ese capitán a su barco, para encerrarlo a su vez. Su percepción de los mismos hombres que lo rodean no es muy clarividente: aquellos a quienes da toda su confianza (como Roldán, u Hojeda) se ponen inmediatamente en contra suya, mientras que descuida a personas que le son realmente fieles, como Diego Méndez.

Colón no tiene éxito con la comunicación humana porque no le interesa. En su diario del 6 de diciembre de 1492 leemos que los indios que llevó a bordo de su barco tratan de escaparse y se inquietan por verse lejos de su isla. "Ni los entendía bien ni ellos a él, y diz que habían el mayor miedo del mundo de la gente de aquella isla. Así que, por querer haber lengua con la gente de aquella isla, le fuera necesario detenerse algunos días en aquel puerto, pero no lo hacía por ver mucha tierra y por dudar que el tiempo le duraría." Todo está en el encadenamiento de estas cuantas frases: la percepción sumaria que tiene Colón de los indios, mezcla de autoritarismo y condescendencia; la incomprensión de su lengua y de sus señas; la facilidad con que se enajena la voluntad del otro en aras de un mejor conocimiento de las islas descubiertas; la preferencia por las tierras frente a los hombres. En la hermenéutica de Colón, éstos no tienen un lugar aparte.

## COLÓN Y LOS INDIOS

Colón sólo habla de los hombres que ve porque, después de todo, ellos también forman parte del paisaje. Sus menciones de los habitantes de las islas siempre aparecen entre anotaciones sobre la naturaleza, en algún lugar entre los pájaros y los árboles. "En las tierras hay muchas minas de metales e hay gente [en] inestimable número" ("Carta a Santángel", febrero-marzo de 1493). "Siempre en lo que hasta allí había descubierto iba de bien en mejor, así en las tierras y arboledas y hierbas y frutos y flores como en las gentes" (*Diario*, 25.11.1492). "Las [raíces] de aquel lugar eran tan gordas como la pierna, y aquella gente todos diz que eran gordos y valientes" (16.12.1492): bien se ve de qué modo se introduce a la gente, al abrigo de una comparación necesaria para describir las raíces. "Aquí fallaron que las mujeres casadas traían bragas de algodón, las mozas no, salvo algunas que eran ya de edad de diez y ocho años. Y ahí había perros mastines y branchetes, y ahí fallaron uno que había al nariz un pedazo de oro que sería como la mitad de un castellano"

Fig. 3. *Colón desembarca en Haití*

Fig. 4. *Los españoles levantan la cruz en América*

(17.10.1492): esta mención de los perros en medio de las observaciones sobre las mujeres y los hombres indica claramente en qué registro quedarán integrados éstos.

La primera mención de los indios es significativa: "Luego vinieron gente desnuda. . ." (12.10.1492). El asunto es cierto; no por ello es menos revelador el que la primera característica de esas gentes que impresiona a Colón sea la falta de ropa —la cual a su vez simboliza la cultura (de ahí viene el interés de Colón por las personas vestidas, que podrían integrarse más a lo que se sabe del Gran Kan; está un poco decepcionado por no haber encontrado más que salvajes). Y vuelve la afirmación: "Desnudos todos, hombres y mujeres, como sus madres los parió [sic]" (6.11.1492). "Este rey y todos los otros andaban desnudos como sus madres los parieron, y así las mujeres, sin algún empacho" (16.12.1492): al menos las mujeres hubieran podido hacer algún esfuerzo. A menudo sus observaciones se limitan llanamente al aspecto físico de la gente, a su estatura, al color de su piel (más apreciada en la medida en que es más clara, es decir, más semejante). "Ellos son de la color de los canarios, ni negros, ni blancos" (12.10.1492). ". . .que son blancos más que los otros, y que entre los otros vieron dos mujeres mozas tan blancas como podían ser en España" (13.12.1492). "Hay muy lindos cuerpos de mujeres" (21.12.1492). Y concluye con asombro que, aunque vayan desnudos, los indios parecen estar más cerca de los hombres que de los animales. "Todas aquellas gentes isleñas e de la tierra firme de allá, aunque parescen bestiales e andan desnudos, [. . .] les parescieron ser bien razonables e de agudos ingenios" (Bernáldez).

Los indios, físicamente desnudos, también son, para los ojos de Colón, seres despojados de toda propiedad cultural: se caracterizan, en cierta forma, por la ausencia de costumbres, ritos, religión (lo que tiene cierta lógica, puesto que, para un hombre como Colón, los seres humanos se visten después de su expulsión del paraíso, que a su vez es el origen de su identidad cultural). Además, también está su costumbre de ver las cosas como le conviene, pero es significativo el hecho de que lo lleva a la imagen de la desnudez espiritual. "Me pareció que era gente muy pobre de todo", escribe en el primer encuentro, y también: "Me pareció que ninguna secta tenían" (12.10.1492). "Esta gente es muy mansa y muy temerosa, desnuda como dicho tengo, sin armas y sin ley" (4.11.1492). "Ellos no tienen secta ninguna ni son idólatras" (27.11.1492). Ya se sabe que los indios están desprovistos de lengua; ahora se descubre que carecen de ley y religión, y, si bien tienen una cultura material, ésta no es más digna de

atraer la atención que su cultura espiritual: "Traían ovillos de algodón filado y papagayos y azagayas y otras cositas que sería tedio de
escrebir" (13.10.1492): lo importante, claro está, era la presencia de
los papagayos. Su actitud frente a esta otra cultura es, en el mejor
de los casos, la del coleccionista de curiosidades, y nunca la acompaña un intento de comprensión: al observar por vez primera cons-
trucciones con trabajo de albañilería (durante el cuarto viaje, en la
costa de Honduras), se conforma con ordenar que arranquen un tro-
zo para guardarlo como recuerdo.

No tiene nada de asombroso el que esos indios, culturalmente vírgenes, página blanca que espera la inscripción española y cristiana,
se parezcan entre sí. "La gente toda era una con los otros ya dichos,
de las mismas condiciones, y así desnudos y de la misma estatura"
(17.10.1492). "Vinieron muchos de esta gente, semejantes a los otros
de las otras islas, así desnudos y así pintados" (22.10.1492). "Esta
gente [. . .] es de la misma calidad y costumbre de los otros hallados" (1.11.1492). "Ellos son gente como los otros que he hallado
—dice el Almirante—, y de la misma creencia" (3.12.1492). Los indios
se asemejan porque todos están desnudos, privados de características distintivas.

Dado este desconocimiento de la cultura de los indios y su asimilación con la naturaleza, no podemos esperar encontrar en los escritos de Colón un retrato detallado de la población. La imagen que
de ella da obedece, en un principio, a las mismas reglas que la descripción de la naturaleza: Colón decide admirarlo todo, y la belleza
física en primer lugar. "Muy bien hechos, de muy fermosos cuerpos
y muy buenas caras" (12.10.1492). "Todos de buena estatura, gente
muy fermosa" (13.10.1492). "Son los más hermosos hombres y
mujeres que hasta allí hobieron hallado" (16.12.1492).

Un autor como Pedro Mártir, que refleja fielmente las impresiones (o los fantasmas) de Colón y de sus primeros compañeros, gusta
de pintar escenas idílicas. Aquí vienen las indias a saludar a Colón:
"Dicen los nuestros que [. . .] son muy hermosas [. . .], y que se les
figuró que veían esas bellísimas driadas o ninfas salidas de las fuentes, de que hablan las antiguas fábulas. Todas ellas, doblando la rodilla,
hicieron entrega al Adelantado de los manojos de palma que llevaban en las diestras, mientras danzaban y cantaban a porfía" (i, 5;
cf. fig. 3).

Esta admiración decidida de antemano también se extiende al plano
moral. Estas gentes son buenas, declara Colón desde un principio,
sin preocuparse por fundamentar su afirmación. "Son la mejor gen-

te del mundo y más mansa" (16.12.1492). "Dice el Almirante que
no puede creer que hombre haya visto gente de tan buenos corazones" (21.12.1492). "En el mundo creo que no hay mejor gente ni
mejor tierra" (25.12.1492): la fácil relación entre tierras y hombres
indica claramente con qué espíritu escribe Colón, y lo poco que se
puede confiar en las cualidades descriptivas de sus observaciones. Por
lo demás, cuando llegue a conocer mejor a los indios, habrá de dar
en el otro extremo, pero no por ello son más dignas de fe sus informaciones: se ve a sí mismo, naufragado en Jamaica, "cercado de un
cuento de salvages, y llenos de crueldad y enemigos nuestros" ("Carta
a los Reyes", 7.7.1503). Claro que lo que más llama la atención, aquí,
es que para caracterizar a los indios Colón sólo encuentra adjetivos
del tipo bueno/malo, que en realidad no nos enseñan nada: no sólo
porque esas cualidades dependen del punto de vista en el que uno
se coloque, sino también porque corresponden a estados momentá-
neos y no a características estables, porque vienen de la apreciación
pragmática de una situación y no del deseo de conocer.

A primera vista, hay dos rasgos de los indios que parecen ser menos
previsibles que los demás: su "generosidad" y su "cobardía", pero,
al leer las descripciones de Colón, nos damos cuenta de que esas
observaciones proporcionan más datos sobre Colón que sobre los
indios. A falta de palabras, indios y españoles intercambian, desde
el primer encuentro, pequeños objetos sin importancia, y Colón no
deja de alabar la generosidad de los indios que dan todo por nada;
le parece que a veces raya en la tontería: ¿por qué aprecian por igual
un pedazo de vidrio que una moneda, y dan el mismo valor a las
monedas insignificantes que a las de oro? "Les di [. . .] otras cosas
muchas de poco valor, con que hobieron mucho placer" (*Diario*,
12.10.1492). "Mas todo lo que tienen lo dan por cualquier cosa que
les den; que fasta los pedazos de las escudillas y de las tazas de vidrio
rotas rescataban" (13.10.1492). "De lo que tienen luego lo dan por
cualquier cosa que les den, sin decir que es poco" (13.12.1492).
"Quier sea cosa de valor, quier sea de poco precio, luego, por cualquiera cosa, de cualquier manera que sea se les dé, por ello son contentos" ("Carta a Santángel", febrero-marzo de 1493). Al igual que
en el caso de las lenguas, Colón no entiende que los valores son convencionales, que el oro no es más valioso que el vidrio "en sí", sino
sólo dentro del sistema europeo de intercambio. Así pues, cuando
concluye esta descripción de los intercambios diciendo: "Fasta los
pedazos de los arcos rotos de las pipas tomaban, y daban lo que tenían
como bestias" ("Carta a Santángel", febrero-marzo de 1493), nos

da la impresión de que en este caso el tonto es él: un sistema de intercambio diferente equivale para él a la ausencia de sistema, y de ahí llega a la conclusión sobre el carácter bestial de los indios.

El sentimiento de superioridad engendra un comportamiento proteccionista: Colón nos dice que prohibe a sus marineros un trueque que, a sus ojos, es escandaloso. Sin embargo, lo vemos ofrecer a su vez regalos estrafalarios, que hoy en día se asocian, para nosotros, con los "salvajes", pero que Colón fue el primero en enseñarles a gustar y exigir. "Envié por él y le di un bonete colorado y unas cuentas de vidrio verdes pequeñas que le puse al brazo y dos cascabeles que le puse a las orejas" (*Diario*, 15.10.1492). "[Le di] unas cuentas muy buenas de ámbar que yo traía al pescuezo, y unos zapatos colorados y una almarraxa de agua de azahar, de que quedó tan contento, que fue maravilla" (18.12.1492). "El señor ya traía camisa y guantes que el Almirante le había dado" (26.12.1492). Es comprensible que Colón se sienta escandalizado por la desnudez del otro, pero ¿son los guantes, el bonete rojo y los zapatos, en esas circunstancias, regalos realmente más útiles que las tazas de vidrio rotas? Los jefes indios, por lo menos, siempre podrán ir a visitarlo *vestidos*. Más tarde vemos que los indios encuentran otros usos para los regalos españoles, sin que por ello quede demostrada su utilidad. "Como estaban desnudos, preguntaban para qué servían las agujas; los nuestros, con hábil respuesta, los dejaron satisfechos, pues por señales les dieron a entender que eran utilísimas para extirparse las púas que frecuentísimamente se les clavaban en la carne, y limpiarse los dientes, con lo que empezaron a hacer de ellas gran aprecio" (Pedro Mártir, I, 8).

Así pues, sobre la base de esas observaciones y de esos intercambios es como Colón va a declarar que los indios son la gente más generosa del mundo, con lo cual hace una contribución importante al mito del buen salvaje. "Son [. . .] sin codicia de lo ajeno" (26.12.1492). "Son tanto sin engaño y tan liberales de lo que tienen, que no lo creerá sino el que lo viese" ("Carta a Santángel", febrero-marzo de 1493). "Y no se diga que porque lo que daban valía poco, por eso lo daban liberalmente —dice el Almirante—, porque lo mismo hacían, y tan liberalmente, los que daban pedazos de oro como los que daban la calabaza de agua; y fácil cosa es de cognoscer —añade— cuando se da una cosa con muy deseoso corazón de dar" (*Diario*, 21.12.1492).

En realidad, el asunto es menos fácil de lo que parece. Colón lo presiente cuando, en su carta a Santángel, recapitula su experiencia: ". . .ni he podido entender si tienen bienes propios, que me pareció ver que aquello que uno tenía todos hacían parte, en especial de las cosas comederas" (febrero-marzo de 1493). ¿Daría otra relación con la propiedad privada una explicación de esos comportamientos "generosos"? Su hijo Hernando también lo atestigua, al relatar un episodio del segundo viaje. "Tan pronto como entraban en aquellas casas [que pertenecían a los naturales del lugar] algunos indios que el Almirante llevaba consigo de la Isabela, cogían lo que más les gustaba, sin que los dueños dieran muestras de desagrado, como si todo fuese común. De igual modo, los de aquella tierra, cuando se acercaban a algún cristiano, le tomaban lo que mejor les parecía, creyendo que entre nosotros había también aquella costumbre. Pero no les duró mucho tal engaño" (51). Colón olvida entonces su propia percepción, y declara poco después que los indios, lejos de ser generosos son todos ladrones (inversión paralela a la que los transforma de los mejores hombres del mundo en violentos salvajes); de golpe, les impone castigos crueles, los mismos que se usaban entonces en España: "Y porque en este camino que yo hice a Cambao acaeció que algún indio hurtó algo, si hallardes que alguno d'ellos furten, castigaldos también cortándoles las narices y las orejas, porque son miembros que no podrán esconder" ("Instrucción a mosén Pedro Margarite", 9.4.1494).

El discurso sobre la "cobardía" pasa exactamente por el mismo proceso. Al comienzo, hay condescendencia divertida: "[Son] sin armas y tan temerosos, que a una persona de los nuestros fuyen cientos dellos, aunque burlen con ellos" (*Diario*, 12.11.1492). "Certifica el Almirante a los Reyes, que diez hombres hagan huir a diez mil, tan cobardes y medrosos son" (3.12.1492). "Non tienen fierro ni acero, armas, ni son para ello: non porque non sea gente bien dispuesta y de fermosa estatura, salvo que son muy temerosos a maravilla" ("Carta a Santángel", febrero-marzo de 1493). La cacería de indios con perros, otro "descubrimiento" de Colón, descansa en una observación semejante: "Que un perro vale para contra los indios como diez onbres" (Bernáldez). Colón deja tranquilamente a una parte de sus hombres, al final del primer viaje, en la isla Española; pero, al volver a ella un año más tarde, le es forzoso admitir que fueron matados por esos indios miedosos e ignorantes de las armas; ¿se habrán reunido mil de ellos para acabar con cada español? Se va entonces al otro extremo, y en cierta forma deduce, de la cobardía de los indios, su valor. "No ay tan mala gente como cobardes, que nunca dan la vida a ninguno, así que si los indios hallasen un ombre o dos desmandados, no sería maravilla que los matasen" ("Instrucción para mosén Pedro Margarite", 9.4.1494); el rey indio Caonabo "es hombre [. . .] muy malo y muy más atrevido" ("Memorial para Antonio de Torres", 30.1.1494). No por ello se tiene la impresión de que Colón haya entendido mejor a los indios después que antes: en realidad, nunca sale de sí mismo.

Cierto es que en un momento de su carrera Colón hace un esfuerzo adicional. Eso ocurre durante el segundo viaje, cuando le pide a un religioso, fray Ramón Pané, que haga una descripción detallada de las costumbres y las creencias de los indios; e incluso deja, como prefacio de esta descripción, una página de observaciones "etnográficas". Comienza con una declaración de principio: "Idolatría u otra secta no he podido conocerles", tesis que mantiene a pesar de los ejemplos que siguen inmediatamente, escritos por su propia pluma. En efecto, describe varias prácticas "idólatras", y sin embargo añade: "Las palabras que dicen no las entiende ninguno de los nuestros." Su atención se fija entonces en la revelación de una superchería: un ídolo parlante era en realidad un objeto hueco conectado por un tubo con otra habitación de la casa, donde estaba el asistente del mago. El pequeño tratado de Ramón Pané (conservado en la biografía de Hernando Colón, en el capítulo 62) es mucho más interesante, pero más bien a pesar de su autor, quien no se cansa de repetir: "Y como no tienen letras ni escrituras, no saben contar bien tales fábulas, ni yo puedo escribirlas bien. Por lo cual creo que pongo primero lo que debiera ser último, y lo último primero" (6). "Puesto que escribí de prisa, y no tenía papel bastante, no pude poner en su lugar lo que por error trasladé a otro" (8). "De esto no he sabido más; y poco ayuda lo que llevo escrito" (11).

¿Podemos adivinar, a través de las notas de Colón, cómo perciben los indios, por su parte, a los españoles? Apenas. Una vez más, toda la información está viciada por el hecho de que Colón ya ha decidido de antemano sobre todo: y como el tono, durante el primer viaje, es de admiración, los indios también deben ser admirativos. "Y otras cosas muchas se pasaron que yo no entendía, salvo que bien vía que todo tenía a grande maravilla" (*Diario*, 18.12.1492): aun sin entender, Colón sabe que el "rey" indio está en éxtasis frente a él. Es posible, como dice Colón, que se hayan preguntado si ésos no eran seres de origen divino; lo cual explicaría bastante bien su temor inicial, y su desaparición frente al comportamiento humano de los españoles. "[Son] crédulos y cognoscedores que hay Dios en el cielo, e firmes que nosotros habemos venidos del cielo" (12.11.1492). "Creían que [los cristianos] venían del cielo y que los reinos de los reyes de Castilla eran en el cielo y no en este mundo" (16.12.1492). "Hoy en día los traigo que siempre están de propósito que vengo del cielo, por mucha conversación que hayan habido conmigo" ("Carta a Santángel", febrero-marzo de 1493). Volveremos a esta creencia cuando sea posible observarla más detalladamente; notemos, sin embargo, que el Océano podía parecerles a los indios caribes tan abstracto como el espacio que separa el cielo de la tierra.

El lado humano de los españoles es su sed de bienes terrenales: el oro, desde el principio, como ya hemos visto, y, poco después, las mujeres. Hay una síntesis verbal impresionante en lo dicho por uno de los indios, según la relación de Colón: "Uno de los indios que traía el Almirante habló con [el rey], le dijo que cómo venían los cristianos del cielo y que andaban en busca de oro" (*Diario*, 16.12.1492). Esta frase era cierta en más de un sentido. En efecto, se puede decir, simplificando hasta la caricatura, que los conquistadores españoles pertenecen, históricamente, al periodo de transición entre una Edad Media dominada por la religión y la época moderna que coloca los bienes materiales en la cumbre de su escala de valores. También en la práctica habrá de tener la conquista estos dos aspectos esenciales: los cristianos tienen la fuerza de su religión, que traen al nuevo mundo; en cambio, se llevan de él oro y riquezas.

La actitud de Colón respecto a los indios descansa en la manera que tiene de percibirlos. Se podrían distinguir en ella dos componentes, que se vuelven a encontrar en el siglo siguiente y, prácticamente, hasta nuestros días en la relación de todo colonizador con el colonizado; ya habíamos observado el germen de estas dos actitudes en la relación de Colón con la lengua del otro. O bien piensa en los indios (aunque no utilice estos términos) como seres humanos completos, que tienen los mimos derechos que él, pero entonces no sólo los ve iguales, sino también idénticos, y esta conducta desemboca en el asimilacionismo, en la proyección de los propios valores en los demás. O bien parte de la diferencia, pero ésta se traduce inmediatamente en términos de superioridad e inferioridad (en su caso, evidentemente, los inferiores son los indios): se niega la existencia de una sustancia humana realmente otra, que pueda no ser un simple estado imperfecto de uno mismo. Estas dos figuras elementales de la experiencia de la alteridad descansan ambas en el egocentrismo, en la identificación de los propios valores con los valores en general, del propio *yo* con el universo; en la convicción de que el mundo es uno.

Por una parte, entonces, Colón quiere que los indios sean como él, y como los españoles. Es asimilacionista en forma inconsciente e ingenua; su simpatía por los indios se traduce "naturalmente" en el deseo de verlos adoptar las costumbres del europeo. Decide llevarse algunos indios a España "porque volviendo sean lenguas de los cristianos y tomen nuestras costumbres y las cosas de la fe" (12.11.1492). También son buenos, dice, para "que hagan villas y se enseñen a andar vestidos y a nuestras costumbres" (16.12.1492). "Deben tomar Vuestras Altezas grande alegría porque luego los harán cristianos y los habrán enseñado en buenas costumbres de sus reinos" (24.12.1492). Nunca hay una justificación de este deseo de hacer que los indios adopten las costumbres españolas; es una cosa evidente por sí misma.

La mayoría del tiempo, este proyecto de asimilación se confunde con el deseo de cristianizar a los indios, de propagar el Evangelio. Sabemos que esta intención es la base del proyecto inicial de Colón, aun si la idea, al comienzo, es un poco abstracta (ningún sacerdote acompaña a la primera expedición). Pero en cuanto ve a los indios, empieza a concretarse la intención. Inmediatamente después de haber tomado posesión de las nuevas tierras por acta notarial debidamente formalizada, declara: "Conocí que era gente que mejor se libraría y convertiría a nuestra Santa Fe con amor que no por fuerza. . ." (12.10.1492). El "conocimiento" de Colón es, evidentemente, una decisión adoptada de antemano, y aquí sólo se refiere a los medios que se deben emplear, no al fin por alcanzar, que ni siquiera es necesario afirmar: es, una vez más, lo que es evidente por sí mismo. Y vuelve constantemente a la idea de que la conversión es la finalidad principal de esa expedición, y que espera que los reyes de España acepten a los indios como súbditos con todos los derechos. "Y digo que Vuestras Altezas no deben consentir que aquí trate ni faga pie ningún extranjero, salvo católicos cristianos, pues esto fue el fin y el comienzo del propósito, que fuese por acrecentamiento y gloria de la religión cristiana, ni venir a estas partes ninguno que no sea buen cristiano" (27.11.1492). Tal comportamiento equivale, entre otras cosas, a respetar la voluntad individual de los indios, puesto que de entrada se les coloca en el mismo plano que los demás cristianos. "Pero, porque tenía ya aquellas gentes por de los Reyes de Castilla y no era razón de hacelles agravio, acordó de dejallo [a un viejo indio]" (18.12.1492).

Esta visión de Colón es facilitada por su capacidad de ver las cosas tal y como le conviene. En este caso, en especial, le parece que los indios son ya portadores de las cualidades cristianas, están ya animados por el deseo de convertirse. Hemos visto que, para él, no pertenecían a ninguna "secta", eran vírgenes de toda religión; pero hay más: en realidad, ya tienen una predisposición al cristianismo. Como por casualidad, las virtudes que imagina que tienen son virtudes cristianas: "Esta gente no tiene secta ninguna ni son idólatras, salvo muy mansos y sin saber que sea mal ni matar a otros [. . .] y muy prestos a cualquiera oración que nos les digamos que digan y hacen el señal de la cruz. Así que deben Vuestras Altezas determinarse a los hacer cristianos" (12.11.1492). "Ellos aman a sus prójimos como a sí mismos", escribe Colón la noche de Navidad (25.12.1492). Claro está que esta imagen sólo se puede obtener a costa de la supresión de todos los rasgos de los indios que pudieran contradecirla —supresión en el discurso que se refiere a ellos, pero también, dado el caso, en la realidad. Durante la segunda expedición, los religiosos que acompañan a Colón empiezan a convertir a los indios, pero no todos, ni con mucho, se pliegan a ello y se ponen a venerar las imágenes santas. "Salidos aquéllos del adoratorio, tiraron las imágenes al suelo, las cubrieron con tierra y orinaron encima"; al ver esto Bartolomé, el hermano de Colón, decide castigarlos de muy cristiana manera. "Como lugarteniente del virrey y gobernador de las islas, formó proceso contra los malhechores y, sabida la verdad, los hizo quemar públicamente" (Ramón Pané, 26).

Sea como fuere, ahora sabemos que la expansión espiritual está indisolublemente ligada a la conquista material (se necesita dinero para hacer cruzadas), y hete aquí que se abre una primera falla en un programa que implicaba la igualdad de los asociados: la conquista material (y todo lo que implica) será a la vez resultado y condición de la expansión espiritual. Colón escribe: "Creo que si comienzan [Vuestras Altezas], en poco tiempo acabarán de los haber convertido a nuestra Sancta Fe multidumbre de pueblos, y cobrado grandes señoríos y riquezas, y todos sus pueblos de España, porque sin duda es en estas tierras grandísima suma de oro" (12.11.1492). Este encadenamiento se vuelve casi automático en él: "Vuestras Altezas tienen acá otro mundo, de donde puede ser tan acrecentada nuestra Santa Fe y de donde se podrían sacar tantos provechos. . ." ("Carta a los Reyes", 31.8.1498). El provecho que saca España es indiscutible: "Por voluntad divina, he puesto so el señorío del Rey y de la Reina, nuestros señores, otro mundo, y por donde la España, que era dicha pobre, es la más rica" ("Carta al ama", noviembre de 1500).

Colón habla como si entre las dos acciones se estableciera un cierto equilibrio: los españoles dan la religión y toman el oro. Pero, además de que el intercambio es bastante asimétrico y no forzosamente conviene a la otra parte, las implicaciones de los dos actos se oponen entre sí. Propagar la religión presupone que uno considere a los indios como sus iguales (ante Dios). Pero ¿y si no quieren dar sus riquezas? Entonces habrá que someterlos, militar y políticamente, para poder quitárselas a la fuerza; dicho en otras palabras, colocarlos, esta vez sí desde el punto de vista humano, en una posición de desigualdad (de inferioridad). Ahora bien, Colón habla una vez más sin la menor vacilación de la necesidad de someterlos, sin darse cuenta de la contradicción entre lo que implican ambas acciones, o por lo menos de la discontinuidad que establece entre lo divino y lo humano. Por eso observaba que eran temerosos y no conocían el uso de las armas. "Con cincuenta hombres [los Reyes] los terná todos sojuzgados y los hará hacer todo lo que quisiere" (*Diario*, 14.10.1492): ¿todavía es el cristiano el que habla? ¿Todavía se trata de igualdad? Al salir hacia América por tercera vez, pide que lo autoricen a llevarse consigo a voluntarios criminales, que serían indultados de inmediato: ¿todavía se trata del proyecto de evangelización?

"Mi voluntad —escribe Colón al iniciar el primer viaje— era de no pasar por ninguna isla de que no tomase posesión" (15.10.1492); en algún caso, incluso llega a ofrecer una isla a alguno de sus compañeros. En un principio, los indios no debían entender gran cosa de los ritos que ejecutaba Colón en compañía de sus notarios. Pero, cuando se hace la luz al respecto, no se muestran especialmente entusiastas. Durante el cuarto viaje se produce el episodio siguiente: "Asenté puebla, y di muchas dádivas al quibián, que así llaman al señor de la tierra [¿unos guantes? ¿un bonete rojo? Colón no nos lo dice], y bien sabía que no había de durar la concordia: ellos muy rústicos [traduzcamos: que no desean someterse a los españoles] y nuestra gente muy importunos, y me aposesionaba en su término [segundo tiempo del intercambio: se dan guantes, se toman las tierras]: después que él vido las cosas fechas y tráfago tan vivo acordó de los quemar y matarnos a todos" ("Carta a los Reyes", 7.7.1503). La continuación de esta historia es todavía más siniestra. Los españoles logran apoderarse de la familia del quibián y quieren utilizarlos como rehenes; sin embargo, algunos de los indios consiguen escapar. "Los [prisioneros] que habían quedado se desesperaron por no haber podido salvarse con sus compañeros y a la mañana siguiente aparecieron ahorcados con las cuerdas que pudieron haber, con los pies e incluso con las rodillas en el suelo y en el lastre de la nave, porque no había altura bastante para que pudiesen alzarse del piso." Hernando, el hijo de Colón, que relata este episodio, estaba presente; sólo tenía catorce años, y se puede pensar que la reacción que sigue es por lo menos tanto de su padre como suya propia: "Aunque su pérdida no fuese de gran daño para los navíos, parecía no obstante, que además de que su fuga o muerte acrecentaba las desdichas, aquello aumentaría las dificultades de los que estaban en tierra, con quienes el quibio, a fin de recuperar a sus hijos, habría hecho gustoso las paces; y ahora, viendo que no había rehenes para poderlas hacer, se temía que les hiciera una guerra mucho más cruda" (99).

Así pues, la guerra sustituye a la paz; pero se puede pensar que Colón nunca había descuidado por completo este medio de expansión, puesto que desde el primer viaje le es caro un proyecto particular. "Me moví esta mañana —anota desde el 14 de octubre de 1492— porque supiese [. . .] adónde pudiera hacer fortaleza." "Porque tiene un cabo de peña altillo se pudiera hacer una fortaleza" (5.11.1492). Sabemos que habrá de realizar ese sueño después del naufragio de su nave y que dejará ahí a sus hombres. Pero la fortaleza, aun si no es particularmente eficaz, ¿no es ya un paso hacia la guerra, y por lo tanto hacia la sumisión y la desigualdad?

Así es como, por medio de deslizamientos progresivos, Colón va a pasar del asimilacionismo, que implicaba una igualdad de principio, a la ideología esclavista, y por lo tanto a la afirmación de la inferioridad de los indios. Eso ya se podía adivinar a través de algunos juicios sumarios que aparecen desde los primeros contactos. "Ellos deben ser buenos servidores y de buen ingenio" (12.10.1492). "Son buenos para les mandar" (16.12.1492). Para seguir siendo coherente consigo mismo, Colón establece distinciones sutiles entre indios inocentes, potencialmente cristianos, e indios idólatras, que practican el canibalismo, o indios pacíficos (que se someten a su poder) e indios belicosos, que merecen ser castigados de inmediato; pero lo que importa es que aquellos que no son ya cristianos sólo pueden ser esclavos: no existe un tercer camino. Se le ocurre entonces el proyecto de que los barcos que llevan animales de carga de Europa a América sean cargados de esclavos a la vuelta, para evitar que regresen vacíos mientras se espera encontrar oro en cantidades suficientes; es evidente que la equivalencia implícita que se establece entre bestias y seres humanos no es gratuita. "[A los transportadores] se les podrían pagar en esclavos de estos caníbales, gente tan fiera y dispuesta y bien proporcionada y de muy buen entendimiento, los cuales, quitados de aquella inhumanidad, creemos que serán mejores que otros ningunos esclavos" ("Memorial a Antonio de Torres", 30.1.1494).

Los reyes de España no aceptan esta sugerencia de Colón: prefieren tener vasallos, y no esclavos; súbditos capaces de pagar impuestos en vez de seres que pertenecen a un tercero; pero no por ello renuncia Colón a su proyecto, y escribe una vez más en septiembre de 1498: "De acá se pueden, con el nombre de la Sancta Trinidad, enviar todos los esclavos que se pudieren vender y brasil; de los cuales, si la información que yo tengo es cierta, me dicen que se podrán vender cuatro mil que, a poco valer, valdrán veinte cuentos" ("Carta a los Reyes", septiembre de 1498). Es posible que al principio los desplazamientos planteen algún problema, pero esto se resolverá pronto. "Y bien que mueran agora, así no será siempre d'esta manera, que así hacían los negros y los canarios a la primera" (*ibid.*). Ése es efectivamente el sentido de su gobierno en la isla Española, y otra carta a los reyes, escrita en octubre de 1498, es resumida por Las Casas de la siguiente manera: "Así que por lo dicho parece que el aprovecharse la gente que acá estaba, española, era darles esclavos para que enviasen a Castilla a vender" (*Historia*, I, 155). En el pensamiento de Colón, la propagación de la fe y la sumisión a la esclavitud están indisolublemente ligadas.

Michele de Cuneo, miembro de la segunda expedición, dejó uno de los pocos relatos que describen detalladamente la forma en que se desarrollaba la trata de esclavos en sus comienzos; relato que no permite hacerse ilusiones sobre la manera en que se percibía a los indios. "Cuando nuestras carabelas [. . .] tuvieron que partir a España, reunimos mil seiscientos hombres y mujeres de esos indios, y el 17 de febrero de 1495 embarcamos quinientos cincuenta de los mejores hombres y mujeres en nuestras carabelas. Para los demás, hizimos pregonar que quien quisiera podría tomar cuantos necesitase; y así fue. Cuando todos hubieron tomado los que querían, todavía quedaban unos cuatrocientos, a quienes dimos permiso de ir donde quisieran. Había entre ellos muchas mujeres con niños de pecho; temiendo que volviesen por ellas y como querían huir de nosotros, dejaban a los niños dondequiera en el suelo y huían como personas desesperadas; algunas fueron tan lejos que a los seis o siete días estaban más allá de las montañas y allende inmensos ríos, de tal manera que a partir de ahora sólo podremos cautivarlos con grandes trabajos." Así es el comienzo de la operación; veamos ahora su desenlace: "Pero cuando llegamos a aguas españolas, murieron unos doscientos de esos indios, creo yo que por el aire desusado, más frío que el de ellos. Los echamos al mar. [. . .] Hicimos desembarcar a todos los esclavos, de los cuales la mitad estaban enfermos."

Aun en los casos en que no se trata de esclavitud, el comportamiento de Colón implica que no reconoce que los indios tienen derecho a una voluntad propia, que los juzga, en suma, como objetos vivientes. Así es como, en su impulso de naturalista, siempre quiere llevarse a España especímenes de todos los géneros: árboles, aves, animales e indios; la idea de preguntarles cuál es su opinión le es totalmente ajena. "Deseaba, dice, tomar media docena de indios para llevar consigo, y dice que no pudo tomarlos, porque se fueron todos de los navíos antes que anocheciese; pero martes, luego, 8 de agosto, vino una canoa con 12 hombres a la carabela, y tomáronlos todos y trajéronlos a la nao del Almirante, y dellos escogió seis y los otros seis envió a tierra" (Las Casas, *Historia*, I, 134). La cifra está fijada de antemano: media docena; los individuos no cuentan, pero son contados. En otra ocasión quiere mujeres (no por lubricidad, sino por tener una muestra de todo). "Envié a una casa que es de la parte del río del Poniente, y trujeron siete cabezas de mujeres entre chicas e grandes y tres niños" (*Diario*, 12.11.1492). Si uno es indio, y por añadidura mujer, inmediatamente queda colocado en el mismo nivel que el ganado.

Las mujeres: si bien Colón sólo se interesa por ellas en calidad de naturalista, no hay que olvidar que ése no es el caso de los demás miembros de la expedición. Leamos este relato que hace el mismo Michele de Cuneo, hidalgo de Savona, de un episodio ocurrido en el transcurso del segundo viaje —una historia entre mil, pero que tiene la ventaja de que es contada por su protagonista. "Mientras estaba en la barca, hice cautiva a una hermosísima mujer caribe, que el susodicho Almirante me regaló, y después que la hube llevado a mi camarote, y estando ella desnuda según es su costumbre, sentí deseos de holgar con ella. Quise cumplir mi deseo pero ella no lo consintió y me dió tal trato con sus uñas que hubiera preferido no haber empezado nunca. Pero al ver esto (y para contártelo todo hasta el final), tomé una cuerda y le di de azotes, después de los cuales echó grandes gritos, tales que no hubieras podido creer tus oídos. Finalmente llegamos a estar tan de acuerdo que puedo decirte que parecía haber sido criada en una escuela de putas."

Este relato es revelador en más de un aspecto. El europeo encuentra que las mujeres indias son hermosas; evidentemente no se le ocurre pedirles su consentimiento antes de "cumplir sus deseos". Más bien hace la solicitud al Almirante, que es hombre y europeo como él, y que parece dar mujeres a sus compatriotas con la misma facilidad con que distribuía cascabeles a los jefes indígenas. Claro que Michele de Cuneo escribe a otro hombre, y administra con maestría el placer de la lectura para su destinatario, puesto que de todos modos se trata, a su manera de ver, de una historia de puro placer. Primero se atribuye el ridículo papel del macho humillado, pero eso sólo es para aumentar la satisfacción de su lector al ver luego que el orden se restablece y el hombre blanco triunfa. Última ojeada cómplice: nuestro hidalgo omite la descripción del "cumplimiento", y deja que se deduzca por sus efectos, que aparentemente van más allá de sus esperanzas, y que permiten además, en una impresionante síntesis, identificar a la india con una puta: impresionante, porque aquella que rechazaba violentamente los avances sexuales se ve equiparada con aquella que hace su profesión de dichos avances. Pero ¿no es ésa la verdadera naturaleza de toda mujer, que puede ser revelada tan sólo con azotarla lo suficiente? El rechazo sólo podía ser hipócrita; si rascamos un poquito la superficie de la melindrosa, descubrimos a la puta. Las mujeres indias son mujeres, o indios, al cuadrado: con eso se vuelven objeto de una doble violación.

¿Cómo es que Colón puede estar asociado a esos dos mitos aparentemente contradictorios, aquel en que el otro es un "buen salvaje" (cuando se le ve de lejos) y aquel en que es un "pobre perro", esclavo en potencia? Y es que los dos descansan en una base común, que es el desconocimiento de los indios, y la negación a admitirlos como un sujeto que tiene los mismos derechos que uno mismo, pero diferente. Colón ha descubierto América, pero no a los americanos.

Toda la historia del descubrimiento de América, primer episodio de la conquista, lleva la marca de esta ambigüedad: la alteridad humana se revela y se niega a la vez. El año de 1492 simboliza ya, en la historia de España, este doble movimiento: en ese mismo año el país repudia a su Otro interior al triunfar de los moros en la última batalla de Granada y al forzar a los judíos a dejar su territorio, y descubre al Otro exterior, toda esta América que habrá de volverse latina. Sabemos que Colón mismo relaciona constantemente los dos hechos. "Este presente año de 1492, después de Vuestras Altezas haber dado fin a la guerra de los moros [. . .] y luego en aquel presente mes [. . .] Vuestras Altezas pensaron de enviarme a mí, Cristóbal Colón, a las dichas partidas de India. [. . .] Así que, después de haber echado fuera todos los judíos de todos vuestros reinos y señoríos, en el mismo mes de enero mandaron Vuestras Altezas a mí, que con armada suficiente me fuese a las dichas partidas de India", escribe al comienzo del diario del primer viaje. La unidad de los dos actos, en la que Colón está dispuesto a ver la intervención divina, reside en la propagación de la fe cristiana. "Espero en Nuestro Señor que Vuestras Altezas se determinarán a ello [a enviar religiosos] con mucha diligencia, para tornar a la Iglesia tan grandes pueblos, y los convertirán, así como han destruido aquellos que no quisieron confesar el Padre y el Hijo y el Espíritu Sancto" (6.11.1492). Pero también podemos ver las dos acciones como dirigidas en sentidos opuestos, y no complementarios: una expulsa la heterogeneidad del cuerpo de España, la otra la introduce irremediablemente en él.

A su manera, Colón mismo participa en este doble movimiento. Como ya hemos visto, no percibe al otro, y le impone sus propios valores, pero el término que más frecuentemente emplea para referirse a sí mismo y que usan también sus contemporáneos es: el Extranjero; y si tantos países han buscado el honor de ser su patria, es porque no tenía ninguna.

# 2. CONQUISTAR

## LAS RAZONES DE LA VICTORIA

El encuentro entre el Antiguo y el Nuevo Mundo que el descubrimiento de Colón hizo posible es de un tipo muy particular: la guerra, o más bien, como se decía entonces, la Conquista. Un misterio sigue ligado a la conquista; se trata del resultado mismo del combate: ¿por qué esta victoria fulgurante, cuando la superioridad numérica de los habitantes de América frente a sus adversarios es tan grande, y cuando están luchando en su propio terreno? Quedémonos en la conquista de México, la más espectacular, puesto que la civilización mexicana es la más brillante del mundo precolombino: ¿cómo explicar que Cortés, a la cabeza de algunos centenares de hombres, haya logrado apoderarse del reino de Moctezuma, que disponía de varios cientos de miles de guerreros? Intentaré buscar una respuesta en la abundante literatura que provocó, ya desde su época, esta fase de la conquista: los informes del propio Cortés; las crónicas españolas, la más notable de las cuales es la de Bernal Díaz del Castillo; por último, los relatos indígenas, transcritos por los misioneros españoles o redactados por los propios mexicanos.

A propósito de la forma en que me veo llevado a emplear esta literatura, se plantea una cuestión preliminar, que no se presentaba en el caso de Colón. Los escritos de este último podían contener falsedades, técnicamente hablando; eso no disminuía en nada su valor, pues yo podía interrogarlos ante todo en cuanto actos, no en cuanto descripciones. Ahora bien, el tema aquí ya no es la experiencia de un hombre (que escribió), sino un acontecimiento no verbal en sí, la conquista de México; los documentos analizados ya no valen solamente (o no tanto) en cuanto gestos, sino como fuentes de información sobre una realidad de la que no forman parte. El caso de los textos que expresan el punto de vista de los indios es especialmente grave: en efecto, dada la falta de una escritura indígena, todos son posteriores a la conquista y, por lo tanto, han sufrido la influencia de los conquistadores; volveré a hablar de esto en el último capítulo de este libro. En términos generales, debo formular una excusa y una justificación. La excusa: si renunciamos a esta fuente de información, no la podemos sustituir por ninguna otra, a menos que renunciemos a toda información de este tipo. El único remedio es no leer estos textos como enunciados transparentes, sino tratar de tener en cuenta al mismo tiempo el acto y las circunstancias de su enunciación. En cuanto a la justificación, podría expresarse en el lenguaje de los antiguos retóricos: los problemas que aquí se presentan remiten más a un conocimiento de lo verosímil que de lo verdadero. Me explico: un hecho pudo no haber ocurrido, contrariamente a lo que afirma un cronista determinado. Pero el que éste haya podido afirmarlo, que haya podido contar con que sería aceptado por el público contemporáneo, es algo por lo menos tan revelador como la simple ocurrencia de un acontecimiento, la cual, después de todo, tiene que ver con la casualidad. La recepción de los enunciados es más reveladora, para la historia de las ideologías, que su producción, y cuando un autor se equivoca o miente, su texto no es menos significativo que cuando dice la verdad; lo importante es que la recepción del texto sea posible para los contemporáneos, o que así lo haya creído su productor. Desde este punto de vista, el concepto de "falso" no es pertinente.

Las grandes etapas de la conquista de México son bien conocidas. La expedición de Cortés, en 1519, es la tercera que toca costas mexicanas; está formada por unos centenares de hombres. Cortés es enviado por el gobernador de Cuba pero después de la salida de los barcos cambia de parecer y trata de destituir a Cortés. Éste desembarca en Veracruz y declara que su autoridad viene directamente del rey de España (cf. fig. 5). Habiendo sabido de la existencia del imperio azteca, empieza una lenta progresión hacia el interior, tratando de ganarse a las poblaciones por cuyas tierras atraviesa, ya sea con promesas o haciendo la guerra. La batalla más difícil es la que se libra contra los tlaxcaltecas, que sin embargo habrán de ser más tarde sus mejores aliados. Cortés llega por fin a México, donde es bien recibido; al cabo de poco tiempo, decide tomar prisionero al soberano azteca, y logra hacerlo. Se entera entonces de que ha llegado a la costa una nueva expedición española, enviada en su contra por el gobernador de Cuba; los recién llegados son más numerosos que sus propios soldados. Cortés sale con una parte de los suyos al encuentro de este ejército, mientras los restantes se quedan en México, al mando de Pedro de Alvarado, para custodiar a Moctezuma. Cortés gana la batalla contra sus compatriotas, encarcela a su jefe Pánfilo de Narváez, y convence a los demás de que se queden a sus órdenes. Pero se entera entonces de que, en su ausencia, las cosas han ido mal en México: Alvarado ha exterminado a un grupo de mexicanos durante una fiesta religiosa, y ha empezado la guerra. Cortés vuelve a la capital y se reúne con sus tropas en su fortaleza sitiada; en este momento muere Moctezuma. Los ataques de los aztecas* son tan insistentes que decide dejar la ciudad, de noche; se descubre su partida, y más de la mitad de su ejército es aniquilado en la batalla subsiguiente: es la *noche triste*. Cortés se retira a Tlaxcala, recupera sus fuerzas y regresa a sitiar la ciudad; corta todas las vías de acceso, y hace construir veloces bergantines (la ciudad estaba entonces en medio de lagos). Después de algunos meses de sitio, cae México; la conquista duró poco más o menos dos años.

Volvamos primero a las explicaciones que se proponen generalmente para la fulgurante victoria de Cortés. Una primera razón es el comportamiento ambiguo y vacilante del propio Moctezuma, que casi no le opone ninguna resistencia a Cortés (se refiere, por lo tanto, a la primera fase de la conquista, hasta la muerte de Moctezuma); es posible que este comportamiento, aparte de tener motivaciones culturales a las que volveré más adelante, obedezca a razones más personales: difiere en muchos puntos del comportamiento de los otros dirigentes aztecas. Bernal Díaz, al informar de las palabras de los dignatarios de Cholula, lo describe así: "Y dijeron que la verdad es que su señor Montezuma supo que íbamos [a] aquella ciudad, y que cada día estaba en muchos acuerdos, y que no determinaba bien la cosa, y que unas veces les enviaba a mandar que si allá fuésemos que nos hiciesen mucha honra y nos encaminasen a su ciudad, y otras veces les enviaba a decir que ya no era su voluntad que fuésemos a México; que ahora nuevamente le han aconsejado su Tezcatepuca y su Ichilobos, en quien ellos tienen gran devoción, que allí en Cholula nos matasen o llevasen atados a México" (83). Tenemos la impresión de que se trata de una verdadera ambigüedad, y no de una simple torpeza, cuando los mensajeros de Moctezuma anuncian al mismo tiempo a los españoles que el reino de los aztecas se les ofrece como regalo y que les piden que no vayan a México, sino que vuelvan a sus casas, pero veremos que Cortés contribuye conscientemente a cultivar esta vacilación.

En ciertas crónicas se pinta a Moctezuma como un hombre melancólico y resignado; también se afirma que lo corroe la mala conciencia, puesto que expía en persona un episodio poco glorioso de la his-

* Sería más exacto hablar de *mexicas* en vez de "aztecas", y escribir el nombre de su "emperador" como *Motecuhzoma*; pero he decidido atenerme al uso común.

toria azteca anterior: los aztecas gustan presentarse como los legítimos sucesores de los toltecas, la dinastía anterior a ellos, cuando en realidad son usurpadores, recién llegados. ¿Le habrá hecho imaginar este complejo de culpa nacional que los españoles eran descendientes directos de los antiguos toltecas, que habían venido a recuperar lo suyo? Veremos que, también en este caso, la idea es sugerida en parte por los españoles, y es imposible afirmar con certeza que Moctezuma haya creído en ella.

Una vez que los españoles han llegado a su capital, el comportamiento de Moctezuma es todavía más singular. No sólo se deja encarcelar por Cortés y sus hombres (este encarcelamiento es la más asombrosa de las decisiones de Cortés, junto con la de "quemar" —en realidad, de hacer encallar— sus propias naves: con el puñado de hombres que le obedecen arresta al emperador, cuando él mismo está rodeado por el todopoderoso ejército azteca); sino que también, una vez cautivo, sólo se preocupa por evitar todo derramamiento de sangre. Contrariamente a lo que habría de hacer, por ejemplo, el último emperador azteca, Cuauhtémoc, trata de impedir por todos los medios que se instale la guerra en su ciudad: prefiere abandonar su poder, sus privilegios y sus riquezas. Incluso durante la breve ausencia de Cortés, cuando éste va a enfrentarse a la expedición punitiva enviada en su contra, no tratará de aprovechar la situación para deshacerse de los españoles. "Bien entendido teníamos que Montezuma le pesó de ello [del comienzo de las hostilidades], que si le plugiera o fuera por su consejo, dijeron muchos soldados de los que se quedaron con Pedro de Alvarado en aquellos trances, que si Montezuma fuera en ello, que a todos les mataran, y que Montezuma los aplacaba que cesasen la guerra" (Bernal Díaz, 125). La historia o la leyenda (pero para el caso poco importa), transcrita en este caso por el jesuita Tovar, incluso nos lo presenta, en la víspera de su muerte, dispuesto a convertirse al cristianismo; pero, para colmo de ridículo, el cura español, ocupado en recoger oro, no encuentra tiempo para hacerlo. "Dizen que pidió el baptismo y se convirtió a la verdad del Sancto Evangelio, y aunque venía allí un clérigo sacerdote entienden que se ocupó más en buscar riquezas con los soldados que no en cathequizar al pobre rey" (Tovar, p. 83).

Faltan, por desgracia, los documentos que nos hubieran permitido penetrar en el universo mental personal de este extraño emperador: frente a los enemigos, se niega a emplear su inmenso poder, como si no estuviera seguro de querer vencer; como lo dice Gómara, capellán y biógrafo de Cortés: "No pudieron saber la verdad nuestros españoles, porque ni entonces entendían el lenguaje, ni hallaron vivo a ninguno con quien Moctezuma hubiese comunicado este secreto" (107). Los historiadores españoles de la época buscaron en vano la respuesta a estas preguntas, viendo en Moctezuma ora un loco, ora un sabio. Pedro Mártir, cronista que se quedó en España, más bien tiende a esta última solución. "[Aguantaba] unas reglas más duras que las que se dictan a los niños imberbes, y [soportábalo] todo tranquilamente, para evitar la rebelión de los ciudadanos y de los magnates. Parecíale que cualquier yugo era más llevadero que la revuelta de su gente, como si le inspirase el ejemplo de Diocleciano, que prefirió apurar el veneno a tomar de nuevo las riendas del abandonado imperio" (v, 3). Gómara a veces lo trata con desprecio: "Hombre sin corazón y de poco debía ser Moctezuma, pues se dejó prender, y ya preso, nunca procuró la libertad, convidándole a ella Cortés y rogándole los suyos" (89). Pero otras veces admite que está perplejo, y que es imposible decidir: "La poquedad de Moctezuma, o el cariño que a Cortés y a los otros españoles tenía. . ." (91), o también: "A mi parecer, o fue muy sabio, pues pasaba así por las cosas, o muy necio, que no las sentía" (107). Seguimos sin salir de la duda.

El personaje de Moctezuma seguramente tiene algo que ver con esta no resistencia al mal. Sin embargo, esta explicación sólo vale para la primera mitad de la campaña de Cortés, pues Moctezuma muere en medio de los acontecimientos, tan misteriosamente como había vivido (probablemente apuñalado por sus carceleros españoles), y sus sucesores a la cabeza del estado azteca habrán de declarar inmediatamente a los españoles una guerra feroz y sin cuartel. Empero, en la segunda fase de la guerra hay otro factor que empieza a tener un papel decisivo: es la explotación que hace Cortés de las disensiones internas entre las diferentes poblaciones que ocupan la tierra mexicana. Tiene gran éxito en esta vía: durante todo el transcurso de la campaña sabe sacar provecho de las luchas intestinas entre facciones rivales y, durante la fase final, tiene a sus órdenes un ejército de tlaxcaltecas y de otros indios aliados, numéricamente comparable con el de los mexicanos; ejército del que los españoles ya sólo representan, en cierta forma, el apoyo logístico, o la fuerza de mando: sus unidades parecen estar compuestas a menudo de diez jinetes españoles y diez mil combatientes indios de a pie. Así lo perciben ya entonces los contemporáneos: según Motolinía, franciscano e historiador de la "Nueva España", "los conquistadores dicen que Tlaxcallan es digna de que su majestad la haga muchas mercedes, y que si no fuera por Tlaxcallan, que todos murieran cuando los mexicanos echaron de

México a los cristianos, si no los recibieran los Tlaxcaltecas" (III, 16).
Y de hecho, durante largos años los tlaxcaltecas gozan de numerosos privilegios concedidos por la corona: dispensados del pago de impuestos, son muy a menudo los administradores de las regiones recién conquistadas.

Al leer la historia de México, uno no puede dejar de preguntarse: ¿por qué no resisten más los indios? ¿Acaso no se dan cuenta de las ambiciones colonizadoras de Cortés? La respuesta cambia el enfoque del problema: los indios de las regiones que atravesó Cortés al principio no se sienten especialmente impresionados por sus objetivos de conquista porque esos indios ya han sido conquistados y colonizados —por los aztecas. El México de aquel entonces no es un estado homogéneo, sino un conglomerado de poblaciones, sometidas por los aztecas, quienes ocupan la cumbre de la pirámide. De modo que, lejos de encarnar el mal absoluto, Cortés a menudo les parecerá un mal menor, un liberador, guardadas las proporciones, que permite romper el yugo de una tiranía especialmente odiosa, por muy cercana.

Sensibilizados como lo estamos a los males del colonialismo europeo, nos cuesta trabajo entender por qué los indios no se sublevan de inmediato, cuando todavía es tiempo, contra los españoles. Pero los conquistadores no hacen más que seguir los pasos de los aztecas. Nos puede escandalizar el saber que los españoles sólo buscan oro, esclavos y mujeres. "En lo que más se empleaban era en buscar una buena india o haber algún despojo", escribe Bernal Díaz (142), y cuenta la anécdota siguiente: después de la caída de México, "Guatemuz [Cuauhtémoc] y sus capitanes dijeron a Cortés que muchos soldados y capitanes que andaban en los bergantines y de los que andábamos en las calzadas batallando les habíamos tomado muchas hijas y mujeres de principales; que le pedían por merced que se las hiciesen volver, y Cortés les respondió que serían malas de haber de poder de quien las tenían, y que las buscasen y trajesen ante él, y vería si eran cristianas o se querían volver a sus casas con sus padres y maridos, y que luego se las mandaría dar." El resultado de la investigación no es sorprendente: "Había muchas mujeres que no se querían ir con sus padres, ni madres, ni maridos, sino estarse con los soldados con quienes estaban, y otras se escondían, y otras decían que no querían volver a idolatrar; y aun algunas de ellas estaban ya preñadas, y de esta manera no llevaron sino tres, que Cortés expresamente mandó que se las diesen" (157).

Pero es que los indios de las otras partes de México se quejaban exactamente de lo mismo cuando relataban la maldad de los aztecas:

"Todos aquellos pueblos [. . .] dan tantas quejas de Montezuma y de sus recaudadores, que les robaban cuanto tenían, y las mujeres e hijas, si eran hermosas, las forzaban delante de ellos y de sus maridos y se las tomaban, y que les hacían trabajar como si fueran esclavos, que les hacían llevar en canoas y por tierra madera de pinos, y piedra, y leña y maíz y otros muchos servicios" (Bernal Díaz, 86).

El oro y las piedras preciosas, que hacen correr a los españoles, ya eran retenidos como impuestos por los funcionarios de Moctezuma; no parece que se pueda rechazar esta afirmación como un puro invento de los españoles, con miras a legitimar su conquista, aún si algo hay de eso: demasiados testimonios concuerdan en el mismo sentido. El *Códice florentino* representa a los jefes de las tribus vecinas que vienen a quejarse con Cortés de la opresión ejercida por los mexicanos: "Motecuhzomatzin y los mexicanos nos agobian mucho, nos tienen abrumados. Sobre las narices nos llega ya la angustia y la congoja. Todo nos lo exige como un tributo" (XII, 26). Y Diego Durán, dominico simpatizante al que se podría calificar de culturalmente mestizo, descubre el parecido en el momento mismo en que culpa a los aztecas: "Donde [. . .] había algún descuido en proveerlos de lo necesario, [los mexicanos] robaban y saqueaban los pueblos y desnudaban a cuantos en aquel pueblo topaban, aporreábanlos y quitábanles cuanto tenían, deshonrándolos, destruíanles las sementeras; hacíanles mil injurias y daños. Temblaba la tierra de ellos, cuando lo hacían de bien, cuando se habían bien con ellos: tanto lo hacían de mal, cuando no lo hacían. Y así a ninguna parte llegaban que no les diesen cuanto habían menester [. . .] eran los más crueles y endemoniados que se puede pensar, porque trataban a los vasallos que ellos debajo de su dominio tenían, peor mucho que los españoles los trataron y tratan" (III, 19). "Iban haciendo cuanto mal podían. Como lo hacen ahora nuestros españoles, si no les van a la mano" (III, 21).

Hay muchas semejanzas entre antiguos y nuevos conquistadores, y esos últimos lo sintieron así, puesto que ellos mismos describieron a los aztecas como invasores recientes, conquistadores comparables con ellos. Más exactamente, y aquí también prosigue el parecido, la relación de cada uno con su predecesor es la de una continuidad implícita y a veces inconsciente, acompañada de una negación referente a esa misma relación. Los españoles habrán de quemar los libros de los mexicanos para borrar su religión; romperán sus monumentos, para hacer desaparecer todo recuerdo de una antigua grandeza. Pero, unos cien años antes, durante el reinado de Itzcóatl, los mismos aztecas habían destruido todos los libros antiguos, para poder reescribir la

Fig. 5. *Desembarco de Hernán Cortés*

Fig. 6. *Consulta del adivino y del libro*

historia a su manera. Al mismo tiempo, como lo hemos visto, a los aztecas les gusta mostrarse como los continuadores de los toltecas, y los españoles escogen con frecuencia una cierta fidelidad al pasado, ya sea en religión o en política; se asimilan al propio tiempo que asimilan. Hecho simbólico entre otros, la capital del nuevo Estado será la misma del México vencido. "Viendo que la ciudad de Temixtitan [Tenochtitlan], que era cosa tan nombrada y de que tanto caso y memoria siempre se ha hecho, parecionos que en ella era bien poblar, [. . .] como antes fue principal y señora de todas estas provincias, que lo será también de aquí adelante" (Cortés, 3). Cortés quiere fabricarse una especie de legitimidad, ya no a los ojos del rey de España, lo cual había sido una de sus principales preocupaciones durante la campaña, sino frente a la población local, asumiendo la continuidad con el reino de Moctezuma. El virrey Mendoza volverá a utilizar los registros fiscales del imperio azteca.

Lo mismo ocurre en el campo religioso: en los hechos, la conquista religiosa consiste a menudo en quitar ciertas imágenes de un sitio sagrado y poner otras en su lugar —al tiempo que se preservan, y esto es esencial, los lugares de culto, y se queman frente a ellos las mismas hierbas aromáticas. Cuenta Cortés: "Los más principales de estos ídolos, y en quien ellos más fe y creencia tenían, derroqué de sus sillas y los hice echar por las escaleras abajo e hice limpiar aquellas capillas donde los tenían, porque todas estaban llenas de sangre que sacrifican, y puse en ellas imágenes de Nuestra Señora y de otros santos" (2). Y Bernal Díaz atestigua: "Y entonces [. . .] se dio orden cómo con el incienso de la tierra se incensasen la santa imagen de Nuestra Señora y a la santa cruz" (52). "Lo que había sido cultura de demonios, justo es que sea templo donde se sirva Dios", escribe por su lado fray Lorenzo de Bienvenida. Los sacerdotes y los frailes cristianos van a ocupar exactamente el lugar dejado vacante después de la represión ejercida contra los profesionales del culto religioso indígena, que los españoles llamaban por cierto con ese nombre sobredeterminado de *papas* (contaminación entre el término indio que los nombra y la palabra "papa"); supuestamente, Cortés hizo explícita la continuidad: "Este acatamiento y recibimiento que hacen a los frailes vino de mandarlo el señor marqués del Valle don Hernando Cortés a los indios; porque desde el principio les mandó que tuviesen mucha reverencia y acatamiento a los sacerdotes, como ellos solían tener a los ministros de sus ídolos" (Motolinía, III, 3).

A las reticencias de Moctezuma durante la primera fase de la conquista, a las divisiones internas entre mexicanos durante la segunda, se suele añadir un tercer factor: la superioridad de los españoles en materia de armas. Los aztecas no saben trabajar el metal, y tanto sus espadas como sus armaduras son menos eficientes; las flechas (no envenenadas) no se equiparan con los arcabuces y los cañones de los españoles; éstos son mucho más rápidos para desplazarse: si van por tierra tienen caballos, mientras que los aztecas siempre van a pie, y, en el agua, saben construir bergantines, cuya superioridad frente a las canoas indias tiene un papel decisivo en la fase final del sitio de México; por último, los españoles también inauguran, sin saberlo, la guerra bacteriológica, puesto que traen la viruela que hace estragos en el ejército enemigo. Sin embargo, estas superioridades, indiscutibles en sí mismas, no bastan para explicarlo todo, si se toma en cuenta al mismo tiempo la relación numérica entre los dos bandos. Y además los arcabuces son realmente poco numerosos, y los cañones todavía menos, y su potencia no es la de una bomba moderna; por lo demás, la pólvora está frecuentemente mojada. El efecto de las armas de fuego y de los caballos no puede medirse directamente en el número de víctimas.

No trataré de negar la importancia de esos factores, sino más bien de encontrarles una base común, que permita articularlos y comprenderlos, y, al mismo tiempo, añadirles varios otros, que parecen haberse percibido menos. Al hacer eso, me veré llevado a tomar al pie de la letra un respuesta sobre las razones de la conquista-derrota que se encuentra en las crónicas indígenas y que hasta ahora se ha descuidado en Occidente, sin duda porque se la tomó como una pura fórmula poética. En efecto, la respuesta de los relatos indios, que es más una descripción que una explicación, consistiría en decir que todo ocurrió porque los mayas y los aztecas perdieron el dominio de la comunicación. La palabra de los dioses se ha vuelto ininteligible, o bien esos dioses se han callado. "La comprensión se ha perdido, la sabiduría se ha perdido" (*Chilam Balam*, 22). "Ya no había un gran maestro, un gran orador, un sacerdote supremo, cuando cambiaron los soberanos, a su llegada" (*ibid.*, 5). El libro maya del *Chilam Balam* está regularmente marcado por esta pregunta desgarradora, que se plantea incansablemente, pues ya no puede recibir respuesta: "¿Cuál será el profeta, cuál será el sacerdote que dé el sentido verdadero de la palabra de este libro?" (24). En cuanto a los aztecas, describen el comienzo de su propio fin como un silencio que cae: los dioses ya no les hablan. "[Sacrificaban a los dioses] pidiéndoles favor y victoria contra los españoles y contra los demás sus enemigos. Pero ya era demás, porque aun respuesta de sus dioses en sus oráculos no tenían, teniéndoles ya por mudos y muertos" (Durán, III, 77).

¿Será que los españoles vencieron a los indios con ayuda de los signos?


## MOCTEZUMA Y LOS SIGNOS

Los indios y los españoles practican la comunicación de diferente manera. Pero el discurso de la diferencia es un discurso difícil. Ya lo vimos con Colón: el postulado de diferencia lleva fácilmente consigo el sentimiento de superioridad, y el postulado de igualdad, el de in-diferencia; siempre cuesta trabajo resistir a este doble movimiento, con más razón cuanto que el resultado final de este encuentro parece indicar sin ambigüedad al vencedor: ¿acaso los españoles no son superiores, y no sólo diferentes? Sin embargo la verdad, o lo que hará las veces de ella, no es tan sencilla.

Digamos de entrada que evidentemente no hay, ni en el plano lingüístico ni en el simbólico, ninguna inferioridad "natural" por el lado de los indios: hemos visto, por ejemplo, que en tiempos de Colón eran ellos los que aprendían la lengua del otro, y, durante las primeras expediciones hacia México, también son dos indios, llamados Julián y Melchor por los españoles, los que sirven de intérpretes.

Pero evidentemente hay mucho más. Sabemos, gracias a los textos de la época, que los indios dedican gran parte de su tiempo y de sus fuerzas a la interpretación de los mensajes, y que esta interpretación tiene formas notablemente elaboradas, relacionadas con las diferentes especies de adivinación. La primera de ellas sería la adivinación cíclica (ejemplo de ésta es, entre nosotros, la astrología). Los aztecas cuentan con un calendario religioso, compuesto de trece meses de veinte días; cada uno de estos días tiene su propio carácter, fausto o infausto, que se transmite a los actos realizados en ese día, y aún más a las personas en él nacidas. Saber el día del nacimiento de alguien es conocer su destino; por ello es que, apenas nace un niño, se acude al intérprete profesional, que es al mismo tiempo el sacerdote de la comunidad (cf. fig. 6).

"En naciendo que nacía el niño o niña, iba luego el padre, o parientes del nacido a los astrólogos, hechiceros y sortílegos, que los había sin número, y rogábanles les declarasen la ventura en que su hijo, o hija, habían nacido. [. . .] El astrólogo y sortílego hechicero sacaba luego el libro de sus suertes y calendario, y vista la letra del día, pronosticaban y echaban suertes y decíanles la ventura, buena o mala, según había caído la suerte. Porque la ciencia de su astrología y quiromancia no se extendía a más de un papel pintado de cuantos ídolos había. [. . .] Baste saber que, si había de ser rico, o pobre, o valiente, o animoso, o cobarde, religioso, o casado, o ladrón, o borracho, o casto, o lujurioso, allí en aquella pintura y suertes lo hallaban" (Durán, II, 2).

A esta interpretación establecida y sistemática, que viene del carácter de cada día del calendario, decidido de una vez para siempre, se añade un segundo tipo de adivinación, puntual, que toma la forma de presagio. Todo acontecimiento que se salga de lo común, del orden establecido, por poco que sea, será interpretado como anuncio de otro acontecimiento, generalmente infausto, que habrá de ocurrir (lo cual implica que nada en este mundo se da por casualidad). Por ejemplo, es de mal agüero que un prisionero se ponga triste, porque los aztecas no se lo esperan. También es de mal agüero que un pájaro grite en un momento particular, o que un ratón atraviese el templo, o que se cometa un lapso al hablar, o haber visto determinado sueño. Cierto es que a veces estos presagios no sólo son hechos raros, sino claramente sobrenaturales. "Y guisando entre los manjares que habían de comer de aquellas cosas que las mexicanas traían a vender, aconteció una cosa prodigiosa y espantosa, de que los xuchimilcas quedaron espantados y atónitos. Y fue, que estando todos sentados en sus lugares para comer, todos los manjares que sacaban de las indias mexicanas que habían comprado, se les volvían, puestos delante de ellos, pies y manos de hombres, brazos, cabezas, corazones de hombres y asaduras, tripas. Ellos, viendo una cosa tan espantosa y nunca oída ni vista, llamaron a los agoreros, y preguntáronles qué podría ser aquello. Los agoreros les pronosticaron ser muy mal agüero, pues significaba la destruición de su ciudad y muerte de muchas gentes" (Durán, III, 12). Así pues, tanto en el orden cotidiano como en el de lo excepcional, "creían en mil agüeros y señales" (Motolinía, II, 8): un mundo sobredeterminado forzosamente habrá de ser también un mundo sobreinterpretado.

Por lo demás, cuando los signos se hacen esperar, no dudan en ir a buscarlos, y para ello también van con el adivino profesional. Éste contesta recurriendo a una de sus técnicas habituales: por el agua, por los granos de maíz, por los hilos de algodón. Este pronóstico, que permite saber si determinada persona ausente está viva o muerta, si tal o cual enfermo va a sanar o no, si un marido inconstante volverá con su esposa, se prolonga en verdaderas profecías, y vemos que los grandes jefes aztecas acuden regularmente con el adivino antes de acometer una empresa importante. Aún más: sin que se les haya preguntado, diferentes personajes afirman haberse comunicado con los dioses y profetizan el porvenir. Toda la historia de los aztecas, tal como se cuenta en sus propias crónicas, está llena de profecías cumplidas, como si el hecho no pudiera suceder si no ha sido anunciado previamente: la salida del lugar de origen, la elección de un sitio para instalarse, tal o cual guerra victoriosa o tal derrota. Aquí, sólo puede volverse acto lo que antes ha sido verbo.

Los aztecas están convencidos de que todas esas especies de previsión del porvenir se cumplen, y sólo excepcionalmente tratan de resistirse a la suerte que se les anuncia; en maya, la misma palabra significa "profecía" y "ley". "Que lo que está determinado, que no lo puede huir" (Durán, III, 67). "Estas cosas se cumplirán. Nadie podrá detenerlas" (*Chilam Balam*, 22). Y las cosas efectivamente se cumplen, puesto que los hombres hacen cuanto pueden para que así sea. En otros casos la profecía es tanto más cierta cuanto que sólo será realmente formulada de manera retrospectiva, después de ocurrido el hecho. En todos los casos, estos presagios y adivinaciones gozan del mayor prestigio, y si hace falta se arriesga la vida para conseguirlos, sabiendo que la recompensa está a la medida del peligro: el poseedor de la profecía es el favorito de los dioses, el amo de la interpretación es el amo a secas.

El mundo se plantea de entrada como algo sobredeterminado; los hombres responden a esta situación reglamentando minuciosamente su vida social. Todo es previsible, y por lo tanto todo está previsto, y la palabra clave de la sociedad mesoamericana es: orden. Leemos en una página del libro maya del *Chilam Balam*: "Conocían el orden de sus días. Completo era el mes; completo el año; completo el día; completa la noche; también el aliento de vida cuando pasaba; completa la sangre, cuando ellos llegaban a sus lechos, en sus esteras, en sus tronos. En buen orden recitaban las buenas plegarias; en buen orden buscaban los días faustos, hasta que veían las estrellas faustas entrar en su reinado; entonces observaban cuándo empezaría el reinado de las buenas estrellas. Entonces todo era bueno" (5). Durán, uno de los mejores observadores de la sociedad azteca, cuenta por su parte la siguiente anécdota: "Preguntando yo a un viejo que qué era la causa de sembrar el frijol pequeño tan tarde, que pocos años hay que no se les hiele, respondió que todo tenía su cuenta y razón y día particular" (II, 2). Esta reglamentación impregna los más ínfimos detalles de la vida, de los que se pensaría que eran dejados a la libre decisión del individuo: el ritual propiamente dicho no es sino la punta más sobresaliente de una sociedad ritualizada de parte a parte; ahora bien, los ritos religiosos son en sí mismos tan numerosos y tan complejos que movilizan un verdadero ejército de oficiantes. "Como la multitud de cerimonias era tanta, no era posible que un ministro pudiese acudir a todas" (Durán, i, 19).

Así que es la sociedad —por intermedio de la casta de los sacerdotes, que sin embargo no son más que los depositarios del saber social— la que decide la suerte del individuo, con lo cual resulta que éste no es un individuo en el sentido en que habitualmente entendemos la palabra. En la sociedad india de antaño, el individuo no representa en sí mismo una totalidad social, sino que sólo es el elemento constitutivo de esa otra totalidad, la colectividad. Durán también dice, en un pasaje donde se siente su admiración teñida de nostalgia, pues ya no encuentra en su propia sociedad los valores a los que aspira: "Porque era grande el número de oficiales que esta nación tenía para cada cosita y, así, era tanta la cuenta y razón que en todo había, que no faltaba punto en las cuentas y padrones; que para todo había, hasta oficiales y mandoncillos de los que habían de barrer. Había y era el orden que ninguno había de entremeterse en el oficio de otro, ni hablar palabra, porque luego era rechazado" (iii, 41).

Lo que más aprecian los aztecas no es realmente la opinión personal, la iniciativa individual. Tenemos una prueba adicional de esta preeminencia de lo social respecto a lo individual en el papel que desempeña la familia: se quiere a los padres, se adora a los hijos, y la atención que se dedica a unos y otros absorbe gran parte de la energía social. Recíprocamente, se considera que el padre y la madre son responsables de las malas acciones que pudiera realizar su hijo; entre los tarascos, la solidaridad en la responsabilidad se extiende hasta los sirvientes. "Mandaba matar también sus ayos y amas que le habían criado [al hijo que se mandaba matar] y los criados, porque ellos le habían mostrado aquellas costumbres" (*Relación de Michoacán*, iii, 8; cf. iii, 12).

Pero la solidaridad familiar no es un valor supremo, pues a pesar de ser transindividual, la célula familiar todavía no es la sociedad; los lazos familiares son relegados de hecho al último plano, después de las obligaciones hacia el grupo. Ninguna cualidad personal hace invulnerable respecto a la ley social, y los padres aceptan de buen grado las sanciones cuando éstas castigan infracciones cometidas por sus hijos. "Y aunque a los padres les pesaba del mal tratamiento de sus hijos, por ser gente que los aman entrañablemente, no por eso osaban hablar palabra sino conceder que aquel castigo era justo y bueno" (Durán, I, 21). Otro relato nos describe cómo el rey Nezahualpilli, de Texcoco, célebre por su sabiduría, castiga con la muerte a su propia hija porque ha permitido que le dirija la palabra un joven; a los que tratan de intervenir en favor de su hija, contesta "que no se había de quebrantar la ley con nadie, y que daría mal ejemplo a los otros señores y quedaría muy deshonrado" (Zorita, 9).

Es que la muerte sólo es una catástrofe dentro de una perspectiva estrechamente individual, mientras que, desde el punto de vista social, el beneficio que rinde la sumisión a la regla del grupo pesa más que la pérdida de un individuo. Por eso vemos a los futuros sacrificados aceptar su suerte, si no con alegría, en todo caso sin desesperación, y lo mismo vale para los soldados en el campo de batalla: su sangre contribuirá a mantener viva a la sociedad. O más exactamente, ésa es la imagen que quisiera tener de sí mismo el pueblo azteca, aun cuando no es seguro que todas las personas que lo constituyen acepten el asunto sin protestar: para evitar que los prisioneros estén tristes en la víspera de su sacrificio (lo que, como ya hemos visto, es un mal presagio), se les administran drogas, y Moctezuma necesita recordar la ley a sus soldados llorosos, afligidos por la muerte de sus compañeros: "Para eso hemos nacido y para eso salimos al campo y esto es la muerte bienaventurada de que nuestros antepasados nos dejaron noticia y tan encomendada" (Durán, III, 62).

En esta sociedad sobreestructurada, un individuo no puede ser el igual de otro, y las distinciones jerárquicas adquieren una importancia primordial. Es bastante impresionante el ver que cuando Moctezuma I decide, a mediados del siglo XV, después de haber ganado muchas batallas, codificar las leyes de su propia sociedad, formula catorce prescripciones, de las cuales sólo las dos últimas recuerdan nuestras leyes (castigo del adulterio y del robo), mientras que diez reglamentan lo que, para nosotros, sólo serían cuestiones de etiqueta (volveré más tarde a las dos leyes restantes): las insignias, las ropas, los ornamentos que uno tiene o no derecho a usar, el tipo de casa apropiado para cada capa de la población. Durán, siempre nostálgico de la sociedad jerárquica y asqueado por el igualitarismo naciente que ve entre los españoles, escribe: "En las casas reales y en los templos había lugares y aposentos, donde se aposentaban y recibían diferentes calidades de personas, para que los unos no estuviesen mezclados con los otros, ni se igualasen los de buena sangre con los de baja gente. [. . .] En las buenas y bien concertadas repúblicas y congregaciones se había de tener gran cuenta, y no en el desorden que

entre las repúblicas el día de hoy se usa, que apenas se conoce cuál
es el caballero y cuál el arriero, ni cuál el escudero, ni cuál el marine-
ro. [. . .] Empero, para evitar esta confusión y variedad y para que
cada uno fuese conocido, tenían estos indios grandes leyes y prag-
máticas y ordenanzas" (I, 11).

Así que, debido a esta fuerte integración, la vida de la persona de
ningún modo es un campo abierto e indeterminado, que puede ser
moldeado por una voluntad individual libre, sino la realización de
un orden siempre anteriormente presente (aun si no está totalmente
excluida la posibilidad de influir en el propio destino). El porvenir
del individuo está ordenado por el pasado colectivo; el individuo no
construye su porvenir, sino que éste se revela; de ahí el papel del
calendario, los presagios, de los augurios. La pregunta característica
de este mundo no es, como entre los conquistadores españoles o entre
los revolucionarios rusos, de tipo praxeológico: "¿qué hacer?", sino
epistémico: "¿cómo saber?" Y la interpretación del hecho, más que
en función de su contenido concreto, individual y único, se hace en
función del orden preestablecido y que se debe restablecer, en función de la armonía universal.

¿Estaríamos forzando el sentido de la palabra "comunicación" si
dijéramos, a partir de eso, que existen dos grandes formas de comunicación, una entre el hombre y el hombre, y otra entre el hombre
y el mundo, y comprobáramos entonces que los indios cultivan sobre
todo la segunda, mientras que los españoles cultivan la primera? Estamos acostumbrados a no concebir la comunicación más que en su
aspecto interhumano, pues, como el "mundo" no es un sujeto, el diálogo con él es muy asimétrico (si es que hay diálogo). Pero quizás
sea ésta una visión estrecha de las cosas, cuando mucho responsable
del sentimiento de superioridad que tenemos en esta materia. El concepto sería más productivo si se entendiera de modo que incluyera,
al lado de la interacción de individuo a individuo, la que tiene lugar
entre la persona y su grupo social, la persona y el mundo natural,
la persona y el universo religioso. Y este segundo tipo de comunicación es el que desempeña un papel preponderante en la vida del hombre azteca, el cual interpreta lo divino, lo natural y lo social por medio
de los indicios y presagios, y con la ayuda de ese profesional que
es el sacerdote-adivino.

No se debe pensar que ese predominio excluye el conocimiento
de los hechos, lo que más estrechamente se podría llamar la recolección de información. Por el contrario, lo que aquí se queda en estado embrionario es la acción sobre *el otro* por intermedio de los sig-

nos; en cambio, nunca dejan de informarse sobre el estado de las *cosas*, aunque sean vivientes: el hombre importa aquí como objeto del discurso, más que como su destinatario. Leemos en la *Relación de Michoacán* que antes de una guerra siempre hay que enviar espías. Después de efectuar un cuidadoso reconocimiento, éstos regresan a dar cuenta de su misión. "Las espías sabían todas las entradas y salidas de aquel pueblo, y los pasos peligrosos y dónde había ríos. Estas dichas espías lo trazaban todo donde asentaban su real, y lo señalaban todo en sus rayas en el suelo, y lo mostraban al capitán general, y el capitán a la gente" (III, 4). Durante la invasión española, Moctezuma (fig. 7) nunca deja de enviar espías al campo contrario, y está perfectamente al corriente de los hechos: así es como sabe de la llegada de las primeras expediciones cuando los españoles todavía ignoran su existencia. Lo vemos enviar sus instrucciones a los gobernadores locales: "Dad orden: que haya vigilancia por todas partes en la orilla del agua [. . .]. En donde ellos vienen a salir" (*Códice florentino*, que se representará en adelante con las siglas *CF*, XII, 3). De igual manera, más tarde, cuando Cortés está en México, Moctezuma es informado inmediatamente de la llegada de Narváez, que su huésped ignora. "De palabra, y por pintura o memoriales, se les daba muy a menudo razón de todo cuanto se ofrecía. Para este efecto había hombres de grandísima ligereza, que servían de correos, que iban y venían y desde muchachos los criaban en ejercicio de correr, y procuraban fuesen muy alentados, de suerte que pudieren subir una cuesta muy grande, corriendo, sin cansarse" (Acosta, VI, 10). A diferencia de los tarascos de Michoacán, los aztecas dibujan sus mapas y sus mensajes sobre papel, y así pueden transmitirlos a distancia.

Pero los constantes éxitos en la recolección de información no van a la par con un dominio de la comunicación interhumana, como se hubiera podido imaginar. Hay algo de emblemático en la negación constantemente reiterada por Moctezuma a comunicarse con los intrusos. Durante la primera fase de la conquista, cuando los españoles todavía están cerca de la costa, el principal mensaje que envía Moctezuma es ¡que no quiere que haya intercambio de mensajes! Sí recibe las informaciones, pero no se alegra de ello, sino todo lo contrario. Así es como lo pintan los relatos de los aztecas: "Motecuhzoma bajó la cabeza y, sin responder palabra, puesta la mano sobre la boca, se quedó por muy grande rato, como muerto o mudo, que no pudo hablar ni responder" (Durán, III, 69). "Y cuando lo oyó Motecuhzoma, no hizo más que abatir la frente, quedó con la cabeza inclinada. Ya no habló palabra. Dejó de hablar solamente. Largo tiempo así estuvo cabizbajo"* (*CF*, xii, 13). Moctezuma no está simplemente asustado por el contenido de los relatos; se nos muestra como literalmente incapaz de comunicar, y el texto pone significativamente en paralelo "mudo" con "muerto". Esta parálisis no sólo debilita la recolección de información; simboliza ya la derrota, puesto que el soberano azteca es ante todo un amo de la palabra —acto social por excelencia (cf. fig. 8)—, y que la renuncia al lenguaje es la confesión de un fracaso.

En Moctezuma se asocian en forma totalmente coherente este miedo a la información recibida y el miedo a la información solicitada por los demás, muy especialmente cuando esta última se refiere a su propia persona. "Yvan y venían muchos mensajeros cada día a dar noticia al rey Motecuçuma de todo lo que pasava, diziéndole cómo los españoles preguntavan mucho por él pidiendo señas de su persona, modo de proceder y casa; desto se angustiava grandemente vacilando qué haría de sí, si se huyría o se escondería o si esperaría, porque esperava grandíssimos males y afrentas sobre sí y todo su reyno" (Tovar, p. 75). "Pues cuando oía Motecuhzoma que mucho se indagaba sobre él, que se escudriñaba su persona, que los 'dioses' mucho deseaban verle la cara, como que se le apretaba el corazón, se llenaba de grande angustia" (*CF*, xii, 9). Según Durán, la reacción inicial de Moctezuma es querer esconderse en el fondo de una profunda cueva. Según los conquistadores, los primeros mensajes de Moctezuma afirman que estará dispuesto a ofrecerles todo lo que hay en su reino, pero con una condición: que renuncien a su deseo de ir a verlo.

Esta negación de Moctezuma no es un acto personal. La primerísima ley enunciada por su antepasado Moctezuma I ordenaba "que los reyes nunca saliesen en público, sino a cosas muy necesarias y forzosas" (Durán, iii, 26), y Moctezuma II la aplica escrupulosamente, prohibiendo además a sus súbditos que lo miren en aquellas ocasiones en que debe mostrarse en público. "Por sólo alzar los ojos a mirarle, como fuese hombre bajo (quien tal hacía), luego le mandaba matar." Durán, que refiere este hecho, se queja de que su trabajo de historiador sufre por ello. "Y aquí quiero contar lo que me respondió un indio, a quien yo preguntaba por la fisonomía de Motecuhzoma y por su estatura y manera. El cual me respondió: —'Padre, yo no te he de mentir, ni he de decir lo que no sé. Yo nunca le vide

---

* Quiero hacer notar aquí un rasgo estilístico de los textos nahuas: es frecuente que una expresión vaya seguida de uno o varios sinónimos. El procedimiento del paralelismo es bastante común; pero además, Sahagún, a quien interesaban las capacidades expresivas de la lengua, había pedido a sus informantes que le dieran cada vez todas las expresiones posibles para una misma cosa.

Fig. 7. *Moctezuma II*

Fig. 8. *La información en la primera fase de la conquista*

la cara' '' (III, 53). No es sorprendente encontrar que esta ley encabeza las reglas referentes a la diferenciación jerárquica de la sociedad: lo que se deduce en ambos casos es la pertinencia del individuo frente al reglamento social. El cuerpo del rey sigue siendo individual, pero la función del rey, más completamente que otra, es un puro efecto social; así que hay que sustraer ese cuerpo a las miradas. Al dejarse ver, Moctezuma contradiría sus valores tanto como lo hace al dejar de hablar: se sale de su esfera de acción, que es el intercambio social, y se convierte en un individuo vulnerable.

Es igualmente revelador ver que Moctezuma recibe la información pero castiga a sus portadores, y fracasa así en el plano de las relaciones humanas. Cuando un hombre llega de la costa a describirle lo que ha visto, el rey le da las gracias, pero ordena a sus guardias que lo encarcelen y lo vigilen bien. Los magos tratan de tener sueños proféticos y de interpretar los presagios sobrenaturales. "Motecuhzoma, habiendo estado atento a lo que los viejos y viejas habían dicho, viendo que no era nada en su favor, sino que antes argüían a los malos pronósticos pasados, con una furia y rabia endemoniada mandó que aquellos viejos y viejas fuesen echados en cárcel perpetua y que les diesen de comer por tasa y medida hasta que muriesen. Los sacerdotes de los templos [. . .] hiciéronse de concierto entre todos de no declarar cosa ninguna, temiendo no les sucediese lo que a los viejos y viejas" (III, 68). Pero resulta que poco después ya no los encuentran en su prisión; Moctezuma decide entonces castigarlos de manera ejemplar: ordena a los carceleros "fuesen a todos los lugares de que aquellos hechiceros eran naturales, que les derribasen las casas, les matasen a sus mujeres e hijos y les cavasen los sitios de las casas hasta que saliese el agua de ellos; que todas sus haciendas fuesen saqueadas y robadas [. . .] y que, si ellos pareciesen o fuesen hallados en algún templo, fuesen apedreados y echados a las bestias" (*ibid.*). Se comprende que, en tales condiciones, los voluntarios dispuestos a informar sobre el comportamiento de los españoles, o a interpretarlo, fuesen más bien escasos.

Aun cuando la información llega a Moctezuma, su interpretación, necesaria, se hace dentro del marco de la comunicación con el mundo, no de la comunicación con los hombres. Es a sus dioses a quienes pide consejo sobre cómo comportarse en estos asuntos puramente humanos (y es que siempre fue así, como lo sabemos a partir de las historias indígenas del pueblo azteca). "Parece ser, como Montezuma era muy devoto de sus ídolos, que se decían Tezcatepuca e Huichilobos; el uno decían que era dios de la guerra y el Tezcatepuca el dios del infierno, y les sacrificaba cada día muchachos para que le diesen respuesta de lo que había de hacer de nosotros" (Bernal Díaz, 41). "Y supimos muy de cierto que cuando lo supo Montezuma que sintió gran dolor y enojo, y que luego sacrificó ciertós indios a su ídolo Uichilobos, que le tenían por dios de la guerra, porque le dijese en lo que había de parar nuestra ida a México, o si nos dejaría entrar en su ciudad" (*ibid*, 83).

Así que, cuando los dirigentes del país desean entender el presente, se dirigen con toda naturalidad no a conocedores de los hombres, sino a los que practican el intercambio con los dioses, a los maestros en interpretación. Así ocurre en Tlaxcala. "[. . .] y dizque no los quisieron escuchar de buena gana, y lo que sobre ello acordaron fue que luego mandaron llamar todos los adivinos y papas y otros que echaban suertes, que llaman *tacalnaguas*, que son como hechiceros, y dijeron que mirasen por sus adivinanzas y hechizos y suertes qué gente éramos y si podríamos ser vencidos dándonos guerra de día y de noche" (Bernal Díaz, 66). Pero la reacción es exactamente la misma en México: "El rey [. . .] mandó luego juntar toda su corte a consejo y proponiéndoles la triste nueva pidioles el remedio para que estos dioses enemigos que les venían destruyr los echasen de sus tierras, y confiriendo el negocio prolixamente como tan grave cosa requería, determinose que mandasen llamar a todos los hechizeros y sabios nigrománticos que tenían pacto con el demonio, y que éstos diessen el primer acometimiento invocando con su arte cosas muy espantosas con que les hiziesen volver a su tierra y retirarse de temor" (Tovar, p. 75).

Moctezuma sabía cómo informarse acerca de sus enemigos cuando éstos eran tlaxcaltecas, tarascos o huastecos. Pero ése era un intercambio de información perfectamente establecido. La identidad de los españoles es tan diferente, su comportamiento es a tal punto imprevisible, que se sacude todo el sistema de comunicación, y los aztecas ya no tienen éxito ni en aquello en lo que antes eran excelentes: la recolección de información. Si los indios hubieran sabido, escribe en varias ocasiones Bernal Díaz, qué pocos éramos en aquel momento, qué débiles y agotados estábamos. . . Incluso, todas las acciones de los españoles toman a los indios por sorpresa, como si fueran ellos los que llevaban una guerra regular y como si fueran los españoles los que los acorralaban con acciones guerrilleras.

Encontramos una confirmación global de esta actitud de los indios frente a los españoles en la misma construcción de los relatos indígenas de la conquista. Éstos invariablemente empiezan con la enumeración de los presagios que anuncian la llegada de los españoles. Parece que Moctezuma sufre un verdadero bombardeo de mensajes que, además, predicen todos la victoria de los recién llegados. "En este tiempo anunció el ýdolo Quetzalcóatl, dios de los Cholultecas, la venida de gente estraña a poseer estos reynos. Assimesmo el rey de Tezcuco [Nezahualpilli], que tenía pacto con el demonio, le vino a visitar [a Moctezuma] una vez a deshora y le certificó que le havýan dicho los dioses que se le aparejavan a él y a todo su reyno grandes travajos y pérdidas; muchos hechizeros y brujos dezían lo mismo" (Tovar, p. 69). Tenemos indicaciones semejantes no sólo en lo que se refiere a los aztecas del centro de México sino también a los taínos del Caribe "descubiertos" por Colón, a los tarascos de Michoacán, a los mayas de Yucatán y de Guatemala, a los incas de Perú, etc. Un profeta maya, Ah Xupan Nauat, supuestamente previó desde el siglo XI que la invasión de Yucatán empezaría en 1527. Tomados en su conjunto, estos relatos, provenientes de poblaciones muy alejadas entre sí, impresionan por su uniformidad: la llegada de los españoles *siempre* va precedida de presagios, su victoria *siempre* se anuncia como segura. Más aún: estos presagios tienen un extraño parecido, de un extremo a otro del continente americano. Siempre se trata de un cometa, el rayo, un incendio, hombres de dos cabezas, personas que hablan en estado de trance, etcétera.

Aun si no quisiéramos excluir *a priori* la realidad de esos presagios, un número tan grande de coincidencias ameritaría que nos pusiéramos en guardia. Todo lleva a creer que los presagios fueron inventados después de los hechos; pero ¿por qué? Veamos ahora que esta forma de vivir el acontecimiento va totalmente de acuerdo con las normas de la comunicación, tal como la practican los indios. En vez de percibir este hecho como un encuentro puramente humano —la llegada de hombres ávidos de oro y de poder— pero, cierto es, inédito, los indios lo integran dentro de una red de relaciones naturales, sociales y sobrenaturales, en la que el acontecimiento pierde de golpe su singularidad: de alguna manera se encuentra domesticado, absorbido en un orden de creencias ya existente. Los aztecas perciben la conquista —es decir, la derrota— y al mismo tiempo la superan mentalmente, inscribiéndola en una historia concebida según sus exigencias (no son los únicos que proceden así): el presente se vuelve inteligible, y al propio tiempo menos inadmisible, en el momento en que podemos verlo ya anunciado en el pasado. Y el remedio es tan apropiado a la situación que, al oír el relato, todos creen recordar que efectivamente habían aparecido presagios antes de la con-

quista. Pero, mientras tanto, esas profecías ejercen un efecto paralizador en los indios que las conocen, y disminuyen proporcionalmente
su resistencia; sabemos, por ejemplo, que Montejo será especialmente
bien recibido en aquellas partes de Yucatán de donde vienen las profecías del *Chilam Balam.*

Este comportamiento contrasta con el de Cortés, pero no con el
de todos los españoles; ya hemos encontrado un ejemplo español de
una concepción asombrosamente parecida de la comunicación: la de
Colón. Colón, como Moctezuma, recogía atentamente las informaciones referentes a las cosas, pero fracasaba en su comunicación con
los seres humanos. Y lo que es aún más notable es que Colón, al volver de su excepcional descubrimiento, se apresura a escribir su propio *Chilam Balam*: no descansa hasta que produce un *Libro de las profecías*, colección de fórmulas extraídas de los Libros sagrados (o que
se les atribuyen) y que, supuestamente, predecían su propia aventu-
ra y las consecuencias de ella. Por sus estructuras mentales, que lo
ligan con la concepción medieval del saber, Colón está más cerca de
aquellos que descubre que algunos de sus propios compañeros; ¡cuánto le hubiera chocado saberlo! No por ello es el único. Maquiavelo,
teórico del mundo del futuro, escribe poco después en los *Discursos*:
"Es notorio por ejemplos antiguos y modernos que jamás ocurre ningún grave accidente en una ciudad o un estado sin ser anunciado o
por adivinos, o por revelaciones, prodigios u otros signos celestes"
(I, 56). Las Casas dedica todo un capítulo de su *Historia de las Indias*
al tema siguiente: "En el cual se tracta de cómo la Providencia divina nunca consiente venir cosas señaladas para bien del mundo, ni permite para castigo dél, sin que primero, o por sus siervos los sanctos,
o por otras personas, aunque sean infieles y malas, y algunas veces
por los demonios, las prenuncien y antedigan que ellas acaezcan"
(I, 10). ¡Más vale una profecía del demonio que la falta total de profecías! A fines del siglo, el jesuita José de Acosta es más prudente,
pero todavía muestra la misma estructura de pensamiento: "Parece
cosa muy razonable que de un negocio tan grande [como el descubrimiento de América] haya alguna mención en las Sagradas Escrituras" (I, 15).

Esta forma particular de practicar la comunicación (descuidando
la dimensión interhumana, dando la preferencia al contacto con el
mundo) es responsable de la imagen deformada que habrán de tener
los indios de los españoles, a lo largo de los primeros contactos, y
especialmente de la idea de que éstos son dioses; también esta idea
tiene un efecto paralizador. Este hecho parece muy poco frecuente

en la historia de las conquistas y de las colonizaciones (lo volvemos a encontrar en Melanesia, y es el responsable del triste destino del capitán Cook); sólo puede explicarse por una incapacidad de percibir la identidad humana de los otros, es decir, de reconocerlos a la vez como iguales y como diferentes.

La primera reacción, espontánea, frente al extranjero es imaginarlo inferior, puesto que es diferente de nosotros: ni siquiera es un hombre o, si lo es, es un bárbaro inferior; si no habla nuestra lengua, es que no habla ninguna, no sabe hablar, como pensaba todavía Colón. Y así, los eslavos de Europa llaman a su vecino alemán *nemec*, el mudo; los mayas de Yucatán llaman a los invasores toltecas *nunob*, los mudos, y los mayas cakchiqueles se refieren a los mayas mam como "tartamudos" o "mudos". Los mismos aztecas llaman a las gentes que están al sur de Veracruz *nonoualca*, los mudos, y los que no hablan náhuatl son llamados *tenime*, bárbaros, o *popoloca*, salvajes. Comparten el desprecio de todos los pueblos hacia sus vecinos al considerar que los más alejados, cultural o geográficamente, ni siquiera son propios para ser sacrificados y consumidos (el sacrificado debe ser al mismo tiempo extranjero y estimado, es decir, cercano). "[A] nuestro dios no le son gratas las carnes de esas gentes bárbaras, tiénelas en lugar de pan bazo y duro y como pan desabrido y sin sazón, porque, como digo, son de extraña lengua y bárbaros" (Durán, III, 28).

Para Moctezuma las diferencias entre aztecas, tlaxcaltecas y chichimecas existen, claro está; pero son inmediatamente absorbidas dentro de la jerarquía interior del mundo azteca: los *otros* son aquellos que subordinamos, entre los cuales reclutamos —o no— a las víctimas para los sacrificios. Pero, incluso en los casos más extremos, no hay sentimiento de extrañeza absoluta: de los totonacas, por ejemplo, los aztecas dicen al mismo tiempo que hablan una lengua bárbara y que llevan una vida civilizada (*CF*, XII, 29), es decir, una vida que puede parecerles civilizada a los aztecas.

Ahora bien, la extrañeza ante los españoles es mucho más radical. Los primeros testigos de su llegada se apresuran a dar parte de sus impresiones a Moctezuma: "Le diremos qué hemos visto. Cosa muy digna de asombro. ¡Nunca cosa así se vio!" (*CF*, XII, 6). Al no poder integrarlos en el mismo casillero que los totonacas —portadores de una otredad nada radical— los aztecas renuncian, frente a los españoles, a su sistema de otredades humanas, y se ven llevados a recurrir a la única otra fórmula accesible: el intercambio con los dioses. También en eso podemos compararlos con Colón, y sin embargo aparece también una diferencia esencial: al igual que ellos, Colón no logra ver fácilmente al otro como humano y diferente al mismo tiempo; lo trata entonces como si fuera un animal. Por lo demás, el error de los indios no habrá de durar mucho, pero sí lo suficiente para que la batalla esté definitivamente perdida, y América se encuentre sometida a Europa. Como lo dice en otras circunstancias el *Libro de Chilam Balam*: "Aquellos que no puedan comprender, morirán; aquellos que comprendan, vivirán" (9).

Observemos ahora, ya no la recepción, sino la *producción* de los discursos y de los símbolos, tal como se practica en las sociedades indias en la época de la conquista. No hace falta remontarnos al libro santo del *Popol Vuh*, que pone la palabra en el origen del mundo, para saber que las prácticas verbales son altamente estimadas: nada sería más falso que imaginar a los aztecas indiferentes frente a esa actividad. Como muchos otros pueblos, los aztecas interpretan su propio nombre como algo que se refiere a su excelencia lingüística, por oposición a las otras tribus: "Los indios de esta Nueva España, según la común relación de las historias dellos, proceden de dos naciones diferentes: la una dellas llaman nauatlaca, que quiere dezir 'gente que se explica y habla claro', a differencia de la segunda nación, porque entonces era muy salvaje y bárbara; sólo se ocupavan en andar a caça; [. . .] les pusieron por nombre 'chichimeca', que significa gente caçadora y que vive de aquel officio agreste y campesino" (Tovar, p. 9).

El aprender a bien hablar forma parte de la educación familiar; es lo primero en lo que piensan los padres. "Instruían al niño éstos que andaban con él, para que hablase palabras bien criadas y buen lenguaje" (*CF*, VIII, 20, p. 71), y un precepto antiguo, que los padres enseñan a los hijos, dice: "No des mal ejemplo ni hables indiscretamente ni cortes a otros sus pláticas ni los estorbes; y si no hablan bien y concertadamente, mira tú no hagas lo mismo; y si no es a tu cargo hablar, calla" (Olmos, en Zorita, 9). Los padres no olvidan decirles a sus hijos: "Conviene que hables con mucho sosiego; ni hables apresuradamente, ni con desasosiego, ni alces la voz, porque no se diga de ti que eres vocinglero y desentonado, o bobo o alocado o rústico; [. . .] sea suave y blanda tu palabra" (*CF*, VI, 22).

El que se haya dedicado tanta atención a lo que las retóricas latinas llamaban *actio* o *pronuntiatio* permite suponer que los indios no son indiferentes a los demás aspectos de la palabra; y sabemos que esta educación no se deja sólo a los padres, sino que se imparte en escuelas especiales. Hay en el estado azteca dos clases de escuelas, unas que preparan para el oficio de guerrero, otras de donde salen los sacerdotes, los jueces y los dignatarios reales; en estas últimas, llamadas *calmécac*, es donde se presta especial atención al verbo: "Les mostraban a los muchachos a hablar bien, [. . .] y el que no hablaba bien o no saludaba a los que encontraba, [. . .] luego le punzaban con las puntas de maguey. [. . .] Les enseñaban todos los versos de canto, [. . .] que se llamaban divinos cantos, los cuales versos estaban escritos en sus libros por caracteres, y más les enseñaban la astrología indiana, y las interpretaciones de los sueños y la cuenta de los años" (*CF*, III, Apéndice, 8). El *calmécac* es efectivamente una escuela de interpretación y de habla, de retórica y de hermenéutica. Se toman todas las disposiciones necesarias para que los alumnos hablen con elegancia y sean buenos intérpretes.

Y es que, como lo dice otro cronista (Juan Bautista Pomar, en la *Relación de Texcoco*), aprendían "a bien hablar y a bien gobernar" al mismo tiempo. En la civilización azteca —al igual que en muchas otras— los altos dignatarios reales son escogidos en buena medida en función de sus cualidades de elocuencia. Sahagún informa que "entre los mexicanos, [. . .] los sabios retóricos, y virtuosos, y esforzados, eran tenidos en mucho" (VI, "Prólogo", 2), y recuerda: "Los señores siempre traían consigo muy expertos oradores, para responder y hablar cuanto fuera menester, y esto desde el principio de su elección" (VI, 12, 8). Los antiguos mayas van todavía más lejos: los futuros jefes son elegidos con la ayuda de un procedimiento que recuerda una prueba por enigmas: deben saber interpretar ciertas expresiones figuradas, que se llaman "lenguaje de Zuyua". El poder exige la sabiduría, la cual se comprueba al saber interpretar. "Tales son las cosas que hay que entender para ser jefe de aldea, cuando uno es llevado frente al soberano, al jefe superior. Tales son las palabras. Si los jefes de aldea no las comprenden, nefasta es entonces la estrella que adorna la noche" (*Chilam Balam*, 9). Si los candidatos no pasan esta prueba, son castigados severamente. "Los jefes de aldea son apresados porque no han sabido comprender. [. . .] Por eso son ahorcados y por eso les cortan las puntas de las lenguas y por eso les arrancan los ojos" (*ibid.*). Como a las víctimas de la esfinge, a los futuros jefes se les pone ante este dilema: interpretar o morir (a diferencia, sin embargo, de los personajes de *Las mil y una noches*, cuya ley es más bien: "¡Cuenta o muere!" Pero sin duda existen civilizaciones narrativas y civilizaciones interpretativas), y se cuenta que, una vez elegido, el jefe es marcado con la inscripción de pictogramas en su cuerpo: su garganta, su pie, su mano.

La asociación del poder con el dominio del lenguaje está claramente marcada entre los aztecas. El jefe del estado es llamado *tlatoani*, que significa, literalmente, "aquel que posee la palabra" (algo parecido a nuestro "dictador"), y la perífrasis que designa al sabio es "el poseedor de la tinta roja y de la tinta negra", es decir, aquel que sabe pintar e interpretar los manuscritos pictográficos. Las crónicas indígenas dicen que Moctezuma era "naturalmente retórico y orador y tenía tan galano frasis en el hablar que a todos atraía y enamoraba con sus profundas razones. [Todos quedaban] muy pagados y contentos de su apacible conversación" (Durán, III, 54). En Yucatán, los profetas-intérpretes gozan de la más alta estimación y de los mayores privilegios: "El oficio de los sacerdotes era tratar y enseñar sus ciencias y declarar las necesidades y sus remedios, predicar y echar las fiestas, hacer sacrificios y administrar sus sacramentos. El oficio de los *chilanes* [profetas] era dar al pueblo las respuestas de los demonios y eran tenidos en tanto que acontecía llevarlos en hombros" (Landa, 27).

Incluso después de la conquista, los españoles no pueden dejar de admirar la elocuencia de los indios. Quince años después del fin del imperio azteca, Vasco de Quiroga cuenta: "Se despidieron [. . .] dando las gracias, cada uno por sí, [. . .] con tan buena manera como si hubieran aprendido oratoria toda su vida" (p. 317). Sebastián Ramírez de Fuenleal, presidente de la segunda audiencia (que, además de ser el tribunal, era la fuente de todo poder legal, de la que es miembro Vasco de Quiroga, siente tanto placer en oír hablar a los indios que olvida el disgusto que le causa el contenido de sus palabras: "No ha diez días que los señores de la provincia de Mechoacan vinieron con los hijos del *cazonzi* [el rey local] a se quejar de los españoles de aquella provincia, y hicieron una plática larga y bien ordenada, y tan cuerdamente dicha y de tan buenas cosas, que holgara havella entendido a ellos como la declaró la lengua."

Los españoles de la época sienten la misma fascinación por el lenguaje. Pero la mera existencia de la atención que se concede a la produción verbal entre unos y otros no significa que unos y otros valoren los mismos aspectos del habla. La palabra privilegiada entre los aztecas es la palabra ritual, es decir, reglamentada en sus formas y en sus funciones, palabra memorizada y, por lo tanto, siempre citada. La forma más notable de la palabra ritual está constituida por los *huehuetlatolli*, discursos aprendidos de memoria, más o menos largos, que cubren una amplia variedad de temas y corresponden a toda una serie de circunstancias sociales: oraciones, ceremonias de la corte, diversos ritos de paso en la vida del individuo (nacimiento, pubertad, matrimonio, muerte), separaciones, encuentros, etc. Siempre están formulados en un lenguaje cuidadoso y se supone que datan de tiempos inmemoriales, lo cual explica su arcaísmo estilístico. Su función es la de toda palabra en una sociedad sin escritura: materializan la memoria social, es decir, el conjunto de leyes, normas y valores que deben transmitirse de una generación a otra para asegurar la identidad misma de la colectividad; eso explica también la excepcional importancia que se concede a la educación pública, a diferencia de lo que pasa en las sociedades del libro, donde la sabiduría a la cual unos tiene acceso por sí mismo equilibra los valores transmitidos por la institución colectiva.

La falta de escritura es un elemento importante de la situación, quizás el más importante. Los dibujos estilizados, los pictogramas que usaban los aztecas no son un grado inferior de escritura: son una notación de la experiencia, no del lenguaje. La escritura de los europeos es tan poco familiar para los indios que crea reacciones que la tradición literaria habrá de apresurarse a explotar: así, gusta representar al indio portador de un fruto y de un mensaje escrito, que menciona el hecho; el indio se come el fruto por el camino, y se queda perplejo cuando lo descubre el destinatario de la carta. "El rumor, esparcido por la isla, de que dichas hojas hablan al arbitrio de los nuestros, obliga a sus habitantes a corresponder con fidelidad a lo que se les confía" (Pedro Mártir, III, 8). Los dibujos de los códices sólo conservan los principales puntos de la historia, que, en esa forma, son ininteligibles; los vuelve comprensibles el discurso ritual que los acompaña: nos percatamos claramente de ello hoy en día puesto que algunos dibujos siguen siendo opacos para nosotros, en ausencia de todo comentario antiguo.

Hay otro hecho que parece ilustrar que la ausencia de escritura es reveladora del comportamiento simbólico en general, y al propio tiempo, de la capacidad de percibir al otro. Las tres grandes civilizaciones amerindias encontradas por los españoles no se sitúan exactamente en el mismo nivel de evolución de la escritura. Entre los incas falta por completo (tienen un sistema mnemotécnico de cordelillos, que por lo demás es muy elaborado); los aztecas poseen pictogramas; encontramos entre los mayas rudimentos de una escritura fonética. Ahora bien, se observa una gradación comparable en la intensidad de la creencia en la divinidad de los españoles. Los incas creen firmemente en esa naturaleza divina. Los aztecas sólo creen en ella al principio. Los mayas se plantean la pregunta y contestan con una negativa: más que "dioses", llaman a los españoles "extranjeros", o bien "comedores de anonas", fruto que ellos no se dignan consumir, o "barbados" o, en rigor, "poderosos", pero nunca "dioses". Si bien se refiere que tuvieron un momento de duda al respecto (como en los *Anales de los cakchiqueles*, es decir, en Guatemala, pero no en Yucatán), vemos que este momento se supera muy pronto, y que la visión de los españoles sigue siendo fundamentalmente humana. El asunto es tanto más notable cuanto que los iniciados en la escritura maya sólo son algunos sacerdotes o nobles; pero lo que cuenta no es el empleo efectivo de la escritura, la escritura como instrumento, sino la escritura como indicio de la evolución de las estructuras mentales. Sin embargo, hay que añadir aquí otra explicación (a no ser que, estrictamente hablando, sea la misma): los mayas también son el único de los tres grupos que ya ha sufrido una invasión extranjera (la de los mexicanos); ellos saben lo que es una civilización otra, y al mismo tiempo superior, y sus crónicas muchas veces se conforman con registrar a los españoles bajo el encabezado que estaba reservado para los invasores toltecas.

Lo que aquí importa es que la escritura, ausente, no puede asumir el papel de apoyo de la memoria, que incumbe entonces a la palabra. A esto se debe la importancia de los *huehuetlatolli*, y el hecho de que, incluso fuera de esos géneros fijos, vemos, al leer a los informantes de Sahagún, por ejemplo, que sus respuestas expresan un saber que conocen de memoria, sin variaciones individuales. Incluso si pensamos que esos informantes, viejos sin duda, exageran el papel de los discursos rituales en detrimento del habla improvisada, no pueden dejar de impresionarnos el número y las dimensiones de esos discursos y, por lo tanto, el lugar que ocupa lo ritual en el seno de la vida verbal de la comunidad.

El rasgo esencial de estos discursos es, entonces, que vienen del pasado: su producción, al igual que su interpretación, está más dominada por el pasado que por el presente; el nombre mismo de *huehuetlatolli* significa "palabras de los antiguos". Estas palabras, este mensaje, dice un viejo, "era la costumbre de los antiguos, y viejos y viejas, el cual está atesorado y muy bien doblado en vuestras entrañas y en vuestra garganta" (*CF*, VI, 35). Esto se ve confirmado por otros cronistas: "Para conservarlos [los discursos] por las mismas palabras que los dixeron sus oradores y poetas, havýa cada día exercicio dello en los collegios de los moços principales que havýan de ser sucesores a éstos, y con la continua repetición se les quedava en la memoria sin discrepar palabra", escribe Tovar ("Carta a Acosta").

De manera más general, la referencia al pasado es esencial para la mentalidad azteca de la época. Encontramos una conmovedora ilustración de esto en un documento bastante excepcional, titulado *Coloquios y doctrina cristiana*, y que data de 1524, o sea sólo tres años después de la conquista. Los doce primeros franciscanos han llegado a México y han empezado su labor de conversión. Pero un día, en la ciudad de México, un hombre se pone de pie y protesta: ciertamente no es capaz de contestar a los argumentos teológicos de los cristianos, pero también los mexicanos tienen sus especialistas en asuntos divinos, y éstos podrían hacer frente a los franciscanos, explicarles por qué los dioses de los aztecas no son inferiores a los de los españoles. Los franciscanos aceptan el desafío, y el propio Cortés da órdenes para la organización del encuentro. Seguramente tuvieron lugar otros debates del mismo tipo en esos primeros años posteriores a la conquista; disponemos en la actualidad de un relato azteca, recogido por Sahagún, que se presenta como la reseña del encuentro de México de 1524, pero que en realidad debe ser una representación literaria y generalizada de este tipo de debates. El conjunto del debate se sitúa dentro del marco de la ideología cristiana, pero su valor de testimonio es impotante.

Ahora bien, ¿cuál será el argumento inicial de los religiosos aztecas? Nuestra religión, dicen, es antigua; nuestro antepasados ya creían en ella; por lo tanto, no hay razón alguna para que renunciemos a ella. "Es una palabra nueva, / ésta que les decís, / por ella estamos afligidos, / por ella estamos muy atemorizados. / Pues aquellos que nos hicieron, / aquellos que llegaron a ser, aquellos que vinieron a vivir en la tierra, / no hablaron de esta manera" (7, 950-956). "Solían decir que, / ciertamente, ellos, los dioses, por cuya gracia vivimos, / ellos nos merecieron" (7, 970-972). "¿Y acaso ahora somos nosotros, / aquellos que habrán de destruirla, / la antigua ley?" (7, 1016-1018). Los padres franciscanos no fueron convencidos por estos argumentos. A su manera, el relato mismo que tenemos ilustra la mayor eficacia del discurso cristiano: este diálogo es muy asimétrico, pues las palabras de los evangelizadores no sólo ocupan más espacio, sino que van en aumento; tenemos la impresión de que la voz de los sacerdotes mexicanos, afirmando sus lazos con el pasado, va siendo progresivamente ahogada por los abundantes discursos de los franciscanos.

Éste no es un ejemplo aislado; encontramos un relato casi idéntico en Cortés, que refiere este debate improvisado: "Y a esto les hablé diciéndoles que mirasen cuán vana y loca creencia era la suya, pues creían que les podía dar bienes quien así no se podía defender y tan ligeramente veían desbaratar; respondiéronme que en aquella secta los dejaron sus padres" (5). Cuarenta o cincuenta años más tarde, Durán vuelve a oír la misma respuesta: "Yo he preguntado a algunos viejos de dónde tenían esta ciencia de conocer las venturas y sinos. Responden que los viejos antiguos se las dejaron y se las enseñaron y que no saben otra cosa. [. . .] Dan a entender que por ciencia particular no conocen nada" (II, 2).

Desde nuestro punto de vista actual, la posición de los cristianos no es, en sí, "mejor" que la de los aztecas, ni está más cerca de la "verdad". La religión, cualquiera que sea su contenido, es efectivamente un discurso transmitido por la tradición y que importa en cuanto garantiza una identidad cultural. La religión cristiana no es en sí misma más racional que el "paganismo" indio. Pero sería ilusorio ver a los sacerdotes aztecas como antropólogos de lo religioso. El hecho de saber que la religión no es más que un discurso tradicional de ningún modo los hace tomar su distancia frente a ella; por el contrario, ésta es la razón por la que no pueden cuestionarla. Como hemos visto, la opinión personal carece de valor en este contexto, y no se aspira a un saber que el individuo pudiera alcanzar por medio de su propia búsqueda. Los españoles tratan de racionalizar su elección de la religión cristiana; de este esfuerzo (o más bien de su fracaso) nace, ya desde entonces, la separación entre fe y razón, y la posibilidad de un discurso no religioso acerca de la religión.

La sumisión del presente frente al pasado sigue siendo, entonces, una característica significativa de la sociedad india de la época, y podemos observar sus huellas en muchos otros campos diferentes del religioso (o, si se prefiere, encontramos lo religioso mucho más allá de los límites dentro de los que estamos acostumbrados a encerrarlo). Es frecuente que los comentaristas recientes no puedan contener su admiración frente a un estado en que se atendía tan cuidadosamente la educación de los niños: tanto ricos como pobres están "escolarizados", ya sea en la escuela religiosa o en la militar. Pero está claro que no se trata de un rasgo que pueda ser admirado aisladamente: la educación pública es esencial en toda sociedad en la que el pasado pesa sobre el presente, o bien, lo cual equivale a lo mismo, en que la colectividad tiene la preferencia frente a lo individual. Una de las catorce leyes de Moctezuma I consagra esta preeminencia de lo antiguo frente a lo moderno y de los viejos frente a los jóvenes: "Que hubiese maestros y hombres ancianos que [a los jóvenes] reprendiesen y corrigiesen y castigasen y mandasen y ocupasen en cosas de ordinarios ejercicios y que no los dejasen estar ociosos, ni perder tiempo" (Durán, III, 26). Las pruebas por enigmas a las que son sometidos los jefes mayas no se refieren a una capacidad de interpretación cualquiera: no se trata de dar una respuesta ingeniosa, sino la respuesta correcta, es decir, tradicional; conocer la respuesta implica que uno pertenece al buen linaje, puesto que se transmite de padres a hijos. La palabra que, en náhuatl, nombra la verdad, *neltiliztli*, está etimológicamente relacionada con "raíz", "base", "fundamento"; la verdad está íntimamente relacionada con la estabilidad, y un *huehuetlatolli* pone en paralelo estas dos preguntas: "¿Posee el hombre la verdad? ¿Existen cosas fijas y duraderas?" (*Colección*, 10, 15).

A este mundo vuelto hacia el pasado, dominado por la tradición, llega la conquista: un acontecimiento absolutamente imprevisible, sorprendente, único (a pesar de lo que puedan decir los presagios recogidos posteriormente). Trae otra concepción del tiempo, que se opone a la de los aztecas y los mayas. Son pertinentes aquí dos rasgos del calendario indio, en los que esta última concepción se expresa en forma especialmente clara. Primero, un día en particular pertenece a un número de ciclos mayor que entre nosotros: está el año religioso de 260 días y el año astronómico de 365 días; los años, a su vez, forman ciclos, a la manera de nuestros siglos, pero de un modo que se impone más: de veinte años, o de cincuentaidós, etc. Luego, este calendario descansa en la íntima convicción de que el tiempo se repite. Nuestra cronología tiene dos dimensiones, una cíclica y otra lineal. Si digo "miércoles veinticinco de febrero", sólo indico el lugar del día en el interior de tres ciclos (semana, mes, año); pero al añadir "1981" someto el ciclo al desarrollo lineal, puesto que la cuenta de los años sigue una sucesión sin repetición, del infinito negativo al infinito positivo. Entre los mayas y los aztecas, por el contrario, es el ciclo el que domina en relación con la linealidad: hay una sucesión en el interior del mes, del año o del "haz" de años; pero estos últimos, más que estar situados en una cronología lineal, se repiten exactamente cada vez. Sí hay diferencias en el interior de cada secuencia, pero una secuencia es idéntica a la otra, y ninguna está situada en un tiempo absoluto (de ahí las dificultades que se presentan para traducir las cronologías indias a la nuestra). No es casual el que la imagen, tanto gráfica como mental, del tiempo entre los aztecas y los mayas esté dada por la rueda (mientras que la nuestra más bien estaría representada por la flecha). Como lo dice una inscripción (tardía) del *Libro de Chilam Balam*: "Trece veces veinte años, y después siempre volverá a comenzar" (22).

Los libros antiguos de los mayas y de los aztecas ilustran esta concepción del tiempo, tanto por lo que encierran como por el uso que de ellos se hace. Los llevan, en cada región, los adivinos-profetas y son (entre otras cosas) crónicas, libros de historia; al mismo tiempo, permiten prever el futuro, y es que, como el tiempo se repite, el conocimiento del pasado lleva al del porvenir, o más bien, son lo mismo. Vemos así, en los *Chilam Balam* mayas, que siempre importa situar el acontecimiento en su lugar dentro del sistema (tal día, de tal mes, de tal veintena de años), pero que falta la referencia al desarrollo lineal, incluso para hechos posteriores a la conquista; de tal manera que no tenemos ninguna duda en cuanto al día de la semana en que se produjo un hecho determinado, pero podemos dudar entre veinte años más o menos. La naturaleza misma de los acontecimientos obedece a este principio cíclico, puesto que cada secuencia incluye los mismos acontecimientos; los que ocupan lugares idénticos en secuencias diferentes tienden a confundirse. Así, en esos libros, la invasión tolteca presenta rasgos indudablemente propios de la conquista española; pero también vale lo recíproco, de tal modo que nos percatamos que se trata efectivamente de una invasión, pero no podemos estar seguros si se trata de la una o la otra, aunque estén separadas por siglos enteros.

No sólo son las secuencias del pasado las que se parecen, sino también las del porvenir. Por eso los hechos se remiten ora al pasado, como en una crónica, ora al futuro, en forma de profecías: otra vez más, da lo mismo. La profecía está enraizada en el pasado, puesto que el tiempo se repite; el carácter, fausto o infausto, de los días, meses, años, siglos por venir es establecido por la búsqueda intuitiva de un común denominador para los períodos correspondientes del pasado. Recíprocamente, nuestras informaciones sobre el pasado de esos pueblos las tomamos actualmente de las profecías, que a menudo son lo único que se ha preservado. Durán informa que, entre los aztecas, los años están distribuidos en ciclos según los puntos cardinales: "los años de que ellos más temían eran los septentrionales y los occidentales, por la experiencia que tenían de grandes infortunios que en ellos les sucedían" (II, 1). El relato de la invasión española, entre los mayas, mezcla de manera inextricable el futuro y el pasado, y procede por prospecciones retrospectivas. "Hay que amar esas palabras como se aman las piedras preciosas, pues nos hablan de la futura introducción del cristianismo" (*Chilam Balam*, 24). "Así nuestro Padre Dios envía una señal al tiempo en que vendrán, porque no hay acuerdo. Los descendientes de los antiguos soberanos están deshonrados y sumidos en la miseria; nos hemos vuelto cristianos y ellos nos tratan como animales" (*ibid.*, 11). Un copista tardío añade esta nota significativa: "En este decimoctavo día de 1766 llegó un huracán. Lo he registrado aquí para que se pueda ver cuántos años pasarán antes de que llegue otro" (*ibid.*, 21). Bien se ve que, si se establece una vez el término de la serie, la distancia que separa dos huracanes, se podrán prever todos los huracanes por venir. La profecía es memoria.

Los mismos libros existen entre los aztecas (pero menos bien conservados); en ellos se consignan, al lado de las delimitaciones territoriales o del monto de los impuestos, los acontecimientos del pasado, y son aquellos a los que se consulta cuando se quiere conocer el porvenir: pasado y futuro pertenecen al mismo libro, son asunto del mismo especialista. También Moctezuma acude a ese libro para saber qué es lo que harán los extranjeros. Primero lo vemos pedir un cuadro que representará exactamente lo que sus mensajeros han visto en la orilla del mar. Se encarga su ejecución al más hábil de los pintores de México; una vez terminado el cuadro, Moctezuma le pregunta: "Hermano, ruégote me digas la verdad de lo que te quiero preguntar. ¿Por ventura sabes algo de esto que aquí has pintado? ¿Dejáronte tus antepasados alguna pintura, o relación de estos hombres, que hayan de venir o aportar a esta tierra?" (Durán, III, 70). Vemos cómo Moctezuma no quiere admitir que se pueda producir un hecho completamente nuevo, que ocurra aquello que los antepasados no hubieran conocido ya. La respuesta del pintor es negativa, pero Moctezuma no se conforma con eso y consulta a todos los demás pintores del reino; sin resultado. Al final le recomiendan a un viejo llamado Quilaztli, "muy docto y entendido en esto de antiguallas y pinturas". Quilaztli, a pesar de que no ha oído hablar de la llegada de los españoles, lo sabe todo sobre los extranjeros que habrán de venir, y dice al rey: " 'Y porque lo creas que lo que digo es verdad, cátalo aquí pintado: la pintura me dejaron mis antepasados'. Y sacando una pintura muy vieja, le mostró el navío y los hombres vestidos a la manera que él los tenía pintados [en la pintura nueva] y vido allí otros hombres caballeros en caballos, y otros en águilas volando, y todos vestidos de diferentes colores, con sus sombreros en las cabezas y sus espadas ceñidas" (*ibid.*).

El relato es visiblemente muy literario; no por ello es menos revelador de la concepción azteca del tiempo y del acontecimiento: claro que es más la del narrador y sus oyentes que la de Moctezuma. No podemos creer que existiera un dibujo, muy anterior a la llegada de los españoles, que representara sus barcos y sus espadas, sus trajes y sus sombreros, sus barbas y el color de su piel (¿y qué podemos pensar de los hombres montados en águilas voladoras?). Se trata una vez más de una profecía fabricada *a posteriori*, de una prospección retrospectiva. Pero es revelador el que se sienta la necesidad de fabricar esta historia: no puede haber un acontecimiento enteramente inédito, la repetición tiene la primacía sobre la diferencia.

En lugar de este tiempo cíclico, repetitivo, fijado en una secuencia inalterable, donde todo ya está siempre predicho, donde el hecho singular no es más que la realización de los presagios ya presentes desde siempre, en lugar de este tiempo dominado por el sistema, viene a imponerse el tiempo unidireccional, el tiempo de la apoteosis y del cumplimiento, tal como lo viven entonces los cristianos. Por lo demás, la ideología y la actividad que en ella se inspira se ayudan mutuamente en ese momento: los españoles ven en la facilidad de la conquista una prueba de la excelencia de la religión cristiana (es el argumento decisivo empleado durante los debates teológicos: la superioridad del Dios cristiano está demostrada por la victoria de los españoles frente a los aztecas), cuando que fue en nombre de esa excelencia que emprendieron la conquista: la calidad de una justifica a la otra, y recíprocamente. Y es la conquista, una vez más, la que confirma la concepción cristiana del tiempo, que no es un retorno incesante, sino una progresión infinita hacia la victoria final del espíritu cristiano (concepción que heredó más tarde el comunismo).

De este choque entre un mundo ritual y un acontecimiento único resulta la incapacidad de Moctezuma para producir mensajes apropiados y eficaces. Los indios, maestros en el arte de la palabra ritual, tienen por ello menos éxito ante la necesidad de improvisar, y ésa es precisamente la situación de la conquista. Su educación verbal favorece el paradigma en detrimento del sintagma, el código en detrimento del contexto, la conformidad al orden en vez de la eficacia del instante, el pasado en vez del presente. Ahora bien, la invasión española crea una situación radicalmente nueva, enteramente inédita, una situación en la que el arte de la improvisación importa más que el del ritual. Es bastante notable, en este contexto, ver que Cortés no sólo practica constantemente el arte de la adaptación y de la improvisación, sino que también está consciente de ello, y lo reivindica como el principio mismo de su conducta: "Siempre tendré cuidado de añadir lo que más me pareciere que conviene, porque como por la grandeza y diversidad de las tierras que cada día se descubren, y por muchos secretos que cada día de lo descubierto conocemos, hay necesidad que a nuevos acontecimientos haya nuevos pareceres

y consejos, y si en algunos de los que he dicho, o de aquí en adelante
dijere a vuestra majestad, le pareciere que contradigo algunos de los
pasados, crea vuestra excelencia que nuevo caso me hace dar nuevo
parecer" (4). La preocupación por la coherencia ha sido precedida
por la de una adecuación puntual de cada gesto particular.

En efecto, la mayor parte de los comunicados dirigidos a los españoles impresionan por su ineficacia. Para convencerlos de que dejen
el país, Moctezuma siempre les envía oro: pero nada había que pudiera
decidirlos más a quedarse. Con el mismo fin, otros jefes les regalan
mujeres; ahora bien, éstas llegan a ser al mismo tiempo una justificación adicional de la conquista y, como veremos, una de las armas
más peligrosas que pueden tener los españoles, defensiva y ofensiva.
Para desalentar a los intrusos, los guerreros aztecas les anuncian que
todos ellos serán sacrificados y comidos, ya sea por ellos mismos o
por las fieras, y cuando una vez toman prisioneros, se las arreglan
para sacrificarlos ante los ojos de Cortés; el final es exactamente el
que se había predicho: "Se comían las carnes con chilmole, y de esta
manera sacrificaron a todos los demás, y les comieron las piernas y
brazos, y los corazones y sangre ofrecían a sus ídolos, [. . .] y los
cuerpos, que eran las barrigas y tripas echaban a los tigres y leones
y sierpes y culebras que tenían en la casa de las alimañas" (Bernal
Díaz, 152). Pero la poco envidiable suerte de sus compañeros no puede tener en los españoles más que un efecto: incitarlos a luchar con
mayor ahinco, ya que ahora sólo tienen una posibilidad: vencer o
morir en la olla.

También tenemos este otro episodio conmovedor que relata Bernal Díaz: los primeros enviados de Moctezuma le pintan un retrato
de Cortés, que por lo visto tiene un gran parecido, puesto que la delegación siguiente es conducida por "un gran cacique mexicano, y en
el rostro y facciones y cuerpo se parecía al capitán Cortés, [. . .] y
como parecía a Cortés, así le llamábamos en el real, Cortés acá, Cortés
acullá" (39). Pero este intento de influir en Cortés con la ayuda de
una magia de la semejanza (sabemos que los aztecas "personifican"
así a sus dioses) evidentemente no tiene ningún efecto.

En csta nueva situación, los aztecas, ineficaces en sus mensajes dirigidos hacia (o en contra de) los españoles, tampoco logran ya dominar la comunicación con los demás indios. Ya en tiempos de paz,
y antes de la llegada de los españoles, los mensajes de Moctezuma
se señalan por su carácter ceremonial, que es un impedimento potencial para cierto tipo de eficacia: "[Respondía] pocas veces, porque
las más respondía por sus privados y familiares, que siempre estaban

a su lado para aquel efecto, que eran como secretarios", escribe Motolinía (III, 7). En el estado de improvisación que impone la conquista
surgen nuevas dificultades. Los regalos de Moctezuma, que tenían
en los españoles el efecto contrario al que él había anticipado, también van en su detrimento frente a su propia gente, puesto que con-
notan su debilidad, y determinan así a otros jefes a cambiar de bando: "Estaban espantados y decían unos caciques a otros que
ciertamente éramos *teules* [seres de origen divino], pues que Montezuma nos había miedo, pues enviaba oro en presentes. Y si de antes
teníamos mucha reputación de esforzados, de allí en adelante nos
tuvieron en mucho más" (Bernal Díaz, 48).

Al lado de los mensajes voluntarios pero que no comunican lo
que sus autores hubieran querido, hay otros, que no parecen hechos
a propósito pero que son igualmente desafortunados en cuanto a sus
efectos: se trata de cierta incapacidad de los aztecas para disimular
la verdad. El grito de guerra que lanzan invariablemente los indios
al enfrascarse en una batalla, y cuyo objetivo es atemorizar al enemigo, en realidad revela su presencia y permite a los españoles orien-
tarse mejor. Moctezuma mismo da valiosas informaciones a sus carceleros, y si Cuauhtémoc es arrestado es porque intenta huir en una
nave ricamente adornada con las insignias reales. Sabemos que no
hay en eso ninguna casualidad. Todo un capítulo del *Códice florentino*
trata "De los adreços que usavan los señores en la guerra" (VIII, 12),
y lo menos que se puede decir es que tales adornos no son particularmente discretos: "Usavan los señores en la guerra un casquete de
plumas muy coloradas que se llama hauhquechol, con oro, y alrededor del casquete una corona de plumas ricas, y del medio de la corona salía un manojo de plumas ricas que se llaman quetzal, como pena-
chos, y colgaba deste plumaje, hacia las espaldas, un atambor
pequeñuelo, puesto en una escaleruela, como para llevar carga: y todo
esto era dorado. Llevaba un cosete de pluma bermeja, que le llegaba
hasta los medios muslos, todo sembrado de caracolitos de oro: y llevaba unas faldetas de pluma rica, llevaba una rodela con un círculo
de oro por toda la orilla, y el campo de la orilla era de pluma rica,
colorada", etc. También se refieren, en el libro dedicado a la conquista, las hazañas del guerrero Tzilacatzin, que se disfraza de mil
maneras para confundir a los españoles, pero "yva la cabeça descu-
bierta como otomí" (*CF*, XII, 32). No debe sorprender, entonces, ver
cómo Cortés gana una batalla decisiva, poco después de haber hui-
do de la ciudad en la Noche Triste, precisamente gracias a esa falta
de disimulo de los aztecas. "Cortés, metido entre los indios hacien-

do maravillas y matando a los capitanes de los indios, que iban señalados con rodelas de oro, no se curando de gente común, llegó de
esta manera haciendo muy gran destrozo al lugar donde estaba el
capitán general de los indios, y dióle una lanzada, de la cual murió.
[. . .] como el capitán Hernando Cortés mató al capitán general de
los indios, se comenzaron a retirar y a darnos lugar" (F. de Aguilar).

Todo ocurre como si, para los aztecas, los signos fueran consecuencia automática y necesaria del mundo que designan, en vez de
ser un arma destinada a manipular al otro. Esta característica de la
comunicación entre los indios da origen, entre los autores que están
a su favor, a una leyenda según la cual los indios serían un pueblo
que desconoce la mentira. Motolinía afirma que los primeros frailes
habían notado sobre todo dos rasgos de los indios: "Ser gente de
mucha verdad, y no tomar cosa ajena aunque estuviese caída muchos
días" (III, 5). Las Casas insiste en la total falta de "duplicidad" entre
los indios, a lo cual opone la actitud de los españoles: "La fe ni verdad [. . .] nunca en las Indias con los indios por los españoles se ha
guardado" (*Relación*, "Perú"), de tal manera que, según afirma, "men-
tiroso" y "cristiano" se han convertido en sinónimos: "Preguntando españoles a indios (y no una vez acaeció, sino más), si eran cristianos, respondió el indio: 'Sí señor, yo ya soy poquito cristiano, dijo
él, porque ya saber yo un poquito mentir; otro día saber yo mucho
mentir y seré yo mucho cristiano' " (*Historia*, III, 145). Los indios
mismos quizás no estuvieran en desacuerdo con esa descripción; leemos en Tovar: "Acabando de hazer el capitán [Cortés] esta plática
los soldados saquearon las casas reales y las demás principales donde
sentían que havýa riquezas, y assí [los indios] tomaron vehemente
sospecha del trato de los españoles" (p. 80).

Es obvio que la realidad no está a la altura de las entusiastas descripciones que hacen los amigos de los indios: no se puede concebir
un lenguaje sin la posibilidad de la mentira, de la misma manera que
no existe habla que desconozca las metáforas. Pero una sociedad puede
favorecer o, por el contrario, desalentar toda habla que, en vez de
describir fielmente las cosas, se ocupe sobre todo de su efecto, y descuide por lo tanto la dimensión de la verdad. Según Alvarado Tezozómoc, "[Moctezuma] mandó en sus leyes [. . .] que al que lo hallasen o cogiesen en una mentira de poca importancia, lo arrastrasen
los mozos del estudio Telpochcalco hasta dejarlo casi muerto" (103).
Zorita también sitúa el origen de este rasgo en las costumbres y en
la educación: "No había quien osase jurar falso, porque temían ser
castigados con grave enfermedad del dios por quien juraban. [. . .]

Amonestábanles mucho [los padres a los hijos] que no mintiesen, y si eran viciosos en ello hendíanles un poco el labio, e así usaban mucho decir y tratar verdad. E preguntados algunos viejos por qué ahora mienten tanto, dicen que porque no hay castigo, [. . .] y también dicen que lo han deprendido de los españoles" (9).

Cuando el primer contacto de la tropa de Cortés con los indios, los españoles declaran (hipócritamente) a estos últimos que no buscan la guerra, sino la paz y el amor; "no se curaron de responder con palabras sino con flechas muy espesas que comenzaron a tirar" (Cortés, 1). Los indios no se dan cuenta de que las palabras pueden ser un arma tan peligrosa como las flechas. Unos cuantos días antes de la caída de México, se repite la escena: a las propuestas de paz formuladas por Cortés, que de hecho ya es el vencedor, los aztecas responden con obstinación: "¡No tornen a hablar sobre paces, pues las palabras son para las mujeres y las armas para los hombres!" (Bernal Díaz, 154).

Esta distribución de las tareas no es fortuita. Se podría decir que la oposición guerrero/mujer tiene un papel estructurador para lo imaginario social azteca en su conjunto. Aun si varios caminos se abren al joven que busca oficio (soldado, sacerdote, comerciante), no hay duda de que la carrera de guerrero es la más prestigiosa de todas. El respeto por la palabra no llega hasta colocar a los especialistas en discursos por encima de los jefes guerreros (el jefe del estado, por su parte, reúne las dos supremacías, puesto que es guerrero y sacerdote a la vez). El soldado es el macho por excelencia, pues puede dar la muerte. Las mujeres, generadoras, no pueden aspirar a ese ideal; sin embargo, sus ocupaciones y sus actitudes no constituyen un segundo polo valorado de la axiología azteca; su debilidad no asombra, pero tampoco es alabada. Y la sociedad cuida de que nadie ignore su papel: en la cuna del recién nacido se coloca una minúscula espada y un minúsculo escudo, si es hombre; si es mujer, instrumentos de tejido.

La peor injuria que se le pueda hacer a un hombre es calificarlo de mujer; en cierta ocasión se obliga a los guerreros del bando contrario a vestirse con ropas de mujer, pues no han aceptado el desafío que les ha sido lanzado, y no han querido luchar. Vemos también que las mujeres han interiorizado esa imagen (cuyo origen masculino podemos sospechar), y que ellas mismas contribuyen a mantener la oposición, atacando de la manera siguiente a los jóvenes que todavía no se han distinguido en el campo de batalla: "¿Y tú cobarde hablas bisoño, tú havías de hablar? Piensa en cómo hagas alguna hazaña,

para que te quiten la bedija de los cabellos, que traes en el cocote
[*sic*] en señal de cobarde, y de hombre para poco, cobarde bisoño,
no havías tú de hablar aquí, tan mujer eres como yo. . ."

Y el informante de Sahagún añade: "Desta manera estimulavan
a los mancebos, para que procurassen de ser esforçados para las cosas
de la guerra" (*CF*, II, 23). Tovar relata una escena reveladora, del
tiempo de la conquista, en que Cuauhtémoc, encarnación de los valores guerreros, ataca a Moctezuma, a quien por su pasividad se equipara con las mujeres. Moctezuma habla a su pueblo desde la terraza
del palacio en donde es prisionero de los españoles. "Apenas havýa
acabado cuando un valeroso capitán llamado Quiuihtémoc, de edad
de diez y ocho años, a quien ya querían elegir por rey, dixo en alta
boz: '¿Qué es lo que dice ese vellaco de Motecuçuma, muger de los
españoles, que tal se puede llamar pues con ánimo mugeril se entre-
gó a ellos de puro miedo y asegurándonos nos ha puesto a todos
en este travajo?' " (Tovar, pp. 81-82).

Las palabras para las mujeres, las armas para los hombres. . . Lo
que no sabían los guerreros aztecas era que las "mujeres" iban a ganar
esa guerra, cierto es que sólo en sentido figurado: en el sentido propio, las mujeres fueron y son las que pierden en todas las guerras.
Pero la asimilación quizás no sea enteramente fortuita: el modelo cultural que se impone a partir del Renacimiento, aun si es llevado y
asumido por los hombres, glorifica aquello que podríamos llamar la
vertiente femenina de la cultura: la improvisación antes que el ritual,
las palabras antes que las flechas. Cierto es que no son palabras cua-
lesquiera: ni las que designan el mundo ni las que transmiten las tradiciones, sino aquellas cuya razón de ser es la acción sobre el otro.

Por lo demás, la guerra no es más que otro campo de aplicación
de los mismos principios de la comunicación que se podían observar
en tiempos de paz; volvemos a encontrar en ella comportamientos
semejantes frente a la elección que se ofrece por los dos lados. Al
comienzo, al menos, los aztecas llevan una guerra que está sometida
a la ritualización y al ceremonial: el tiempo, el lugar, la manera se
deciden de antemano, lo cual es más armonioso pero menos eficaz.
"Era costumbre general en todos los pueblos y provincias, que en
fin de los términos de cada parte dejaban un gran pedazo yermo y
hecho campo, sin labrarlo, para las guerras" (Motolinía, III, 18). El
combate comienza en una hora determinada, y termina en otra. Su
finalidad no es tanto matar como hacer prisioneros (lo cual favorece
claramente a los españoles). La batalla empieza con una primera anda-
nada de flechas. "Y si con las dichas saetas no herían a nadie ni saca-

ban sangre, lo mejor que podían se retiraban, porque tenían por cierto agüero que les había de suceder mal en aquella batalla" (Motolinía, "Epístola proemial").

Encontramos otro ejemplo notable de esta actitud ritual poco antes de la caída de México: agotados todos los medios, Cuauhtémoc decide emplear el arma suprema. ¿Cuál es? El magnífico traje de plumas que le ha sido legado por su padre, traje al que se le atribuía la misteriosa virtud de hacer huir al enemigo con sólo verlo: un valiente guerrero lo vestirá y se lanzará contra los españoles. Pero las plumas de quetzal no traen la victoria a los aztecas (cf. *CF*, XII, 38).

Al igual que hay dos formas de comunicación, hay dos formas de guerra (o dos aspectos de la guerra, valorados de manera diferente por cada cual). Los aztecas no conciben ni comprenden la guerra total de asimilación que están llevando en su contra los españoles (que innovan en relación a su propia tradición); para ellos, la guerra debe terminarse con tratado que estableza el monto del tributo que el vencido debe pagar al vencedor. Antes de ganar la partida, los españoles ya habían logrado una victoria decisiva, la que consiste en imponer su propio tipo de guerra; su superioridad ya no está en duda. Nos cuesta trabajo hoy en día imaginar que una guerra pueda regirse por un principio que no sea el de la eficacia, aun si la parte del rito no ha desaparecido por completo: los tratados que prohiben el uso de las armas bacteriológicas, químicas o atómicas quedan olvidados el día en que se declara la guerra. Y sin embargo, así es como Moctezuma entiende las cosas.

Hasta aquí, he descrito el comportamiento simbólico de los indios en forma sistemática, y sintética; ahora quisiera, para cerrar este capítulo, seguir un relato único que aún no he explotado, el de la conquista de Michoacán (región situada en el oeste de México), tanto para ilustrar la descripción de conjunto como para no dejar que la teoría "cope" al relato. Se supone que esta relación fue hecha por un tarasco noble al fraile franciscano Martín de Jesús de la Coruña, quien la refirió en su *Relación de Michoacán*, redactada hacia el año 1540.

El relato empieza con presagios. "Dice esta gente, que antes que viniesen los españoles a la tierra, cuatro años continuos se les hendían sus cúes, desde lo alto hasta bajo, y que lo tornaban a cerrar y luego se tornaba a hender y caían piedras, como estaban hechos de lajas sus cúes, y no sabían la causa de esto, mas de que lo tenían por agüero. Así mismo dicen que vieron dos grandes cometas en el cielo. . ." (III, 20).

"Díjome un sacerdote que había soñado, antes que viniesen los españoles, que venían [sic] una gente y que traían bestias, que eran los caballos, que él no conocía. [. . .] Así mismo el sacerdote susodicho me dijo que habían venido al padre del cazonzi muerto [es decir el penúltimo rey] los sacerdotes de la madre Cuerauaperi, que estaba en un pueblo llamado Zinapéquaro, y que le habían contado este sueño o revelación siguiente, del destruimiento y caída de sus dioses, que aconteció en Ucareo [. . .]: no han de parecer más cúes ni fogones, ni se levantarán más humos, todo ha de quedar desierto porque ya vienen otros hombres a la tierra. . ." (ibid.).

"[Los de tierra caliente] dicen que andaba un pescador en su balsa, pescando por el río con anzuelo, y picó un bagre muy grande y no le podía sacar y vino un caimán, no sé de dónde, de los de aquel río y tragó aquel pescador y arrebatole de la balsa en que andaba y sumiose en el agua muy honda, y abrazose con él el caimán y llevole a su casa aquel dios-caimán, que era muy buen lugar, y saludó aquel pescador y díjole aquel caimán: 'Verás que yo soy dios. Ve a la ciudad de Michoacán y di al rey que nos tiene a todos en cargo, que se llama Zuangua, que ya se ha dado sentencia, que ya son hombres y ya son engendrados los que han de morar en la tierra por todos los términos. Esto le dirás al rey' " (ibid.).

". . .Decían que había de haber agüeros: que los cerezos, aun hasta los chiquitos, habían de tener fruto, y los magueyes pequeños habían de echar mástiles. Y las niñas que se habían de empreñar antes que perdiesen la niñez" (III, 22).

El acontecimiento nuevo debe proyectarse al pasado, en forma de presagio, para integrarse en el relato del encuentro, pues es el pasado el que domina en el presente: "¿Cómo podemos contradecir esto que está así determinado?" (III, 20). Si el acontecimiento no hubiera sido predicho, sencillamente no se hubiera podido admitir su existencia. "Nunca habemos oído cosa semejante de nuestros antepasados. [. . .] En esto tomaremos señales ¿cómo no hubo de esto memoria en los tiempos pasados ni lo dijeron unos a otros los viejos, cómo habían de venir estas gentes?" (III, 22). Así habla el cazonzi, rey de los tarascos, otorgando más confianza a los relatos antiguos que a las percepciones nuevas, y encontrando una solución de compromiso en la fabricación de presagios.

Sin embargo no faltan las informaciones directas, de primera mano. Moctezuma manda diez mensajeros al cazonzi de Michoacán para pedir ayuda. Éstos hacen un relato preciso: "El señor de México llamado Montezuma nos envía y otros señores, y dijéronos: Id a nuestro hermano el cazonzi, que no sé qué gente es una que ha venido aquí y nos tomaron de repente, habemos habido batalla con ellos y matamos de los que venían en unos venados, caballeros doscientos y de los que no traían venados, otros doscientos. Y aquellos venados traen calzados cótaras de hierro y traen una cosa que suena como las nubes y da un gran tronido y todos los que topa mata, que no quedan ningunos, y nos desbaratan. Y hanos muertos muchos de nosotros y vienen los de Tascala con ellos, como había días que teníamos rencor unos con otros" (III, 21). El cazonzi, desconfiado, decide verificar esas informaciones. Se apodera de unos otomíes y los interroga. Confirma el relato anterior, pero eso no le basta; manda a sus propios delegados a la ciudad sitiada. Regresan, repitiendo las primeras informaciones y dando datos precisos sobre las proposiciones militares de los aztecas, que han previsto con todo detalle la posible intervención militar de los tarascos.

El viejo cazonzi muere en ese momento; es sustituido por su hijo mayor. Los aztecas (más bien Cuauhtémoc que Moctezuma) se impacientan, y envían una nueva delegación que reitera sus proposiciones. La reacción del nuevo cazonzi es reveladora: sin poner en duda la verdad o la utilidad de lo que afirman los mensajeros, decide sacrificarlos. "Vayan tras mi padre a decirlo [su mensaje] allá a donde va, al infierno. Decídselo que se aparejen, que se paren fuertes, que esta costumbre hay. E hiciéronlo saber a los mexicanos, y dijeron: Baste que lo ha mandado el señor, ciertamente que habemos de ir. [. . .] ¡Ea, presto mándelo, no hay dónde nos vamos, nosotros mismos nos venimos a la muerte! Y conpusiéronlos como solían componer los cautivos y sacrificáronlos en el cu de Curicaueri y de Xaratanga diciendo que iban con su mensaje al cazonzi muerto" (III, 23).

La única operación positiva de los tarascos será matar a los portadores de información: el cazonzi no da ningún seguimiento activo a la petición de los mexicanos. En primer lugar, no los quiere, son enemigos tradicionales y, en el fondo, no le disgustan demasiado las desgracias que sufren. "¿A qué propósito tengo de enviar la gente a México? Porque de continuo andamos en guerras y nos acercamos unos a otros, los mexicanos y nosotros tenemos rencores entre nosotros" (III, 21). "¿A qué habemos de ir a México? ¡Muera cada uno de nosotros por su parte! No sabemos lo que dirán después de nosotros y quizá nos venderán a esas gentes que vienen y nos harán matar. ¡Haya aquí otra conquista por sí, vengan todos a nosotros con sus capitanías! Mátenlos a los mexicanos. . ." (III, 23).

La otra razón por la que se niegan a oponerse a los españoles es que los consideran dioses. "¿De dónde podían venir, sino del cielo, los que vienen?" (III, 22). "¿Cómo habían de venir sin propósito? Algún dios los envió y por eso vienen" (III, 23). "Decía el cazonzi: Éstos son dioses del cielo. Y dioles el cazonzi mantas y [a] cada uno dio una rodela de oro" (III, 24). Para explicar el hecho sorprendente se recurre a la hipótesis divina: lo sobrenatural es hijo del determinismo, y esta creencia paraliza todo intento de resistencia: "Y los principales dijéronles [a las mujeres] que no les hiciesen mal que suyo era aquello, de aquellos dioses que lo llevaban" (III, 27).

Así pues, la primera reacción es negarse a intervenir en el plano humano, y entrar en la esfera divina: "Esperemos a ver, vengan a ver cómo seremos tomados. Esforcémonos aún otro poco para traer leña para los cúes" (III, 22: se trata de fuegos rituales). Dentro del mismo espíritu, cuando la llegada de los españoles parece inevitable, el cazonzi reúne a sus deudos y a sus sirvientes para que todos se ahoguen colectivamente en las aguas del lago.

Finalmente renuncia a ello; pero sus posteriores intentos de reacción siguen situados en el plano de la comunicación que le es familiar, la comunicación con el mundo y no con los hombres. Ni él ni los que están cerca de él logran ver a través de la hipocresía de los conquistadores. Quizás la suerte que nos espera con los españoles no sea tan mala, se dice uno de los jefes tarascos: "Y vi los señores de México que vienen con ellos. Si los tuvieran por esclavos, ¿cómo habían de traer collares de turquesas al cuello y mantas ricas y plumajes verdes como traen?" (III, 26). El comportamiento de los españoles sigue siendo incomprensible para ellos: "¿Para qué quieren este oro? Débenlo de comer estos dioses por eso lo quieren tanto" (III, 27; según parece, Cortés había dado esta explicación: los españoles necesitan el oro porque lo usan para curarse de una enfermedad. . . Cosa difícil de aceptar para los indios, que más bien equiparan el oro con los excrementos). El dinero, como equivalente universal, no existe entre los tarascos; toda la estructura del poder español se les escapa, no puede ser de otra manera. La producción simbólica no corre mejor suerte que la interpretación. Los primeros españoles traen al cazonzi, Dios sabe por qué, diez cerdos y un perro; los acepta y da las gracias, pero en realidad les teme: "Y tomolo por agüero y mandolos matar [a los puercos] y al perro. Y arrastráronlos y echáronlos por los herbazales" (III, 24). Y lo que es más grave, el cazonzi reacciona de la misma manera cuando le traen armas españolas: "Les trajeron armas de las que tomaron a los españoles y ofreciéronlas en sus cúes a sus dioses" (III, 23). Se entiende por qué los españoles ni siquiera tienen que hacer la guerra: a su llegada, prefieren convocar a los dirigentes locales y disparar varias veces al aire con sus cañones: los indios se caen de miedo; el uso simbólico de las armas resulta ser suficientemente eficaz.

La victoria de los españoles en la conquista de Michoacán es rápida y completa: no hay batalla, ni víctimas del lado de los conquistadores. Los jefes españoles —Cristóbal de Olid, el propio Cortés, luego Nuño de Guzmán— prometen, amenazan, arrebatan todo el oro que encuentran. El cazonzi da, siempre con la esperanza de que esa vez será la última. Para estar más a sus anchas, los españoles lo toman prisionero; cuando no obtienen satisfacción no dudan en torturarlo, junto con los que lo rodean: los cuelgan; les queman los pies con aceite hirviendo; los torturan en los órganos sexuales con una varita muy delgada. Cuando Nuño de Guzmán siente que el cazonzi ya no puede ser útil, lo "condena" a una triple muerte: primero "atáronle en un petate o estera y atáronle a la cola de un caballo y que fuese quemado. E iba un español encima" (III, 30). Después de haber sido arrastrado de esa manera por todas las calles de la ciudad, será estrangulado. Por último, echan el cuerpo a una hoguera, y lo queman; sus cenizas serán dispersadas en el río.


Los españoles ganan la guerra. Son indiscutiblemente superiores a los indios en la comunicación interhumana. Pero su victoria es problemática, pues no hay una sola forma de comunicación, una dimensión de la actividad simbólica. Toda acción tiene su parte de rito y su parte de improvisación, toda comunicación es, necesariamente, paradigma y sintagma, código y contexto; el hombre tiene tanta necesidad de comunicarse con el mundo como con los hombres. El encuentro de Moctezuma con Cortés, de los indios con los españoles, es ante todo un encuentro humano, y no debe asombrar que ganen los especialistas en comunicación humana. Pero esta victoria, de la que hemos salido todos nosotros, tanto europeos como americanos, al mismo tiempo da un serio golpe a nuestra capacidad de sentirnos en armonía con el mundo, de pertenecer a un orden preestablecido: su efecto es reprimir profundamente la comunicación del hombre con el mundo, producir la ilusión de que toda comunicación es comunicación interhumana; el silencio de los dioses pesa tanto en el campo europeo como en el de los indios. Al ganar por un lado, el europeo perdía por el otro: al imponerse en toda la tierra por lo que era su superioridad, aplastaba en sí mismo su capacidad de integrarse al mundo. Durante los siglos siguientes soñará con el buen salvaje, pero el salvaje estaba muerto o asimilado, y ese sueño estaba condenado a quedar estéril. La victoria ya estaba preñada de su derrota; pero Cortés no podía saberlo.


## CORTÉS Y LOS SIGNOS

No debemos imaginar que la comunicación, entre los españoles, es exactamente opuesta a la que practican los indios. Los pueblos no son conceptos abstractos, presentan al mismo tiempo semejanzas y diferencias entre sí. Ya hemos visto que, con frecuencia, Colón debería colocarse del mismo lado que los aztecas en el plano tipológico. Algo semejante vale para las primeras expediciones que se dirigieron hacia México, las de Hernández de Córdoba y Juan de Grijalva. Podríamos describir el comportamiento de los españoles diciendo que se esfuerzan en recoger la mayor cantidad posible de oro en el menor tiempo, sin tratar de saber nada acerca de los indios. He aquí lo que cuenta Juan Díaz, cronista de la segunda de esas expediciones: "Por la costa andaban muchos indios con dos banderas que alzaban y bajaban, haciéndonos señal de que nos acercásemos, pero el capitán no quiso." "Mandaron una de las dichas canoas a saber qué queríamos; el intérprete les respondió que buscábamos oro." "El capitán les dijo que no quería sino oro." Cuando se presenta la ocasión, los españoles la evitan. "Y dijo al capitán que quería venir con nosotros, y él no quiso traerlo, de lo cual fuimos todos descontentos."

También hemos visto que los primeros intérpretes son indios, pero no gozan de toda la confianza de los españoles, que a menudo se preguntan si el intérprete transmite efectivamente lo que le dicen. "Creímos que el intérprete nos engañaba, porque era natural de esta isla y pueblo." De "Melchor", primer traductor de Cortés, dice López de Gómara: "Como era pescador, era rudo, y más que todo, simple, y parecía que no sabía hablar ni responder" (11). El nombre de la provincia de Yucatán, para nosotros símbolo de exotismo indio y de autenticidad lejana, es en realidad el símbolo de los malentendidos que reinan entonces: a los gritos de los primeros españoles que desembarcan en la península, los mayas contestan: *Ma c'ubah tahn*, 'no entendemos vuestras palabras'. Los españoles, fieles a la tradición de Colón, entienden "Yucatán", y deciden que ése es el nombre de la provincia. Durante esos primeros contactos, los españoles no se preocupan para nada de la impresión que deja en los otros su comportamiento: si los amenazan, no vacilan en huir, mostrando así que son vulnerables.

Es impresionante el contraste en cuanto Cortés entra en escena: más que el conquistador típico, ¿no será un conquistador excepcional? Pero no: y la prueba es que su ejemplo será seguido de inmediato, y por todas partes, aunque nunca lo igualan. Hacía falta un hombre de dotes excepcionales para cristalizar en un tipo único de comportamiento elementos que hasta entonces habían sido dispares; una vez dado el ejemplo, se impone con rapidez impresionante. Quizás la diferencia entre Cortés y sus antecesores esté en que él fue el primero que tuvo una conciencia política, e incluso histórica, de sus actos. En vísperas de su salida de Cuba, probablemente no se distinguía en nada de los demás conquistadores ávidos de riquezas. Y sin embargo, las cosas cambian desde el comienzo de la expedición, y ya se puede observar ese espíritu de adaptacón que será para Cortés el principio de su conducta: en Cozumel, alguien le sugiere enviar hombres armados a buscar oro en el interior de las tierras. "Y Cortés le dijo riendo que no venía él para tan pocas cosas, sino para servir a Dios y al rey" (Bernal Díaz, 30). En cuanto se entera de la existencia del reino de Moctezuma, decide que no se conformará con arrebatar riquezas, sino que someterá el propio reino. Esta estrategia a menudo molesta a los soldados de la tropa de Cortés, que dan por sentado que van a obtener ganancias inmediatas y palpables. Pero éste no quiere oír razones; así es como le debemos, por una parte, el haber inventado la guerra de conquista y, por la otra, el haber ideado una política de colonización en tiempos de paz.

Lo primero que quiere Cortés no es tomar, sino comprender; lo que más le interesa son los signos, no sus referentes. Su expedición comienza con una búsqueda de información, no de oro. La primera acción importante que emprende —y no se puede exagerar la significación de ese gesto— es buscar un intérprete. Oye hablar de indios que emplean palabras en español; deduce que quizás entre ellos haya españoles, náufragos de expediciones anteriores; se informa, y sus suposiciones se ven confirmadas. Ordena entonces a dos de sus naves que esperen ocho días, después de haber enviado un mensaje a esos intérpretes en potencia. Después de muchas peripecias uno de ellos, Gerónimo de Aguilar, se une a los hombres de Cortés, que difícilmente reconocen en él a un español, "porque le tenían por indio propio, porque de suyo era moreno y tresquilado a manera de indio escla-

vo, y traía un remo al hombro, una cótara vieja calzada y la otra atada
en la cintura, y una manta vieja muy ruin, y un braguero peor, con
que cubría sus vergüenzas" (Bernal Díaz, 29). El tal Aguilar, convertido en intérprete de Cortés, habría de serle de una utilidad incal-
culable.

Pero Aguilar sólo habla la lengua de los mayas, que no es la de
los aztecas. El segundo personaje esencial en esa conquista de la información es una mujer, a quien los indios llaman Malintzin y los españoles doña Marina, sin que sepamos cuál de esos dos nombres es
deformación del otro. La forma que se le da con más frecuencia es
la de Malinche. Los españoles la reciben como regalo, en uno de los
primeros encuentros. Su lengua materna es el náhuatl, la lengua de
los aztecas; pero ha sido vendida como esclava entre los mayas, y
también conoce su lengua. Así pues, hay al principio una cadena bastante larga: Cortés habla con Aguilar, que traduce lo que dice a la
Malinche, la cual a su vez habla con el interlocutor azteca. Sus dotes
para las lenguas son evidentes, y poco después aprende el español,
lo que la vuelve aún más útil. Podemos imaginar que siente cierto
rencor frente a su pueblo de origen, o frente a algunos de sus representantes; sea como fuere, elige resueltamente el lado de los conquistadores. En efecto, no se conforma con traducir; es evidente que también adopta los valores de los españoles, y contribuye con todas sus
fuerzas a la realización de sus objetivos. Por un lado, opera una especie
de conversión cultural, al interpretar para Cortés no sólo las palabras, sino también los comportamientos; por el otro, sabe tomar la
iniciativa cuando hace falta, y dirige a Moctezuma las palabras apro-
piadas (especialmente en la escena de su arresto), sin que Cortés las
haya pronunciado antes.

Todos están de acuerdo en reconocer la importancia del papel de
la Malinche. Cortés la considera una aliada indispensable, y esto se
ve en la importancia que otorga a su intimidad física con ella. Aun
cuando se la había "ofrecido" a uno de sus lugartenientes inmediatamente después de haberla "recibido", y habría de casarla con otro
conquistador después de la rendición de México, la Malinche habrá
de ser la amante de Cortés durante la fase decisiva, desde la salida
hacia México hasta la caída de la capital azteca. Sin epilogar sobre
la forma en que los hombres deciden el destino de las mujeres, podemos deducir que esta relación tiene una explicación más estratégica
y militar que sentimental: gracias a ella, la Malinche puede asumir
su papel esencial. Incluso después de la caída de México, vemos que
sigue siendo igualmente apreciada: "Cortés, sin ella, no podía en-

tender [a] los indios" (Bernal Díaz, 180). Éstos también ven en ella
mucho más que una intérprete; todos los relatos la mencionan con
frecuencia, y está presente en todas las ilustraciones. La que muestra, en el *Códice florentino*, el primer encuentro entre Cortés y Moctezuma, es bien característica a este respecto: los dos jefes militares
ocupan los lados del dibujo, dominado por el personaje central de
la Malinche (figs. 9 y 10). Por su parte, Bernal Díaz relata: "Y la
doña Marina tenía mucho ser y mandaba absolutamente entre los indios en toda la Nueva España" (37). Es igualmente revelador el apo-
do que los aztecas le dan a Cortés: lo llaman. . . Malinche (por una
vez, no es la mujer la que toma el nombre del hombre).

Los mexicanos posteriores a la independencia generalmente han
despreciado y culpado a la Malinche, convertida en encarnación de
la traición a los valores autóctonos, de la sumisión servil a la cultura
y al poder de los europeos. Es cierto que la conquista de México
hubiera sido imposible sin ella (o alguien que desempeñara el mismo
papel), y que por lo tanto es responsable de lo que ocurrió. Yo, por
mi parte, la veo con una luz totalmente diferente: es ante todo el primer ejemplo, y por eso mismo, el símbolo, del mestizaje de las culturas; por ello anuncia el estado mexicano moderno y, más allá de
él, el estado actual de todos nosotros, puesto que, a falta de ser siempre bilingües, somos inevitablemente bi o triculturales. La Malinche
glorifica la mezcla en detrimento de la pureza (azteca o española),
y el papel del intermediario. No se somete simplemente al otro (caso
desgraciadamente mucho más común: pensemos en todas las jóvenes indias, "regaladas" o no, de las que se apoderan los españoles),
sino que adopta su ideología y la utiliza para entender mejor su propia cultura, como lo muestra la eficacia de su comportamiento (aun
si el "entender" sirve aquí para "destruir").

Más tarde, muchos españoles aprenden náhuatl, y eso siempre
redunda en provecho de Cortés. Por ejemplo, le da a Moctezuma
prisionero un paje, que habla su lengua; la información circula entonces en ambos sentidos, pero en el plano inmediato eso tiene un interés muy desigual. "Y luego Montezuma le demandó a Cortés un paje
español que le servía, que sabía ya la lengua, que se decía Orteguilla,
y fue harto provechoso, así para Montezuma como para nosotros,
porque de aquel paje inquiría y sabía muchas cosas de las de Castilla,
Montezuma, y nosotros de lo que le decían sus capitanes" (Bernal
Díaz, 95).

Al estar ya seguro de entender la lengua, Cortés no desaprovecha
ninguna oportunidad de recoger nuevas informaciones. "Y después

Xaltelolco.

Fig. 9. *La Malinche entre Cortés y los indios*

Fig. 10. *La Malinche, intérprete de Cortés*

que hubimos comido, Cortés les preguntó con nuestras lenguas de las cosas de su señor Montezuma" (Bernal Díaz, 61). "Luego Cortés apartó a aquellos caciques y les preguntó muy por extenso las cosas de México" (*ibid.*, 78). Sus preguntas están directamente relacionadas con el desarrollo de la guerra. Después de su primer enfrentamiento, interroga de inmediato al jefe de los vencidos: ". . .por qué razón, siendo ellos tantos, huían de tan poquitos" (Gómara, 22). Una vez obtenidas las informaciones, nunca deja de recompensar generosamente al que las ha traído. Está dispuesto a escuchar consejos, aunque no siempre los siga —puesto que las informaciones piden ser interpretadas.

Gracias a este sistema de información perfectamente instalado Cortés llega a enterarse rápidamente, y con detalles, de la existencia de desacuerdos entre los indios —hecho que, como ya hemos visto, tuvo un papel decisivo para la victoria final. Desde el comienzo de la expedición está atento a todas las informaciones de ese tipo. Y las disensiones, en efecto, son numerosas; Bernal Díaz habla de "las guerras que se daban unas provincias y pueblos a otros" (208), y también Motolinía lo recuerda: "Cuando los españoles vinieron estaban todos los señores y todas las provincias muy diferentes y andaban todos embarazados en guerras que tenían los unos con los otros" (III, 1). Cuando llega a Tlaxcala, Cortés es particularmente sensible a este punto: "Vista la discordia y disconformidad de los unos y de los otros, no hube poco placer, porque me pareció hacer mucho a mi propósito, y que podría tener manera de más aína sojuzgados, y que se dijese aquel común decir de *monte*, etc., y aún acordéme de una autoridad evangélica que dice: *Omne regnum in se ipsum divisum desolivatur* [todo reino dividido será destruido]" (2): ¡es curioso ver que a Cortés le plazca leer este principio de los Césares en el Libro de los cristianos! Los indios llegarán incluso a solicitar la intervención de Cortés en sus propios conflictos; como escribe Pedro Mártir: ". . .esperaban encontrar a la sombra de tales hombres favor y auxilio contra sus vecinos; que también estos seres, como el resto de los mortales, padecen de esa innata enfermedad de la rabiosa ambición de mando" (IV, 7). También es la conquista eficaz de la información la que lleva a la caída final del imperio azteca: mientras que Cuauhtémoc exhibe imprudentemente las insignias reales en el barco que debe permitirle huir, los oficiales de Cortés, por su parte, recogen inmediatamente todas las informaciones que pudieran referirse a él y llevar a su captura. "Como [. . .] Sandoval luego tuvo noticia que Guatemuz iba huyendo, mandó a todos los bergantines que dejasen de derrocar casas y barbacoa y siguiesen al alcance de las canoas" (Bernal Díaz, 156). "García de Olguín, capitán de un bergantín, que tuvo aviso por un mexicano que tenía preso, de cómo la canoa que seguía era donde iba el rey dio tras ella hasta alcanzarla" (Ixtlilxóchitl, XIII, 173). La conquista de la información lleva a la conquista del reino.

Encontramos un episodio significativo cuando Cortés avanza hacia México. Acaba de salir de Cholula, y para llegar a la capital azteca debe cruzar la sierra. Los enviados de Moctezuma le indican un paso; Cortés los sigue a regañadientes, temiendo una emboscada. En ese momento en que debía, en principio, dedicar toda su atención al problema de la protección, ve las cumbres de los volcanes cercanos, que están en actividad. Su sed de conocimientos le hace olvidar las preocupaciones inmediatas.

"Que a ocho leguas de esta ciudad de Churultecal están dos sierras muy altas y muy maravillosas, porque en fin de agosto tienen tanta nieve que otra cosa de lo alto de ellas, si no la nieve, se parece. Y de la una que es la más alta sale muchas veces, así de día como de noche, tan grande bulto de humo como una gran casa, y sube encima de la sierra hasta las nubes, tan derecho como una vira, que, según parece, es tanta la fuerza con que sale que aunque arriba en la sierra andaba siempre muy recio viento, no lo puede torcer. Y porque yo siempre he deseado de todas las cosas de esta tierra poder hacer a vuestra alteza muy particular relación, quise de ésta, que me pareció algo maravillosa, saber el secreto, y envié diez de mis compañeros, tales cuales para semejante negocio eran necesarios, y con algunos naturales de la tierra que los guiasen, y les encomendé mucho procurasen de subir la dicha sierra y saber el secreto de aquel humo, de dónde y cómo salía" (Cortés, 2).

Los exploradores no llegan hasta la cumbre y se conforman con traer unos pedazos de hielo. Pero, al regresar, ven otro camino posible hacia México, que parece presentar menos peligros; es éste el que va a seguir Cortés y, en efecto, no tendrá ninguna sorpresa desagradable. Incluso en los momentos más difíciles, los que le exigen mayor atención, la pasión de Cortés por "saber el secreto" no disminuye. Y, simbólicamente, su curiosidad se ve recompensada.

Puede resultar instructivo comparar esta ascensión del volcán con otra, realizada por los mayas, y que se relata en los *Anales de los cakchiqueles*. También ésta tuvo lugar durante una expedición militar. Llegan frente al volcán: "en verdad era espantoso el fuego que salía del interior de la montaña". Los guerreros quisieran bajar a él para llevarse el fuego, pero nadie se atreve a hacerlo. Entonces se vuelven a su jefe, Gagavitz (cuyo nombre significa 'volcán'), y le dicen: "Oh, tú hermano nuestro, tú has llegado y tú eres nuestra esperanza. ¿Quién irá a atraernos el fuego y a probar de esa manera nuestra suerte, oh hermano mío?" Gagavitz determina hacerlo, en compañía de otro guerrero intrépido. Baja al interior del volcán, y sale de él trayendo el fuego. Los guerreros exclaman: "En verdad causan espanto su poder mágico, su grandez y majestad; ha destruido y hecho cautivo [al fuego]". Gagavitz les contesta: "El espíritu de la montaña se ha convertido en mi esclavo y mi cautivo ¡oh hermanos míos! Cuando vencimos al espíritu de la montaña libertamos la piedra de fuego, la piedra llamada *zacchog* [sílex o pedernal]" (1).

Por ambas partes hay curiosidad, y valentía. Pero la percepción del hecho es diferente. Para Cortés se trata de un fenómeno natural singular, de una maravilla de la naturaleza; su curiosidad es intransitiva; la consecuencia práctica (el descubrimiento del mejor camino) es evidentemente fortuita. Para Gagavitz, de lo que se trata es de medir fuerzas con un fenómeno mágico, de combatir el espíritu de la montaña; la consecuencia práctica es la domesticación del fuego. En otras palabras, este relato, que quizás tiene un fundamento histórico, se transforma en un mito del origen del fuego: las piedras que al entrechocarse provocan chispas han sido traídas por Gagavitz del volcán en erupción. Cortés se queda en un plano puramente humano; el relato de Gagavitz pone de inmediato en movimiento toda una red de correspondencias naturales y sobrenaturales.

La comunicación entre los aztecas es ante todo una comunicación con el mundo, y las representaciones religiosas tienen en ella un papel esencial. Es evidente que la religión no está ausente del lado de los españoles, incluso era decisiva para Colón. Pero se nos hacen inmediatamente evidentes dos diferencias importantes. La primera tiene que ver con la especificidad de la religión cristiana en relación con las religiones paganas de América: lo importante aquí es que es, fundamentalmente, universalista e igualitaria. "Dios" no es un nombre propio, sino un nombre común: esta palabra puede traducirse a cualquier lengua, pues no designa a *un* dios, como Huitzilopochtli o Tezcatlipoca, que sin embargo ya son abstracciones, sino *al* dios. Esta religión quiere ser universal, y por eso mismo es intolerante. Moctezuma da muestras de lo que, a nuestros ojos, puede parecer una fatal abertura de espíritu en el momento de los conflictos religiosos (en realidadd se trata de otra cosa): cuando Cortés ataca sus templos, trata de encontrar soluciones de compromiso. "[Moctezuma] le dicie que pusiésemos a nuestras imágines a una parte e dejásemos sus dioses a otra. El marqués [Cortés] no quiso" (Andrés de Tapia); incluso después de la conquista, los indios siguen queriendo integrar al Dios cristiano en su propio panteón, como una divinidad entre otras.

Eso no significa que toda idea monoteísta sea extraña a la cultura azteca. Sus innumerables divinidades no son más que los diferentes nombres de dios, el invisible y el intangible. Pero si dios tiene tantos nombres y tantas imágenes, es porque cada una de sus manifestaciones y de sus relaciones con el mundo natural está personificada, sus diferentes funciones están distribuidas entre otros tantos personajes diferentes. El dios de la religión azteca es uno y múltiple a la vez. Eso hace que la religión azteca encuentre fácil acomodo para la adición de nuevas divinidades, y sabemos que, justamente en tiempos de Moctezuma, se construyó un templo destinado a acoger a todos los dioses "otros": "Pareciole al rey Motecuhzoma que faltaba un templo que fuese conmemoración de todos los ídolos que en esta tierra adoraban y, movido con celo de religión, mandó que se edificase. [. . .] Llámanle *coateocalli*, que quiere decir 'casa de diversos dioses', a causa de toda la diversidad de dioses que había en todos los pueblos y provincias" (Durán, III, 58). El proyecto había de realizarse, y ese asombroso templo funcionó durante los años anteriores a la conquista. No ocurre lo mismo entre los cristianos, y la negativa de Cortés se desprende del espíritu mismo de la religión cristiana: el Dios cristiano no es una encarnación que pudiera agregarse a las demás, es *uno* de manera exclusiva e intolerante, y no deja ningún lugar a otros dioses; como dice Durán, "nuestra fe católica, que como es una sola en la cual está fundada una iglesia, que tiene por objeto un solo Dios verdadero, no admite consigo adoración ni fe de otro Dios" (I, "Prólogo"). Este hecho contribuye no poco a la victoria de los españoles: la intransigencia siempre ha vencido a la tolerancia.

El igualitarismo del cristianismo es solidario de su universalismo: puesto que Dios es bueno para todos, todos son buenos para Dios; a este respecto no hay diferencias, ni entre pueblos ni entre individuos. San Pablo dijo: "donde no hay griego ni judío, circuncisión ni incircuncisión, ni bárbaro, ni escita, ni esclavo, ni libre, sino que Cristo es todo y en todos" (*Col.* 3, 11), y: "No hay ya judío ni griego, no hay esclavo ni libre, no hay varón y mujer; porque todos vosotros sois uno solo en Cristo Jesús" (*Gál.* 3, 28). Estos textos indican claramente en qué sentido se debe entender ese igualitarismo de los primeros cristianos: el cristianismo no lucha contra las desigualdades (el amo seguirá siendo amo y el esclavo, esclavo, como si se tra-

tara de una diferencia tan natural como la que existe entre hombre
y mujer); pero las declara no pertinentes, frente a la unidad de todos
en Cristo. Volveremos a encontrar estos problemas en los debates
morales que siguen a la conquista.

La segunda diferencia proviene de las formas que adopta el sentimiento religioso entre los españoles de esa época (pero eso quizás
sea otra consecuencia más de la doctrina cristiana, y cabe preguntarse en qué medida una religión igualitaria no lleva, por su rechazo
de las jerarquías, a salir de la religión misma): el Dios de los españoles es más bien un auxiliar que un Señor, es un ser al que, más que
gozar de él, se usa (para hablar como los teólogos). En teoría, y como
quería Colón (e incluso Cortés, en el cual eso constituye uno de los
rasgos más "arcaicos" de su mentalidad), el objetivo de la conquista
es extender la religión cristiana; en la práctica, el objetivo religioso
es uno de los medios que aseguran el éxito de la conquista: fin y
medios han intercambiado sus lugares.

Los españoles sólo oyen los consejos divinos cuando éstos coin-
ciden con las sugerencias de sus informantes o con sus propios intereses, como lo muestran los relatos de varios cronistas. "Y vimos
además otras señales bien claras, por donde entendimos que Dios quería para su servicio que poblásemos en aquella tierra", dice ya Juan
Díaz, que acompaña la expedición de Grijalva, y Bernal Díaz: "Y
así acordamos de tomar el consejo de los de Cempoal, que Dios lo
encaminaba todo" (61). Durante el episodio de la ascensión al volcán, que ya hemos relatado, Cortés también le atribuía a Dios el descubrimiento del mejor camino. "Mas como Dios haya tenido siempre cuidado de examinar las reales cosas de vuestra sacra majestad
desde su niñez, y como yo y los de mi compañía íbamos en su real
servicio, nos mostró otro camino aunque algo agro, no tan peligro-
so como aquel por donde nos querían llevar" (2). Si entran en la batalla
al grito de "¡Santiago!", es más para darse ánimos y espantar a los
adversarios que por la esperanza de una intervención del santo tute-
lar de los españoles. El capellán de la tropa de Cortés no desmerece
frente a un jefe militar: ". . .y como hubieron gran coraje con el ánimo que les daba fray Bartolomé de Olmedo, pidiéndoles peleasen
con intención de servir a Dios y extender su santa fe, que él les ayu-
daría, y que habían de vencer o morir sobre ello" (Bernal Díaz, 164).
En el estandarte mismo de Cortés se encuentra explícitamene afirmada esta relación: "La bandera que puso y llevó Cortés esta jornada era de fuegos blancos y azules, con una cruz colorada en medio,
y alrededor un letrero en latín, que romanzado dice: 'Amigos, siga-

mos la cruz, y nos si fe tuviéremos en esta señal venceremos' "
(Gómara, 3).

Se da cuenta de un episodio significativo, ocurrido durante la campaña contra los tlaxcaltecas: para sorprender al enemigo, Cortés hace una salida nocturna con sus jinetes. Un caballo tropieza, y Cortés lo envía de vuelta al campamento; poco después ocurre lo mismo con otro. "Algunos hubo que le dijeron: señor, mala señal nos parece ésta; volvámonos. A los cuales respondió: yo la tengo por buena, adelante" (Francisco de Aguilar; véase también Andrés de Tapia). Mientras que para los aztecas la llegada de los españoles no es más que el cumplimiento de una serie de malos presagios (lo cual disminuía su beligerancia), en circunstancias comparables Cortés (a diferencia de algunos de sus propios compañeros) se niega a ver en ellas una intervención divina —y si la hay, sólo puede estar de su lado, ¡aun si los signos parecen indicar lo contrario! Es impresionante ver cómo, en su fase descendente, y especialmente durante la expedición de Honduras, Cortés también se pone a creer en los presagios: y el éxito ya no lo acompaña.

Este papel subordinado, y en última instancia limitado, del intercambio con Dios es sustituido por una comunicación humana en la cual el *otro* será claramente reconocido (aun si no se les estima). El encuentro con los indios no crea esa posibilidad de reconocimiento; sólo la revela. Dicha posibilidad existe por razones que son propias a la historia misma de Europa. Para describir a los indios, los conquistadores buscan comparaciones que encuentran de inmediato, ya sea en su propio pasado pagano (grecorromano), ya sea con pueblos *otros*, geográficamente más cercanos, y ya familiares, como los musulmanes. Los españoles llaman "mezquitas" a todos los primeros templos que descubren, y la primera ciudad que ven durante la expedición de Hernández de Córdoba será llamada, según nos dice Bernal, "el Gran Cairo". Al tratar de precisar sus impresiones sobre los mexicanos, Francisco de Aguilar recuerda inmediatamente: "Digo, pues, que yo desde muchacho y niño me ocupé en leer y pasar muchas historias y antigüedades persas, griegas, romanas. También he leído los ritos que había en la India de Portugal." Cabe incluso preguntarse en qué medida toda la flexibilidad mental necesaria para llevar a cabo la conquista, y de la que dan pruebas los europeos de entonces, no se debe a esta situación singular, que los hace herederos de *dos* culturas: la grecorromana por una parte, la judeocristiana por la otra (pero eso en realidad ya está preparado desde hace mucho, puesto que ya funciona la asimilación entre tradición judaica y tradición cristiana al estar el Antiguo Testamento absorbido en el Nuevo). Volveremos a tener oportunidad de observar los conflictos entre estos dos elementos de la cultura del Renacimiento; conscientemente o no, su representante se ve obligado a proceder a toda una serie de ajustes, de traducciones y de compromisos a veces harto difíciles, que le permiten cultivar el espíritu de adaptación y de improvisación destinado a cumplir un papel tan importante en el transcurso de la conquista.

La civilización europea de entonces, más que egocéntrica, es "alocéntrica": hace mucho que su sitio sagrado por excelencia, su centro simbólico, Jerusalén, no sólo es exterior al territorio europeo sino que está sometido a una civilización rival (la musulmana). En el Renacimiento, a este "des-centramiento" espacial se añade otro, temporal: la era ideal no es el presente ni el porvenir, sino el pasado, y un pasado que ni siquiera es cristiano: el de los griegos y los romanos. El centro está en otra parte, lo cual abre la posibilidad de que el otro, algún día, se vuelva central.

Una de las cosas que tienen más impacto en la imaginación de los conquistadores, a su entrada en la ciudad de México, es lo que se podría llamar el zoológico de Moctezuma. Las poblaciones sometidas daban a los aztecas, en calidad de tributo, ejemplares de especies animales y vegetales, y éstos habían establecido lugares donde esas colecciones de plantas, aves, serpientes y animales salvajes podían ser contempladas. Según parece, las colecciones no se justificaban solamente por referencias religiosas (tal animal podía corresponder a tal divinidad), sino que eran admiradas por la rareza y la variedad de las especies, o por la hermosura de los especímenes. Eso hace pensar una vez más en el comportamiento de Colón, naturalista aficionado, que quería muestras de todo cuanto encontraba.

Esta institución, que los españoles admitieron a su vez (no existían zoológicos en Europa), puede ser vista al lado y en contraste con otra, que es más o menos contemporánea: los primeros museos. Los hombres siempre han coleccionado curiosidades, naturales o culturales; pero no es hasta el siglo XV cuando los papas empiezan a acumular y exhibir vestigios antiguos en cuanto huellas de otra cultura. Es también la época de las primeras obras sobre la "vida y costumbres" de pueblos lejanos. Algo de este espíritu pasó a Cortés mismo, pues si en una primera etapa su única preocupación es derribar a los ídolos y destruir los templos, poco después de la conquista lo vemos preocupado con su preservación, en tanto testimonios de la cultura azteca. Uno de los testigos de cargo en el juicio que se abre en su contra algunos años más tarde afirma: "Se mostró muy contrariado, pues quería que las casas de los ídolos quedasen como monumentos" (*Sumario*, I, p. 232).

Lo más parecido al museo entre los aztecas era el Coateocalli, o templo de los distintos dioses. Pero la diferencia se ve de inmediato: los ídolos traídos a este templo desde todo el país no provocan ni una actitud estética de admiración, ni mucho menos una conciencia relativista de las diferencias entre los pueblos. Una vez que están en México, esas divinidades se vuelven mexicanas, y su uso sigue siendo puramente religioso, semejante al de los dioses mexicanos, aunque su origen haya sido diferente. Ni el zoológico ni ese templo dan prueba de un reconocimiento de las diferencias culturales a la manera en que lo hace el museo naciente en Europa.

La presencia de un lugar reservado al otro en el universo mental de los españoles está simbolizada por un deseo constantemente afirmado de comunicar, que está en contraste evidente con las reticencias de Moctezuma. El primer mensaje de Cortés es "que pues habíamos pasado tantas mares y veníamos de tan lejanas tierras solamente por verle y hablar de su persona a la suya, que si así se volviese que no le recibirá de buena manera nuestro gran rey y señor" (Bernal Díaz, 39). "El capitán les habló con los intérpretes que teníamos, y les dio a entender que en ninguna manera él se había de partir de aquella tierra hasta saber el secreto de ella para poder escribir a vuestra majestad verdadera relación de ella" (Cortés, 1). Los soberanos extranjeros, como los volcanes, atraen irresistiblemente el deseo de conocimiento de Cortés, que actúa como si su único fin fuera el de escribir un relato.

Se puede decir que el hecho mismo de asumir así el papel activo en el proceso de interacción asegura a los españoles una superioridad indiscutible. Son los únicos que *actúan* en esa situación; los aztecas sólo buscan mantener el *statu quo*, se conforman con *reaccionar*. El hecho de que son los españoles que han cruzado el océano para encontrar a los indios, y no a la inversa, anuncia ya el resultado del encuentro; los aztecas tampoco se extienden a la América del Sur ni a la América del Norte. Es impresionante ver que en Mesoamérica son precisamente los aztecas los que no se quieren comunicar ni quieren cambiar nada de su vida (frecuentemente se confunden las dos cosas), y eso va de la mano con su valorización del pasado y de las tradiciones; mientras que los pueblos sometidos o dependientes participan de manera mucho más activa en la interacción, y sacan provecho del conflicto: los tlaxcaltecas, aliados de los españoles, serán en muchos aspectos los verdaderos amos del país en el siglo siguiente a la conquista.

Consideremos ahora el aspecto de la *producción* de los discursos y de los símbolos. Cortés (fig. 11) tiene, ante todo, la preocupación constante de la interpretación que darán los otros —los indios— a sus gestos. Castigará severamente a los saqueadores de su propio ejército porque éstos *toman* lo que no se debe tomar y, a la vez, *dan* una impresión desfavorable de ellos. "Y después que vio el pueblo sin gente y supo cómo Pedro de Alvarado [fig. 12] había ido al otro pueblo, y que les había tomado gallinas y paramentos y otras cosillas de poco valor de los ídolos, y el oro medio cobre, mostró tener mucho enojo de ello [. . .]. Y reprendiole gravemente a Pedro de Alvarado, y le dijo que no se habían de apaciguar las tierras de aquella manera, tomando a los naturales su hacienda. [. . .] Y les mandó volver el oro, y paramentos y todo lo demás, y por las gallinas, que ya se habían comido, les mandó dar cuentas y cascabeles; y más dio a cada indio una camisa de Castilla" (Bernal Díaz, 25). O también, más adelante: "Un soldado que se decía fulano de Mora, natural de Ciudad Rodrigo, tomó dos gallinas de una casa de indios de aquel pueblo, y Cortés, que lo acertó a ver, hubo tanto enojo de lo que delante de él se hizo por aquel soldado en los pueblos de paz, en tomar las gallinas, que luego le mandó echar una soga a la garganta" (Bernal Díaz, 51). La razón de esos gestos es precisamente el deseo de Cortés de controlar la información recibida por los indios: "Mandó pregonar en el campamento que ninguno tomase oro, [. . .] sino que todos hiciesen como que no lo conocían o que no lo querían, para que no pareciese que era codicia, ni su intención y venida encaminadas sólo a aquello" (Gómara, 25), y, en las aldeas: "Cortés mandó con público pregón que nadie tocase cosa ninguna de aquéllas, bajo pena de muerte, excepto a las provisiones, por cobrar buena fama y gracia con los de la tierra" (Gómara, 29). Vemos el papel que empieza a desempeñar el vocabulario de la apariencia: "que no pareciese", "buena fama".

En cuanto a los mensajes que les dirige, también obedecen a una estrategia perfectamente coherente. Para empezar, Cortés quiere que la información recibida por los indios sea precisamente la que él les envía; por lo tanto, destilará con gran prudencia la verdad en sus propias palabras y será particularmente despiadado con los espías: hace cortar las manos de los que atrapa. Al comienzo, los indios no están seguros de que los caballos de los españoles sean seres mortales; para

mantenerlos en esa incertidumbre, Cortés hará enterrar cuidadosamente los cadáveres de los animales muertos, en la noche que sigue a
la batalla. Recurre a varias estratagemas más para disimular sus verdaderas fuentes de información, para hacer creer que lo que sabe no
viene del intercambio con los hombres, sino con lo sobrenatural. A
propósito de una delación, cuenta: ". . .porque nunca han sabido de
quién lo supe, [. . .] porque creen que lo supe por alguna arte, y así
piensan que ninguna cosa se me puede esconder. Porque, como han
visto que para acertar aquel camino muchas veces sacaba una carta
de marear y una aguja, en especial cuando se acertó el camino de
Çagoatezpan, han dicho a muchos españoles, que por allí lo saqué,
y aun a mí me han dicho algunos de ellos, queriéndome hacer cierto
que tienen buena voluntad, que para que conozca sus buenas intenciones, que me rogaban mucho mirase el espejo y la carta, y que allí
vería cómo ellos me tenían buena voluntad, pues por allí sabía todas
las otras cosas; yo también les hice entender que así era la verdad,
y que en aquella aguja y carta de marear veía yo y sabía y se me des-
cubrían todas las cosas" (5).

El comportamiento de Moctezuma era contradictorio (¿recibir o
no recibir a los españoles?), y revelaba el estado de indecisión en el
que se encontraba el emperador azteca, cosa que iba a ser explotada
por sus adversarios. El comportamiento de Cortés a menudo es igualmente contradictorio en apariencia; pero esa contradicción es calcu-
lada, y su finalidad (así como su efecto) es enredar el mensaje, dejar
perplejos a sus interlocutores. Es ejemplar a este respecto un momento
de su recorrido hacia México. Cortés está en Zempoala, y es recibido por el "cacique gordo", que tiene la esperanza de que el jefe español
lo ayude a liberarse del yugo azteca. Llegan en ese momento cinco
enviados de Moctezuma, encargados de cobrar el impuesto, y les irrita
particularmente el buen recibimiento que se ha hecho a los españoles. El cacique gordo acude a Cortés en busca de consejo; éste le dice
que arreste a los cobradores. Así se hace; pero cuando los de Zempoala se disponen a sacrificar a los prisioneros, Cortés se opone y
manda a sus propios soldados junto con los guardias de la prisión.
Al caer la noche, pide a sus soldados que le traigan en secreto a dos
de los prisioneros, si posible los más inteligentes; una vez que están
ante él, finge inocencia, se asombra de que los hayan apresado y se
propone liberarlos; incluso, para asegurar su huida, los lleva en uno
de sus barcos fuera del territorio de Zempoala. Una vez libres, los
cobradores van con Moctezuma y le cuentan lo que le deben a Cortés. A la mañana siguiente, los de Zempoala descubren la evasión

Fig. 11. *Hernán Cortés*

Fig. 12. *Pedro de Alvarado*

y quieren sacrificar por lo menos a los tres prisioneros restantes, pero
Cortés se opone. Se indigna ante la negligencia de los guardias de
Zempoala, y propone custodiar a los tres prisioneros restantes en sus
propios barcos. El cacique gordo y sus colegas aceptan, pero también saben que Moctezuma será advertido de su rebelión; entonces
le juran fidelidad a Cortés, y se comprometen a secundarlo en su lucha
contra el emperador azteca. "Y aquí dieron la obediencia a Su Majestad, por ante un Diego de Godoy, el escribano, y todo lo que pasó
lo enviaron a decir a los más pueblos de aquella provincia. Como
ya no daban tributo ninguno y los recogedores no parecían, no cabían
de gozo de haber quitado aquel dominio" (Bernal Díaz, 47).

Las maniobras de Cortés tienen dos destinatarios: los de Zempoala y Moctezuma. Con los primeros, el asunto es relativamente
sencillo: Cortés los lleva a comprometerse con él de manera irrever-
sible. Como los cobradores aztecas están muy cerca y sus tributos
son muy pesados, mientras que el rey de España es una pura abstracción y por el momento no exige ningún impuesto, los de Zempoala encuentran justificación suficiente para dar el paso. Las cosas
son más complejas en lo referente a Moctezuma. Éste sabrá, por una
parte, que sus enviados han sido maltratados gracias a la presencia
de los españoles; pero, por el otro, que han salvado la vida gracias
a esos mismos españoles. Cortés se presenta como enemigo y como
aliado al propio tiempo, lo cual vuelve imposible, o en todo caso injus-
tificable, toda acción de Moctezuma en su contra. Por ese gesto impone su poder, al lado de Moctezuma, puesto que éste no puede casti-
garlo. Cuando sólo conocía la primera parte de la historia, Moctezuma
"para contra nosotros aparejaba de venir con gran pujanza de capitanías"; al saber la segunda parte, "amansó su ira y acordó de enviar
a saber de nosotros, qué voluntad teníamos" (Bernal Díaz, 48). El
resultado del mensaje múltiple de Cortés es que Moctezuma ya no
sabe qué pensar y que debe volver a buscar información.

La primera preocupación de Cortés, cuando es débil, es hacer creer
a los demás que es fuerte, no dejar que se descubra la verdad; esta
preocupación es constante. "Pero como ya habíamos publicado ser
allá nuestro camino no me pareció fuera tan bien dejarlo ni volver
atrás, porque no creyesen que falta de ánimo lo impedía" (2). "Y yo,
viendo que mostrar a los naturales poco ánimo, en especial a nuestros amigos, era causa de más aína dejarnos y ser contra nosotros,
acordándome que siempre a los osados ayuda la fortuna. . ." (2).
"Parecíame, aunque era otro nuestro camino, que era poquedad pasar
adelante sin hacerles algún mal sabor; y porque no creyesen nues-

tros amigos que de cobardía lo dejábamos de hacer. . ." (3), etcétera.
En forma general, Cortés es un hombre sensible a las apariencias.
Cuando lo nombran a la cabeza de la expedición, sus primeros gas-
tos son para comprarse un traje imponente. "Se comenzó de pulir
y ataviar su persona mucho más que de antes, y se puso su penacho
de plumas, con su medalla y una cadena de oro. . ." (Bernal Díaz,
20). Pero podemos pensar que, a diferencia de los jefes aztecas, no
usaba todas sus insignias en las batallas. Tampoco deja nunca de
envolver sus encuentros con los mensajeros de Moctezuma en todo
un ceremonial, que debía ser bastante cómico en la selva tropical,
pero que no por ello dejaba de tener su efecto.

Cortés tiene fama de hablar bien; sabemos que de vez en cuando
le ocurre escribir poesía, y los informes que envía a Carlos V muestran un notable dominio del idioma. Los cronistas nos lo muestran
muchas veces en plena acción, tanto frente a sus soldados como cuando se dirige a los caciques, por intermedio de sus intérpretes. "El
capitán algunas veces nos hacía unas pláticas muy buenas, dándonos a entender que cada uno de nosotros había de ser conde o du-
que y señores de dictados y con aquesto de corderos nos tornaba
leones, e íbamos sin temor ni miedo alguno a un tan grande ejército" (Francisco de Aguilar; volveremos más tarde a la comparación
con los leones y los corderos). "[Los forasteros] se le allegaban, porque era de buena conversación y apacible" (Bernal Díaz, 20). "Cortés siempre atraía con buenas palabras a todos los caciques" (ibid.,
36). "Y Cortés les consoló con palabras amorosas, que se las sabía
muy bien decir con doña Marina" (ibid,, 86). Hasta su enemigo acé-
rrimo Las Casas subraya la perfecta facilidad con que lleva su comunicación con los hombres: lo pinta como un hombre que "sabía tratar a todos" y estaba dotado de "astuta vivez y mundana sabiduría"
(Historia, III, 114 y 115).

También se preocupa por la reputación de su ejército, y contribuye muy conscientemente a hacerla. Cuando sube con Moctezuma
a la parte superior de uno de los templos de México, que tiene ciento catorce escalones de altura, el emperador azteca lo invita a des-
cansar. "Y Cortés le dijo con nuestras lenguas, que iban con nosotros, que él ni nosotros nos cansábamos en cosa ninguna" (Bernal
Díaz, 92). Gómara lo hace revelar el secreto de esta conducta en un
discurso que supuestamente dirigió a sus soldados: "Las guerras consisten mucho en la fama" (114). Cuando entra por primera vez en
la ciudad de México, se niega a que lo acompañe un ejército de indios
aliados, pues eso puede ser interpretado como un signo de hostili-

dad; en cambio, cuando después de la caída de México recibe a los mensajeros de un jefe lejano, exhibe todo su poderío: "Y porque viesen nuestra manera y lo contasen allá a su señor, hice salir a todos los de caballo a una plaza, y delante de ellos corrieron y escaramuzaron; y la gente de pie salió en ordenanza y los escopeteros soltaron las escopetas, y con el artillería hice tirar una torre" (3). Y su táctica militar predilecta —puesto que hace creer que es fuerte cuando es débil— será simular debilidad precisamente cuando es fuerte, para atraer a los aztecas a emboscadas mortíferas.

A todo lo largo de la campaña, Cortés manifiesta su gusto por las acciones espectaculares, con plena conciencia de su valor simbólico. Por ejemplo, es esencial ganar la primera batalla contra los indios; destruir sus ídolos al primer desafío de los sacerdotes, para mostrar que se es invulnerable; ganar en el primer enfrentamiento entre bergantines y canoas indias; quemar determinado palacio situado en el interior de la ciudad para mostrar lo poderosa que es la fuerza de avanzada; subir hasta arriba de un templo para que todos lo vean. Raras veces castiga, pero lo hace de manera ejemplar, y de modo tal que todos se enteren; tenemos un ejemplo de ello en la violenta represión que ejerce contra la región del Pánuco, a consecuencia de una sublevación que es aplastada; es de notar la atención que presta a la difusión de la información: "Cortés mandó que cada uno [de los sesenta caciques] hiciera venir a su heredero, y habiéndole obedecido, ordenó encender una gran hoguera y quemar en ella a los caciques en presencia de sus sucesores. Llamando luego a éstos, les preguntó si habían visto cumplirse la sentencia pronunciada contra sus progenitores asesinos, y con rostro severo les intimó que, escarmentados con aquel ejemplo, se abstuvieran de toda sospecha de rebeldía" (Pedro Mártir, VIII, 2).

El uso que Cortés hace de sus armas es de una eficacia más simbólica que práctica. Manda construir un trabuco que no funciona; eso no es grave: "Y aunque otro fruto no hiciera, como no hizo, sino el temor que con él se ponía, por el cual pensábamos que los enemigos se dieran, era harto" (Cortés, 3). En el comienzo mismo de la expedición, organiza verdaderos espectáculos de "luz y sonido" con sus caballos y sus cañones (que entonces no sirven para nada más); su preocupación escénica es verdaderamente notable. Oculta una yegua en un sitio determinado, y coloca delante de ella a sus anfitriones indios y un semental; las ruidosas manifestaciones del animal atemorizan a esas personas que nunca han visto un caballo. Escoge un momento de calma y manda disparar los cañones que también están muy cerca. No es el inventor de este tipo de estratagemas, pero sin duda es el primero que actúa así de manera sistemática. En otra ocasión, lleva a sus anfitriones a un lugar donde el suelo es duro, para que los caballos puedan galopar con rapidez, y manda disparar una vez más el gran cañón, cargado con pólvora. Sabemos, por los relatos de los aztecas, que esos montajes teatrales no dejaban de tener su efecto: "Y los mensajeros que estavan atados de pies y manos, como oyeron los truenos de las lombardas, cayeron en el suelo, como muertos" (CF, XII, 5). Esos juegos de prestidigitación son tan eficaces que un buen fraile puede escribir tranquilamente, unos cuantos años más tarde: "Esta gente tiene tanta confianza en nosotros que ya no hacen falta los milagros" (Francesco de Bologna).

Esa conducta de Cortés hace pensar irresistiblemente en la enseñanza casi contemporánea de Maquiavelo. Evidentemente no se trata de una influencia directa, sino más bien del espíritu de una época que se manifiesta tanto en los escritos del uno como en los actos del otro; por lo demás, el rey "católico" Fernando, cuyo ejemplo no podía ser desconocido para Cortés, es citado por Maquiavelo como modelo de "nuevo príncipe". Cómo no relacionar las estratagemas de Cortés con los preceptos de Maquiavelo, que coloca la reputación y la apariencia en la cumbre de los nuevos valores: "No necesita un príncipe tener todas las buenas cualidades mencionadas, pero conviene que lo parezca. Hasta me atreveré a decir que, teniéndolas y practicándolas constantemente, son perjudiciales, y pareciendo tenerlas, resultan útiles" (El príncipe, 18). Más generalmente, en el mundo de Maquiavelo y en el de Cortés, el discurso no es determinado por el objeto que describe, ni por su conformidad a una tradición, sino que se construye únicamente en función de la meta que quiere alcanzar.

La mejor prueba que podamos tener de la capacidad de Cortés para entender y hablar el lenguaje del otro es su participación en la elaboración del mito del retorno de Quetzalcóatl. No será la primera vez que los conquistadores españoles exploten los mitos indios en su propio beneficio. Pedro Mártir ha dejado constancia de la conmovedora historia de la deportación de los lucayos, los habitantes de las actuales islas Bahamas, que creen que después de la muerte sus espíritus van a una tierra prometida, a un paraíso, donde se les ofrecen todos los placeres. Los españoles, a quienes les falta mano de obra y que no logran encontrar voluntarios, toman rápidamente el mito y lo completan en beneficio propio. "Conociendo los españoles las sencillas opiniones de estas gentes acerca de las almas, que una vez expiadas sus culpas en las heladas montañas árticas, pasaban al mediodía, esforzábanse en convencer a aquellos desgraciados, a fin de que espontáneamente dejasen su suelo natal y consintiesen en ser trasladados a Cuba y la Española, que son meridionales respecto de la posición de sus islas, de que venían de aquellos lugares en que les sería dado contemplar a sus difuntos padres, hijos, parientes y amigos, y disfrutarían de consuno todo género de delicias en medio de abrazos de los seres amados. Imbuidos primeramente en estas tretas por sus embaucadores, [. . .] y después por los españoles, iban cantando en pos de una ilusoria esperanza, y cuando se vieron engañados y que en vez de sus parientes y personas deseadas, sólo hallaban dura servidumbre e inacostumbrados y crueles trabajos, llenos de desesperación o se daban muerte con su propia mano o preferían dejarse consumir de hambre, sin que razón ni fuerza alguna fuese poderosa a hacerles tomar alimento, [. . .]. Así acabaron los infelices yucayos [. . .]" (VII, 4).

La historia del retorno de Quetzalcóatl, en México, es más compleja, y sus consecuencias revisten una importancia mucho mayor. Éstos son los hechos, en unas cuantas palabras. Según los relatos indios anteriores a la conquista, Quetzalcóatl es un personaje a la vez histórico (un jefe de estado) y legendario (una divinidad). En un momento dado, se ve obligado a dejar su reino y partir hacia el este (hacia el Atlántico); desaparece, pero, según ciertas versiones del mito, promete (o amenaza) volver un día para recobrar sus bienes. Notemos aquí que la idea del retorno de un mesías no tiene un papel esencial en la mitología mexicana; que Quetzalcóatl no es más que una divinidad entre otras y no ocupa un lugar privilegiado (especialmente entre los habitantes de la ciudad de México, que lo perciben como el dios de los cholultecas), y que sólo algunos relatos prometen su regreso, mientras que otros se conforman con describir su desaparición.

Ahora bien, los relatos indígenas de la conquista, especialmente los recogidos por Sahagún y Durán, nos dicen que Moctezuma cree que Cortés es Quetzalcóatl que ha vuelto a recobrar su reino; esta identificación sería una de las razones principales de su falta de resistencia frente al avance de los españoles. No se puede dudar de la autenticidad de los relatos, que cuentan lo que creían los informantes de los religiosos. La idea de una identidad entre Quetzalcóatl y Cortés existió efectivamente en los años inmediatamente posteriores a la conquista, como lo muestra también el súbito renacer de la producción de objetos de culto relacionados con Quetzalcóatl. Pero hay un hiato evidente entre esos dos estados del mito: el antiguo, en el que Quetzalcóatl tiene un papel secundario, y donde su retorno es incierto; y el nuevo, en el que Quetzalcóatl domina y se asegura con absoluta certeza que va a regresar. Seguramente hay una fuerza que debe haber intervenido para apresurar esta transformación del mito. Esa fuerza tiene un nombre: Cortés. Él operó la síntesis de varios datos. La diferencia radical entre españoles e indios, y la ignorancia relativa de otras civilizaciones por parte de los aztecas, llevaban, como hemos visto, a la idea de que los españoles eran dioses. Pero ¿qué dioses? Ahí es donde Cortés debe haber proporciondo el eslabón faltante, al establecer la relación con el mito un tanto marginal, pero perfectamente inscrito en el "lenguaje del otro", del retorno de Quetzalcóatl. Los relatos que se encuentran en Sahagún y Durán presentan la identificación Cortés-Quetzalcóatl como algo que se produce en la mente del propio Moctezuma. Pero esta afirmación sólo prueba que, para los indios de la época posterior a la conquista, el asunto era verosímil, y en eso debe haber descansado el cálculo de Cortés, que trataba de producir un mito perfectamente indio. Tenemos pruebas más directas a este respecto.

Y es que la primera fuente importante que consigna la existencia de este mito está en las cartas de relación del propio Cortés. Esas cartas, dirigidas al emperador Carlos V, no tienen un valor documental simple: hemos visto que la palabra para Cortés, más que ser reflejo fiel del mundo, es un medio de manipular al otro, y tiene tantas metas que alcanzar en sus relaciones con el emperador que la objetividad no es la primera de sus preocupaciones. Sin embargo, la evocación de este mito, tal como la encontramos en su relato de la primera entrevista con Moctezuma, es altamente reveladora. Según dice, Moctezuma declara, dirigiéndose a su huésped español y a sus propios dignatarios: "Y según de la parte que vos decís que venís, que es a do sale el sol, y las cosas que decís de ese gran señor o rey que acá os envió, creemos y tenemos por cierto, él sea nuestro señor natural, en especial que nos decís que él ha muchos días que tenía noticia de nosotros." A lo cual responde Cortés "satisfaciendo a aquello que me pareció que convenía, en especial en hacerle creer que vuestra majestad era a quien ellos esperaban" (Cortés, 2).

Para caracterizar su propio discurso, Cortés encuentra, significativamente, la noción retórica fundamental de "lo que conviene": el discurso está regido por su meta, no por su objeto. Pero Cortés no tiene interés alguno en convencer a Carlos V de que es un Quetzalcóatl sin saberlo; su relación, a este respecto, debe decir la verdad. Ahora bien, lo vemos intervenir en dos ocasiones en los hechos que relata: la convicción (o la sospecha) inicial de Moctezuma ya es efecto de las palabras de Cortés ("según [. . .] las cosas que decís"), y especialmente del ingenioso argumento según el cual Carlos V ya los conoce desde hace mucho (no debía ser difícil para Cortés producir pruebas a este respecto). Y, en respuesta, Cortés afirma explícitamente la identidad de los dos personajes, tranquilizando así a Moctezuma, al tiempo que se queda en la vaguedad y da la impresión de limitarse a confirmar una convicción que el otro adquirió por sus propios medios.

Así pues, sin que podamos estar seguros de que Cortés es el único responsable de la identificación entre Quetzalcóatl y los españoles, vemos que hace todo lo que puede para contribuir a ella. Sus esfuerzos se verán coronados por el éxito, aun si la leyenda todavía ha de sufrir algunas transformaciones (Carlos V es dejado a un lado y se identifica directamente a Cortés con Quetzalcóatl). Es que su operación es redituable en todos los niveles: Cortés puede así hacer gala de una legitimidad frente a los indios; además, les proporciona un medio que les permite racionalizar su propia historia: de otro modo, su llegada hubiese sido absurda y podemos imaginar que, entonces, la resistencia hubiera sido mucho más encarnizada. Incluso si Moctezuma no toma a Cortés por Quetzalcóatl (y además no teme tanto a Quetzalcóatl), los indios que escriben los relatos, es decir, los autores de la representación colectiva, lo creen así. Y esto tiene consecuencias inconmensurables. Es efectivamente gracias a su dominio de los signos de los hombres como asegura Cortés su control del antiguo imperio azteca.

Aun si los cronistas, españoles o indios, se equivocan, o mienten, sus obras siguen siendo elocuentes para nosotros; el gesto que cada una de ellas constituye nos revela la ideología de su autor, incluso cuando el relato de los hechos es falso. Hemos visto hasta qué punto el comportamiento semiótico de los indios era solidario de la preponderancia, entre ellos, del principio jerárquico frente al principio democrático, y de la primacía de lo social frente a lo individual. Al comparar los relatos de la conquista, tanto indios como españoles, descubrimos aún ahora la oposición entre dos tipos de ideología bien diferentes. Tomemos dos ejemplos, entre los más ricos: por un lado, la crónica de Bernal Díaz; por el otro, la del *Códice florentino*, recogida por Sahagún. No difieren por su valor documental: ambas contienen una mezcla de verdades y errores. Tampoco difieren por su calidad estética: ambas son conmovedoras, hasta llegan a turbarnos. Pero no están construidas de manera semejante. El relato del *Códice florentino* es la historia de un pueblo contada por ese mismo pueblo.

La crónica de Bernal Díaz es la historia de ciertos hombres contada por un hombre.

Y no es que falten las identificaciones individuales en el *Códice florentino*. Se nombra a muchos guerreros valientes, así como a los familiares del soberano, sin hablar de este último; se evocan batallas determinadas, y se precisa el sitio en que se desarrollan. Sin embargo, esos individuos nunca llegan a ser "personajes": no tienen psicología individual que pudiera ser responsable de sus actos y que pudiera diferenciarlos entre sí. La fatalidad reina en el desarrollo de los hechos, y en ningún momento tenemos la sensación de que las cosas hubieran podido ocurrir de otra manera. No son esos individuos los que, por adición o por fusión, forman la sociedad azteca; es ella, por el contrario, la que constituye el dato inicial, la heroína del relato; los individuos no son más que sus instancias.

Bernal Díaz, por su parte, cuenta efectivamente la historia de ciertos hombres. No sólo Cortés, sino todos los que nombra, están dotados de rasgos individuales, tanto en lo físico como en lo moral; cada uno de ellos es una compleja mezcla de cualidades y defectos, cuyos actos no se pueden prever: hemos pasado del mundo de lo necesario al de lo arbitrario, puesto que cada individuo puede convertirse en fuente de una acción, no previsible por medio de leyes generales. En este sentido, su crónica no sólo se opone a los relatos indios (que desconocía), sino también a la de Gómara, sin la cual —por deseo de contradecirla— Bernal Díaz quizás no hubiera escrito, sino que se hubiera conformado con contar oralmente su historia, como debe de haberlo hecho muchas veces. Gómara subordina todo a la imagen de Cortés, que de pronto ya no es un individuo, sino un personaje ideal. Bernal Díaz, en cambio, reivindica la pluralidad y la diferencia de los protagonistas: si fuera yo artista, dice, "dibujara a todos los que dicho tengo al natural, y aun según cada uno entraba en las batallas" (206).

Ya hemos visto hasta qué punto abundan en su relato los detalles "inútiles" (o más bien no necesarios, que no son impuestos por la fatalidad del destino): ¿por qué decirnos que Aguilar llevaba su sandalia en la cintura? Porque esta singularidad del hecho es la que, para él, constituye su identidad. A decir verdad, también en el *Códice florentino* se encuentran algunos detalles del mismo tipo: las hermosas indias que se cubren las mejillas con barro para escapar a las miradas concupiscentes de los españoles; éstos, que se deben tapar la nariz con un pañuelo para evitar el olor de los cadáveres; las vestiduras llenas de polvo de Cuauhtémoc cuando se presenta ante Cortés. Pero todos

Fig. 13. *La matanza perpetrada por Alvarado en el templo de México*

Fig. 14. *El templo de México visto por los europeos*

aparecen en los últimos capítulos, después de la caída de México, como si el derrumbamiento del imperio hubiera sido acompañado por la victoria del modo narrativo europeo frente al estilo indígena: el mundo de la posconquista es mestizo, tanto en los hechos como en las formas de hablar de éstos.

En el *Códice florentino* nunca sabemos quién habla, o, más bien, sabemos que no se trata del relato de un individuo, sino de lo que piensa la colectividad. No es casual el que desconozcamos los nombres de los autores de esos relatos; ese desconocimiento no se debe al descuido de Sahagún, sino a la falta de pertinencia de la información. El relato puede dar noticia de varios hechos ocurridos simultáneamente o en lugares muy alejados entre sí; nunca se preocupa de presentarnos las fuentes de esas informaciones, de explicarnos cómo se supo todo eso. Las informaciones no tienen fuente, pues pertenecen a todos, y eso es lo que las hace convincentes; si, por el contrario, tuvieran un origen personal, serían sospechosas.

En cambio, Bernal Díaz da autenticidad a sus informaciones al precisar sus fuentes. A diferencia de Gómara, otra vez más, si quiere escribir no es porque se considere un buen historiador que sepa expresar mejor una verdad por todos conocida; su recorrido singular, excepcional, lo califica como cronista: debe hablar porque estaba ahí en persona, porque asistió a los hechos. En uno de sus raros arrebatos líricos, exclama: "el que no se halló en la guerra ni lo vio ni entendió, ¿cómo lo puede decir? ¿Habíanlo de hacerlo las nubes o los pájaros que en el tiempo que andábamos en las batallas iban volando, sino solamente los capitanes y soldados que en ellos se hallaron?" (212). Y cada vez que cuenta peripecias de las que no ha sido testigo, nos informa de quién y cómo lo supo —pues no es el único en la época, entre los conquistadores, en tener ese papel de testigo, pues, según escribe, "comunicábamos los unos con los otros" (206).

Podríamos proseguir en el plano de la imagen esta comparación de las modalidades de la representación. Los personajes representados en los dibujos indios no están individualizados interiormente; si deben referirse a una persona en particular, aparece al lado de la imagen un pictograma que la identifica. Toda idea de perspectiva linear y, por lo tanto, de un punto de vista individual, está ausente; los objetos se representan en sí mismos, sin interacción posible entre ellos, y no como si alguien los estuviera viendo. El plano y el corte se yuxtaponen libremente: así por ejemplo, un dibujo (cf. fig. 13) que muestra el templo de México representa todos sus muros vistos de frente, y todo está subordinado al plano del suelo, y además, con

personajes más grandes que los muros. Las esculturas aztecas están
trabajadas en todas sus caras, incluyendo la base, aun si pesan varias
toneladas: y es que el espectador del objeto es tan poco individual
como su realizador; la representación nos entrega las esencias, y no
se ocupa de las impresiones de un hombre. La perspectiva linear europea no nació de la preocupación de valorizar un punto de vista único e individual, pero se vuelve el símbolo de este punto de vista y
se añade a la individualidad de los objetos representados. Puede parecer temerario ligar la introducción de la perspectiva con el descubrimiento y la conquista de América (cf. fig. 14), y sin embargo la relación está ahí, no porque Toscanelli, inspirador de Colón, haya sido
amigo de Brunelleschi y Alberti, pioneros de la perspectiva (ni porque Piero della Francesca, otro fundador de la perspectiva, murió
el 12 de octubre de 1492), sino en razón de la transformación que
ambos hechos revelan y producen a la vez en las conciencias.

El comportamiento semiótico de Cortés es característico de su
lugar y de su época. En sí, el lenguaje no es un instrumento unívoco:
sirve tanto para la integración en el seno de la comunidad como para
la manipulación del otro. Pero Moctezuma otorga la primacía a la
primera función y Cortés a la segunda. Un último ejemplo de esta
diferencia se encuentra en el papel atribuido, aquí y allí, a la lengua
nacional. Los aztecas o los mayas, en quienes sin embargo hemos
visto que veneraban el dominio de lo simbólico, no parecen haber
comprendido la importancia política de la lengua común, y la diversidad lingüística dificulta la comunicación con los extranjeros. "En
muchos pueblos se hablan dos o tres lenguas distintas, y casi no hay
trato alguno entre los grupos que hablan estas lenguas diferentes",
escribe Zorita (9). Ahí donde la lengua es un medio para designar,
para expresar la coherencia propia del grupo que la habla, no es necesario imponerla al otro. La lengua misma queda situada en el espacio
delimitado por el intercambio de los hombres con los dioses y el mundo, en vez de ser concebida como un instrumento concreto de acción
sobre el otro.

Así pues, los españoles son quienes habrán de instaurar el náhuatl
como lengua indígena nacional en México, antes de llevar a cabo la
hispanización; son los frailes franciscanos y dominicos los que habrán
de lanzarse al estudio de las lenguas indígenas y a la enseñanza del
español. Este comportamiento mismo está preparado desde hace
mucho, y el año de 1492, que ya había visto la notable coincidencia
de la victoria sobre los árabes, el exilio impuesto a los judíos y el
descubrimiento de América, es también el mismo año en que habrá

de publicarse la primera gramática de una lengua europea moderna, la gramática española de Antonio de Nebrija. El conocimiento de la lengua, teórico en este caso, es muestra de una actitud nueva, ya no de veneración, sino de análisis, y de toma de conciencia de su utilidad práctica, y Nebrija escribió en su introducción estas palabras decisivas: "Siempre la lengua fue compañera del imperio."

# 3. AMAR

## COMPRENDER, TOMAR Y DESTRUIR

Cortés entiende relativamente bien el mundo azteca que se descubre ante sus ojos, ciertamente mejor de lo que Moctezuma entiende las realidades españolas. Y sin embargo esta comprensión superior no impide que los conquistadores destruyan la civilización y la sociedad mexicanas; muy por el contrario, uno tiene la impresión de que justamente gracias a ella se hace posible la destrucción. Hay ahí un encadenamiento aterrador, en el que comprender lleva a tomar y tomar a destruir, encadenamiento cuyo carácter ineludible se antoja cuestionar. ¿No debería la compresión correr parejas con la simpatía? Y más aún, el deseo de tomar, de enriquecerse a expensas del otro, ¿no debería llevar a querer preservar a ese otro, fuente potencial de riquezas?

La paradoja de la comprensión-que-mata se anularía fácilmente si se pudiera observar al mismo tiempo, entre los que comprenden, un juicio de valor enteramente negativo acerca del otro; si el éxito en el conocimiento estuviera acompañado por un rechazo axiológico. Podríamos imaginar que, una vez que aprendieron a conocer a los aztecas, los españoles los hayan encontrado tan despreciables que los hayan declarado indignos de vivir, junto con su cultura. Ahora bien, al leer los escritos de los conquistadores vemos que no hay nada de eso y que, por lo menos en ciertos aspectos, los aztecas provocan la admiración de los españoles. Cuando Cortés tiene que emitir un juicio sobre los indios de México, siempre los compara con los españoles; y hay en ello más que un procedimiento estilístico o narrativo. "Por una carta mía hice saber a vuestra majestad cómo los naturales de estas partes eran de mucha más capacidad que no los de las otras islas, que nos parecían de tanto entendimiento y razón cuanto a uno medianamente basta para ser capaz" (3). "En su servicio y trato de la gente de ella [esta gran ciudad] hay la manera casi de vivir que en España, y con tanto concierto y orden como allá, y [. . .] considerando esta gente ser bárbara y tan apartada del conocimiento de Dios y de la comunicación de otras naciones de razón, es cosa admirable ver la que tienen en todas las cosas" (2); es de notar que, para

Cortés, los intercambios con una civilización *otra* pueden explicar un alto nivel de cultura.

Cortés piensa que las ciudades de los mexicanos son tan civilizadas como las de los españoles, y da de ello una curiosa prueba: "Y aun hay mucha gente pobre y que piden entre los ricos por las calles y por las casas y mercados, como hacen los pobres en España y en otras partes que hay gente de razón" (2). En realidad, las comparaciones siempre van a favor de México, y no deja de impresionar su precisión, aun tomando en cuenta que Cortés quiere alabar los méritos del país que le regala a su emperador. "En especial me dijeron [los españoles] que habían visto una casa de aposentamiento y fortaleza que es mayor y más fuerte y mejor edificada que el castillo de Burgos" (2). "[El mercado] parece propiamente alcaicería de Granada en las sedas, aunque esto otro es en mucha más cantidad" (2). "La más principal [torre] es más alta que la torre de la iglesia mayor de Sevilla" (2). "El mercado de Temixtitan [. . .] es una plaza harto mayor que la de Salamanca, y toda cercada de portales a la redonda" (3). Dice otro cronista: "Aunque españoles hobieran andado [. . .] a los hacer, no estuviera mejor aderezado" (Diego Godoy). En resumen: "No me pondré en expresar cosa de ellas más de que en España no hay su semejable" (Cortés, 2). Estas comparaciones muestran, claro está, el deseo de aprehender lo desconocido con ayuda de lo conocido, pero también contienen una distribución de valores sistemática y reveladora.

Las costumbres de los aztecas, o por lo menos las de sus dirigentes, son más refinadas que las de los españoles. Cortés describe con asombro los platos calientes en el palacio de Moctezuma: "Y porque la tierra es fría, traían debajo de cada plato y escudilla de manjar un braserico con brasa para que no se enfriase" (2), y Bernal Díaz hace lo mismo respecto a los servicios: "Tenían por costumbre que en todos los caminos tenían techos de cañas o pajas o yerba, porque no los viesen los que pasasen por ellos; allí se metían si tenían ganas de purgar los vientres, porque no se les perdiese aquella suciedad" (92).

Pero ¿por qué limitarse a España? Cortés está convencido de que las maravillas que ve son las mayores del mundo: "Ni es de creer que alguno de todos los príncipes del mundo de quien se tiene noticia [. . .] pudiese tener tales [cosas] y de tal calidad" (2). "En todo el mundo no se podía hacer ni tejer otra [ropa] tal ni de tantas ni tan diversos y naturales colores ni labores" (2). "[Las torres] son tan bien labradas, así de cantería como de madera, que no pueden ser mejor hechas ni labradas en ninguna parte" (2). ". . .tan al natural

lo de oro y plata, que no hay platero en el mundo que mejor lo hiciese" (2). "Su ciudad [. . .] era la más hermosa cosa del mundo" (3).
Y las únicas comparaciones que Bernal Díaz encuentra están tomadas de las novelas de caballerías (que, por lo demás, eran la lectura
favorita de los conquistadores): "Y decíamos que parecía a las cosas
de encantamientos que cuentan en el libro de Amadís, por las grandes torres y cúes y edificios que tenían dentro en el agua, y todos
de calicanto, y aun algunos de nuestros soldados decían que si aquello que veían si era entre sueños" (87).

¡Tanto maravillarse, para seguir con una destrucción tan completa! Bernal Díaz escribe melancólicamente, evocando su primera visión
de México: "Digo otra vez lo que estuve mirando, que creí que en
el mundo hubiese otras tierras descubiertas como éstas [. . .]. Ahora
todo está por el suelo, perdido, que no hay cosa" (87). Así pues, en
vez de aclararse, el misterio se vuelve más denso: no sólo los españoles comprendían bastante bien a los aztecas, sino que, además, los
admiraban. Y sin embargo, los aniquilaron; ¿por qué?

Volvamos a leer las frases admirativas de Cortés. Una cosa impresiona en ellas: con pocas excepciones, siempre se refieren a *objetos*:
la arquitectura de las casas, las mercancías, las telas, las joyas. Cortés
—a quien se puede comparar con el turista de hoy en día, que admira la calidad de las artesanías cuando viaja por África o Asia, sin que
por ello lo roce siquiera la idea de compartir la vida de los artesanos
que producen esos objetos— cae en éxtasis frente a las producciones
aztecas, pero no reconoce a sus autores como individualidades humanas que se pueden colocar en el mismo plano que él. Un episodio
posterior a la conquista proporciona una buena ilustración de esa actitud: cuando Cortés vuelve a España, algunos años después de la conquista, lo vemos preparar un muestrario muy significativo de todo
lo que considera notable en el país conquistado. "Tenía allegado
muchas aves de las diferenciadas de otras que hay en Castilla, que
era cosa muy de ver; y dos tigres, y muchos barriles de liquidámbar,
y bálsamo cuajado, y otro como aceite, y cuatro indios maestros de
jugar el palo con los pies, que en Castilla y en todas partes es cosa
de ver; y otros indios grandes bailadores, que suelen hacer una manera
de ingenio que al parecer como que vuelan por alto bailando; y llevó
tres indios corcovados de tal manera que era cosa monstruosa, porque estaban quebrados por el cuerpo, y eran muy enanos" (Bernal
Díaz, 194, cf. figs. 15 y 16). Sabemos que esos juglares y esos monstruos causan admiración tanto en la corte de España como ante el
papa Clemente VII, con quien van después.

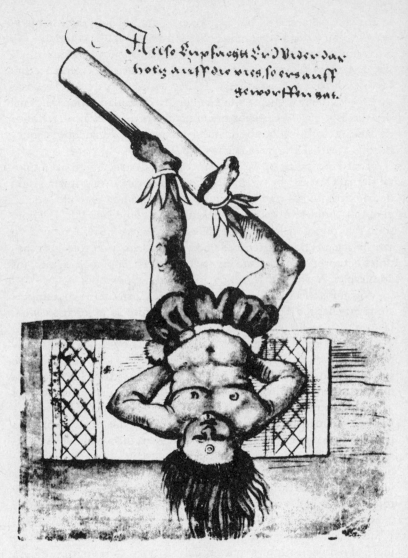

Fig. 15. *Uno de los acróbatas aztecas que Cortés llevó a la corte de Carlos V*

Fig. 16. *Juglares y equilibristas*

Las cosas han cambiado un poco desde Colón, quien, como recordaremos, capturaba indios para completar una especie de colección de naturalista, en la que tenían su lugar al lado de las plantas y de los animales; y a quien, además, sólo le interesaba el número: seis cabezas de mujeres, seis de hombres. En aquel caso, podríamos decir que el otro se veía reducido al estado de objeto. No es éste el punto de vista de Cortés, pero los indios tampoco han llegado a ser sujetos en sentido pleno, es decir, sujetos comparables con el *yo* que los concibe. Más bien, los indios ocupan en el pensamiento de Cortés una posición intermedia: son efectivamente sujetos, pero sujetos reducidos al papel de productores de objetos, de artesanos o de juglares, cuyas hazañas se admiran, pero con una admiración que, en vez de borrar la distancia existente entre ellos y él, más bien la marca; y su pertenencia a la serie de las "curiosidades naturales" no está totalmente olvidada. Cuando Cortés compara las hazañas de los indios con las de los españoles, incluso si lo hace para concederles generosamente el primer lugar, no ha dejado su punto de vista egocéntrico, ni siquiera ha tratado de hacerlo: ¿acaso no es cierto que el emperador de los españoles es el más grande, que el Dios de los cristianos es el más fuerte? Como por casualidad, Cortés, que piensa eso, es español y cristiano. En ese plano, el del sujeto en relación con lo que lo constituye como tal, y no con los objetos que produce, no puede pensarse siquiera en atribuir una superioridad a los indios. Cuando Cortés debe expresar su opinión sobre la esclavitud de los indios (cosa que hace en un memorial dirigido a Carlos V), sólo considera el problema desde un punto de vista: el de la rentabilidad de la empresa; nunca se menciona lo que los indios, por su parte, podrían desear (al no ser sujetos, no tienen voluntad). "No hay duda que para que los naturales obedezcan los reales mandatos de V.M. y sirvan en lo que se les mandare. . .": ése es el punto de partida de su razonamiento, que en seguida se ocupa de buscar las formas de sumisión que traerían mayores ganancias al rey. Es bastante impresionante ver cómo, en su testamento, Cortés piensa en todos los que deben recibir su dinero: su familia y sus criados, conventos, hospitales y colegios; pero nunca se habla de los indios que, sin embargo, son la única fuente de todas sus riquezas. . .

A Cortés le interesa la civilización azteca y, al propio tiempo, es totalmente ajeno a ella. Y no es el único: ése es el comportamiento de mucha gente ilustrada de su época. Durero admira, desde 1520, las obras de los artistas indios que Cortés ha enviado a la corte real, pero no se le ocurre tratar de hacer lo que ellos; hasta los dibujos

de indios hechos por Durero siguen siendo totalmente fieles al estilo
europeo. Esos objetos exóticos pronto habrán de quedar encerrados
en colecciones, y cubiertos de polvo; el "arte indio" no ejerce ninguna influencia en el arte europeo del siglo XVI (al contrario de lo
que habrá de ocurrir con el "arte negro" en el XX). Digámoslo de
otra manera: en el mejor de los casos, los autores españoles hablan
bien *de* los indios; pero, salvo en casos excepcionales, nunca hablan
*a* los indios. Ahora bien, sólo cuando hablo con el otro (no dándole
órdenes, sino emprendiendo un diálogo con él) le reconozco una calidad de *sujeto*, comparable con el sujeto que yo soy. Podríamos entonces precisar de la manera siguiente la relación entre las palabras que
constituyen mi título: si el comprender no va acompañado de un reconocimiento pleno del otro como sujeto, entonces esa comprensión
corre el riesgo de ser utilizada para fines de explotación, de "tomar";
el saber quedará subordinado al poder. Lo que permanece en la oscu-
ridad es, entonces, la segunda relación: ¿por qué el tomar lleva a destruir? Porque efectivamente hay destrucción y, para tratar de responder esta pregunta, habrá que recordar sus elementos principales.

Debemos examinar la destrucción de los indios en el siglo XVI
desde dos puntos de vista: cuantitativo y cualitativo. Ante la falta
de estadísticas contemporáneas, la cuestión del número de indios ani-
quilados podría ser objeto de una simple especulación, que implica-
ra las respuestas más contradictorias. Cierto es que los autores antiguos proponen cifras; pero, en términos generales, cuando, pongamos
por caso, Bernal Díaz o Las Casas dicen "cien mil" o "un millón",
podemos dudar de que hayan tenido alguna vez la posibilidad de contar, y si esas cifras finalmente quieren decir algo, ese algo es muy
impreciso: "muchos". Por ello no se tomaron en serio los "millones" de Las Casas, en su *Brevísima relación de la destrucción de las Indias*,
cuando trata de especificar el número de indios desaparecidos. Sin
embargo, las cosas cambiaron por completo desde que algunos historiadores actuales, empleando métodos ingeniosos, llegaron a cal-
cular en forma bastante verosímil la población del continente americano en vísperas de la conquista, para compararla con la que se registra
cincuenta años más tarde, sobre la base de los censos españoles. No
se ha podido dar ningún argumento serio en contra de esas cifras
y aquellos que, hoy en día, las siguen rechazando lo hacen porque
el asunto causa un profundo escándalo. De hecho, esas cifras dan la
razón a Las Casas: no es que sus cálculos sean confiables, sino que
la magnitud de sus cifras es del mismo orden que las determinadas
en la actualidad.

Sin entrar en detalles, y para dar sólo una idea general (aun si uno no se siente con pleno derecho a redondear las cifras), diremos que en el año de 1500 la población global debía ser de unos 400 millones, de los cuales 80 estaban en las Américas. A mediados del siglo xvi, de esos 80 millones quedan 10. O si nos limitamos a México: en vísperas de la conquista, su población es de unos 25 millones; en el año de 1600, es de un millón.

Si alguna vez se ha aplicado con precisión a un caso la palabra genocidio, es a éste. Me parece que es un récord, no sólo en términos relativos (una destrucción del orden de 90% y más), sino también absolutos, puesto que hablamos de una disminución de la población estimada en 70 millones de seres humanos. Ninguna de las grandes matanzas del siglo xx puede compararse con esta hecatombe. Se entiende hasta qué punto son vanos los esfuerzos de ciertos autores para desacreditar lo que se llama la "leyenda negra", que establece la responsabilidad de España en este genocidio y empaña así su reputación. Lo negro está ahí, aunque no haya leyenda. No es que los españoles sean peores que otros colonizadores: ocurre simplemente que fueron ellos los que entonces ocuparon América, y que ningún otro colonizador tuvo la oportunidad, ni antes ni después, de hacer morir a tanta gente al mismo tiempo. Los ingleses o los franceses, en la misma época, no se portan de otra manera; sólo que su expansión no se lleva a cabo en la misma escala, y tampoco los destrozos que pueden ocasionar.

Pero se podría decir que no tiene sentido buscar responsabilidades, o siquiera hablar de genocidio en vez de catástrofe natural. Los españoles no procedieron a un exterminio directo de esos millones de indios, y no podían hacerlo. Si examinamos las formas que adopta la disminución de la población, vemos que son tres, y que la responsabilidad de los españoles en ellas es inversamente proporcional al número de víctimas que produce cada una:

1. Por homicidio directo, durante las guerras o fuera de ellas: número elevado, aunque relativamente bajo; responsabilidad directa.

2. Como consecuencia de malos tratos: número más elevado; responsabilidad (apenas) menos directa.

3. Por enfermedades, debido al "choque microbiano": la mayor parte de la población; responsabilidad difusa e indirecta.

Volveré al primer punto, para examinar la destrucción de los indios en el plano cualitativo; veremos ahora en qué y cómo se da la responsabilidad de los españoles en la segunda y en la tercera forma de muerte.

Por "malos tratos" entiendo sobre todo las condiciones de trabajo impuestas por los españoles, particularmente en las minas, pero no sólo ahí. Los conquistadores-colonizadores no tienen tiempo que perder, deben hacerse ricos de inmediato; por consiguiente, imponen un ritmo de trabajo insoportable, sin ningún cuidado de preservar la salud, y por lo tanto la vida, de sus obreros; la esperanza media de vida de un minero de la época es de veinticinco años. Fuera de las minas, los impuestos son tan desmedidos que llevan al mismo resultado. Los primeros colonizadores no prestan atención a esto, pues las conquistas se suceden con tal rapidez que la muerte de toda una población no los inquieta sobremanera: siempre se puede traer otra, a partir de las tierras recién conquistadas. Motolinía observa que los tributos exigidos a los indios "eran tan grandes que muchos pueblos no los pudiendo cumplir vendían, a mercaderes que solía haber entre ellos, los hijos de los pobres y las tierras, y como los tributos eran ordinarios, y no bastase para ellos vender lo que tenían, algunos pueblos casi del todo se despoblaron, y otros se iban despoblando" (III, 4). Así, la reducción a la esclavitud ocasiona, tanto directa como indirectamente, disminuciones masivas de la población. El primer obispo de México, fray Juan de Zumárraga, describe las actividades de Nuño de Guzmán, conquistador y tirano: "Después que Nuño de Guzmán vino por gobernador a Pánuco, han salido del puerto de aquella provincia con su licencia y mandado, [. . .] veinte e un navíos cargados de esclavos, en que ha sacado nueve o diez mil indios y más, [. . .] los que quedan se van a los montes de temor no los lleven a ellos "

Al lado del aumento de la mortalidad, las nuevas condiciones de vida provocan también una disminución de la natalidad: "Ninguno [tiene] participación con su mujer, por no hacer generación que a sus ojos hagan esclavos", escribe el mismo Zumárraga al rey; y Las Casas explica: "Por manera que no se juntaba el marido con la mujer, ni se veían en ocho ni en diez meses, ni en un año; y cuando al cabo deste tiempo se venían a juntar, venían de las hambres y trabajos tan cansados y tan deshechos, tan molidos y sin fuerzas, y ellas, que no estaban acá menos, que poco cuidado había de comunicarse maridalmente; desta manera cesó en ellos la generación. Las criaturas nacidas, chiquitas perescían, porque las madres, con el trabajo y el hambre, no tenían leche en las tetas; por cuya causa murieron en la isla de Cuba, estando yo presente, 7 000 niños en obra de tres meses: algunas madres ahogaban de desesperadas las criaturas; otras, sintiéndose preñadas, tomaban hierbas para malparir, con que las echaban muertas" (Historia, II, 13). Las Casas también cuenta (Historia,

III, 79) que su conversión a la causa de los indios fue desencadenada por la lectura de estas palabras del Eclesiástico (cap. 34): "Es la vida de los pobres el pan de los miserables; y es un hombre sanguinario cualquiera que se lo quita". Se trata efectivamente, en todos estos casos, de un asesinato económico, cuya entera responsabilidad recae en los colonizadores.

Las cosas son menos claras para las enfermedades. Las epidemias diezmaban las ciudades europeas de la época, igual como lo hicieron, aunque en otra escala, en América: no sólo los españoles no inocularon tal o cual microbio a los indios a sabiendas de que lo hacían, sino que aunque hubieran querido luchar contra las epidemias (como era el caso de algunos religiosos), no habrían podido hacerlo con bastante eficacia. Sin embargo, hoy ha quedado establecido que la población mexicana declinaba incluso independientemente de las grandes epidemias, a consecuencia de la mala alimentación, de otras enfermedades corrientes o de la destrucción del tejido social tradicional. Por otra parte, tampoco se puede considerar esas epidemias como un fenómeno puramente natural. El mestizo Juan Bautista Pomar, en su *Relación de Texcoco*, terminada hacia 1582, reflexiona sobre las causas de la despoblación que, según sus cálculos (que por lo demás son bastante acertados), significa una reducción del orden de diez a uno; ciertamente fueron las enfermedades, pero los indios eran especialmente vulnerables a las enfermedades porque estaban agotados por el trabajo y ya no tenían amor a la vida; la culpa es de "la congoja y fatiga de su espíritu, que nace de verse quitar la libertad que Dios les dio, [. . .] porque realmente los tratan [los españoles] muy peor que si fueran esclavos".

Sea o no admisible esta explicación en el plano médico, hay una cosa segura, y que es más importante para el análisis de las representaciones ideológicas que trato de hacer aquí. Los conquistadores sí ven las epidemias como una de sus armas: no conocen los secretos de la guerra bacteriológica, pero, si pudieran hacerlo, no dejarían de utilizar las enfermedades con plena conciencia de ello; también es lícito imaginar que las más de las veces no hicieron nada para impedir la propagación del las epidemias. El que los indios mueran como moscas es prueba de que Dios está del lado de los que conquistan. Quizás los españoles prejuzgaban un poco respecto a la benevolencia divina frente a ellos; pero, en su concepción, el asunto era indiscutible.

Motolinía, miembro del primer grupo de franciscanos que desembarca en México en 1523, comienza su *Historia* con una enumeración de las diez plagas enviadas por Dios como castigo a esta tierra;

su descripción ocupa el primer capítulo del primer libro de la obra. La referencia es clara: México, como el Egipto bíblico, es culpable ante el Dios verdadero, y es justamente castigado. Sigue entonces en esa lista una serie de acontecimientos cuya integración en una serie única no deja de tener interés.

"La primera fue de viruelas", enfermedad traída por un soldado de Narváez. "Como los indios no sabían el remedio para las viruelas, antes como tienen muy de costumbre, sanos y enfermos, el bañarse a menudo, y como no lo dejasen de hacer morían como chinches a montones. Murieron también mucho de hambre, porque como todos enfermaron de golpe, no se podían curar los unos a los otros, ni había quien les diese pan ni otra cosa ninguna." Así pues, también para Motolinía la enfermedad no es la única responsable; igualmente responsables son la ignorancia, la falta de cuidados, la falta de comida. Los españoles podían, materialmente, suprimir esas otras fuentes de mortalidad, pero nada estaba más lejos de sus intenciones: ¿por qué combatir una enfermedad cuando la manda Dios para castigar a los que no creen? Once años más tarde, sigue diciendo Motolinía, empezó una nueva epidemia, de sarampión, pero se prohibieron los baños y se cuidó a los enfermos; hubo muertos, pero muchos menos que la primera vez.

"La segunda plaga fue los muchos que murieron en la conquista de la Nueva España, en especial sobre México." Y así los que murieron por las armas se unen a las víctimas de la viruela.

"La tercera plaga fue una muy grande hambre luego como fue tomada la ciudad de México." Durante la guerra no se podía sembrar, y, si lograban hacerlo, los españoles destruían las cosechas. Motolinía añade que hasta los españoles pasaban trabajos para encontrar maíz; no hace falta decir más.

"La cuarta plaga fue de los calpixques, o estancieros, y negros." Unos y otros servían como intermediarios entre los colonizadores y la masa de la población; eran campesinos españoles o antiguos esclavos africanos. "Y porque no querría descubrir sus defectos, callaré lo que siento con decir, que se hacen servir y temer como si fueran señores absolutos y naturales, y nunca otra cosa hacen sino demandar, y por mucho que les den nunca están contentos, que a do quiera que están todo lo enconan y corrompen, hediondos como carne dañada [. . .] En los años primeros eran tan absolutos estos calpixques en maltratar a los indios y en cargarlos y enviarlos lejos de su tierra y darles otros muchos trabajos, que muchos indios murieron por su causa y a sus manos."

"La quinta plaga fue los grandes tributos y servicios que los indios hacían." Cuando los indios no tenían más oro, vendían a sus hijos; cuando no tenían más hijos, ya sólo podían ofrecer su vida: "Faltando de cumplir el tributo hartos murieron por ello, unos con tormentos y otros en prisiones crueles, porque los trataban bestialmente, y los estimaban en menos que a bestias." ¿Es eso también un enriquecimiento para los españoles?

"La sexta plaga fue las minas del oro." "Los esclavos indios que hasta hoy en ellas han muerto no se podrían contar."

"La séptima plaga fue la edificación de la gran ciudad de México." "Y en las obras a unos tomaban las vigas, otros caían de alto, a otros tomaban debajo los edificios que deshacían en una parte para hacer en otra, en especial cuando deshicieron los templos principales del demonio. Allí murieron muchos indios." ¿Cómo no ver una intervención divina en la muerte traída por las piedras del Templo Mayor? Motolinía añade que, para ese trabajo, no sólo no se recompensaba a los indios, sino que pagaban los materiales de su bolsillo, o debían traerlos consigo, y que, por otra parte, no les daban de comer. Y como no podían destruir templos y arar el campo al mismo tiempo, iban al trabajo con hambre; lo cual provocaba, quizás, cierto aumento de los "accidentes de trabajo".

"La octava plaga fue los esclavos que hicieron para echar en las minas." Primero tomaban a los que ya eran esclavos entre los aztecas; luego, a los que habían dado muestras de insubordinación; por último a todos los que podían atrapar. Durante los primeros años después de la conquista, el comercio de esclavos florece, y los esclavos cambian de amo con frecuencia. "Dábanles por aquellos rostros tantos letreros, demás del principal hierro del rey, tanto que toda la cara traían escrita, porque de cuantos era comprado y vendido llevaba letreros." También Vasco de Quiroga, en una carta al Consejo de Indias★, deja una descripción de esos rostros transformados en libros ilegibles, como los cuerpos de los torturados en *La colonia penitenciaria* de Kafka: "Los hierran en las caras por tales esclavos, y se las aran y escriben con los letreros de los nombres de cuantos los van comprando, unos de otros, de mano en mano, y algunos hay que tienen tres y cuatro letreros, [. . .] de manera que la cara del hombre que fue criado a imagen de Dios, se ha tornado en esta tierra, por nuestros pecados, papel."

★ No se trata de una carta al Consejo de Indias, sino de la "Información en derecho del Lic. Quiroga sobre algunas provisiones del Real Consejo de Indias" (cap. III), documento dirigido al rey. [T.]

"La novena plaga fue el servicio de las minas, a las cuales iban de sesenta leguas y más a llevar mantenimientos los indios cargados; y la comida que para sí mismos llevaban, a unos se les acababa en llegando a las minas, a otros en el camino de vuelta antes de su casa, a otros detenían los mineros algunos días para que les ayudasen a descopetar, o los ocupaban en hacer casas y servirse de ellos, adonde acabada la comida, o se morían allá en las minas, o por el camino; porque dineros no los tenían para comprarla, ni había quien se la diese. Otros volvían tales, que luego morían; y de éstos y de los esclavos que murieron en las minas fue tanto el hedor, que causó pestilencia, en especial en las minas de Oaxyecac, en las cuales media legua a la redonda y mucha parte del camino, apenas se podía pasar sino sobre hombres muertos o sobre huesos; y eran tantas las aves y cuervos que venían a comer sobre los cuerpos muertos, que hacían gran sombra al sol, por lo cual se despoblaron muchos pueblos, así del camino como de la comarca."

"La décima plaga fue las divisiones y bandos que hubo entre los españoles que estaban en México." Uno podría preguntarse en qué vulnera eso a los indios; es sencillo: como los españoles se pelean, los indios imaginan que pueden aprovechar eso para deshacerse de ellos; cierto o no, los españoles encuentran que es un buen pretexto para ejecutar a muchos indios más, como Cuauhtémoc, que entonces era prisionero.

Motolinía partió de la imagen bíblica de las diez plagas, hechos sobrenaturales enviados por Dios para castigar a los egipcios. Pero su relato se va transformando en una descripción realista y acusadora de la vida en México en los primeros años después de la conquista; los claramente responsables de esas "plagas" son los hombres, y en realidad Motolinía no los aprueba. O más bien, al tiempo que condena la explotación, la crueldad, los malos tratos, considera la existencia misma de esas "plagas" como una expresión de la voluntad divina, y un castigo de los infieles (sin que eso implique que aprueba a los españoles, causa inmediata de las desgracias). Los responsables directos de cada uno de esos desastres (antes de que se conviertan en "plagas", en cierta forma) son conocidos por todos: son los españoles.

Pasemos ahora al aspecto cualitativo de la destrucción de los indios (aunque ese término de "cualitativo" se antoje aquí fuera de lugar). Entiendo por ello el carácter especialmente impresionante, y quizás moderno, que adopta esa destrucción.

Las Casas había dedicado su *Brevísima relación* a evocar sistemáticamente todos los horrores causados por los españoles (figs. 17, 18 y 19). Pero la *Relación* generaliza sin citar nombres propios ni circunstancias individuales; por eso fue posible decir que había una gran exageración, o incluso cierta invención, nacida de la mente quizás enfermiza, o incluso perversa, del dominico. Es evidente que Las Casas no presenció todo lo que refiere. Por lo tanto, he decidido citar sólo algunos relatos de testigos presenciales; pueden dar una impresión de monotonía, pero así debía ser también la realidad que evocan.

El más antiguo es el informe dirigido en 1516 por un grupo de dominicos a M. de Chièvres, ministro de Carlos I (futuro Carlos V); se refiere a hechos que tuvieron lugar en las islas del Caribe.

Sobre la forma en que se trataba a los niños: "Yendo ciertos cristianos, vieron una india que tenía un niño en los brazos, que criaba, e porque un perro quellos llevaban consigo había hambre, tomaron el niño vivo de los brazos de la madre, echáronlo al perro, e así lo despedazó en presencia de su madre." "Cuando llevaban de aquellas gentes captivas algunas mujeres paridas, por solo que lloraban los niños, los tomaban por las piernas e los aporreaban en las peñas o los arrojaban en los montes, porque allí se muriesen."

Sobre las relaciones con los obreros de las minas: "Cada minero se tenía por uso de echarse indiferentemente con cada cual de las indias que a su cargo tenían y le placía, ahora fuese casada, ahora fuese moza; quedándose él con ella en su choza o rancho, enviaba al triste de su marido a sacar oro a las minas, y en la noche, cuando volvía con el oro, dándole palos o azotes, porque no traía mucho, acaescía muchas veces atarle pies y manos como a perro, y echarlo debajo de la cama y él encima con su mujer."

Sobre la forma en que se trataba a la mano de obra: "Acaescía todas las veces con los indios que traían de sus tierras morírseles tantos en el camino de hambre, que pensamos que por el rastro dellos que quedaba por la mar, pudiera venir otro navío hasta tal puerto. [. . .] Llegados a un puerto desta isla, el cual llaman puerto de Plata, más de ochocientos en una carabela, estovieron en el puerto dos días sin desembarcarse; morieron dellos seiscientos, y echábanlos en la mar y arrollábalos el agua a la orilla como maderos."

Y ahora un relato de Las Casas, que no figura en la *Relación*, sino en su *Historia de las Indias*, y que refiere un hecho del que no sólo fue testigo, sino participante: la matanza de Caonao, en Cuba, perpetrada por la tropa de Narváez, a la que está adscrito en calidad de capellán. El episodio empieza con una circunstancia fortuita: "El día que los españoles llegaron al pueblo, en la mañana paráronse a almor-

zar en un arroyo seco, aunque algunos charquillos tenía de agua, el
cual estaba lleno de piedras amoladeras, y antojóseles a todos de afi-
lar en ellas sus espadas" (III, 29).

Al llegar a la aldea después de ese almuerzo campestre, a los españoles se les ocurre una nueva idea: comprobar si las espadas están
tan afiladas como parece. "Súbitamente sacó un español su espada,
en quien se creyó que se le revistió el diablo, y luego todos ciento
sus espadas, y comienzan a desbarrigar y acuchillar y matar de aquellas ovejas y corderos, hombres y mujeres, niños y viejos, que estaban sentados, descuidados, mirando las yeguas y los españoles, pas-
mados, y dentro de dos credos no queda hombre vivo de todos
cuantos allí estaban. Entran en la gran casa, que junto estaba, porque
a la puerta della esto pasaba, y comienzan lo mismo a matar a cuchilladas y estocadas cuantos allí hallaron, que iba el arroyo de la sangre como si hobieran muerto muchas vacas" (fig. 19).

Las Casas no encuentra ninguna explicación para estos hechos,
a no ser el deseo de comprobar que las espadas estaban bien afiladas.
"Ver las heridas que muchos tenían de los muertos, y otros que aún
no habían expirado, fue una cosa de grima y espanto, que como el
diablo, que los guiaba, les deparó aquellas piedras de amolar, en que
afilaron las espadas aquel día de mañana en el arroyo donde almor-
zaron, dondequiera que daban el golpe, en aquellos cuerpos desnudos, en cueros y delicados, abrían por medio todo el hombre de
una cuchillada."

Veamos ahora un relato que se refiere a la expedición de Vasco
Núñez de Balboa, transcrito por alguien que ha oído a muchos conquistadores contando sus aventuras: "Que como en los mataderos
descuartizan las carnes de bueyes o carneros, así los nuestros de un
solo tajo le cortaban a uno las nalgas, al otro el muslo, o los brazos
al de más allá: como animales brutos perecieron [. . .]. Mandó el capitán español entregarlos en número de cuarenta a la voracidad de los
perros" (Pedro Mártir, III, 1).

El tiempo pasa, pero las costumbres permanecen: es lo que se desprende de la carta que le escribe fray Jerónimo de San Miguel al rey,
el 20 de agosto de 1550: "A unos [indios] los han quemado vivos,
a otros los han con muy grande crueldad cortado manos, narices,
lenguas y otros miembros, aperreado indios y destetado mujeres. . ."

Y ahora un relato de Diego de Landa, obispo de Yucatán, que
no está especialmente a favor de los indios: "Y dice este Diego de
Landa que él vio un gran árbol cerca del pueblo en el cual un capitán
ahorcó muchas mujeres indias en sus ramas y de los pies de ellas a

Figs. 17 y 18. *Las crueldades de los españoles*

Fig. 19. *Las espadas están bien afiladas*

los niños, sus hijos. [. . .] Hicieron [en los indios] crueldades inauditas [pues les] cortaron narices, brazos y piernas, y a las mujeres los pechos y las echaban en lagunas hondas con calabazas atadas a los pies; daban estocadas a los niños porque no andaban tanto como las madres, y si los llevaban en colleras y enfermaban, o no andaban tanto como los otros, cortábanles las cabezas por no pararse a soltarlos" (15).

Y para terminar esta macabra enumeración, un detalle referido por Alonso de Zorita, hacia 1570: "Oidor ha habido que públicamente en estrados dijo a voces, que cuando faltase agua para regar las heredades de los españoles se habían de regar con sangre de indios" (10).

¿Cuáles son las motivaciones inmediatas que llevan a los españoles a adoptar esta actitud? Una es, indiscutiblemente, el deseo de hacerse rico, muy rico, y con rapidez, lo cual implica que se descuide el bienestar, o incluso la vida del otro: se tortura para arrancar el secreto del escondite de los tesoros; se explota para obtener beneficios. Los autores de la época ya aducían esta razón como explicación principal de lo que había ocurrido; así por ejemplo, Motolinía: "Si alguno preguntase qué ha sido la causa de tantos males, yo diría que la codicia, [. . .] por poner en el cofre unas barras de oro para no sé quién" (I, 3), y Las Casas: "No digo que [los españoles] los desean matar de direto, por odio que les tengan, sino que desean ser ricos y abundar en oro, que es su fin, con trabajos y sudor de los afligidos y angustiados indios" ("Entre los remedios", 7).

¿Y por qué ese deseo de hacerse rico? Porque, como todo el mundo sabe, el dinero lo consigue todo: "Porque por el dinero alcanzan los hombres todo cuanto temporal han menester y desean, como es honra, nobleza, estado, familia, fausto, preciosidad de vestidos, delicadez de manjares, delectación de vicios, venganza de sus enemigos, estimación grande de sus personas" (ibid.).

El deseo de hacerse rico ciertamente no es nuevo, y la pasión del oro no tiene nada de específicamente moderno. Pero lo que sí es más bien moderno es esa subordinación de todos los demás valores a éste. El conquistador no ha dejado de aspirar a los valores aristocráticos, a los títulos de nobleza, a los honores y a la consideración; pero para él se ha vuelto perfectamente claro que todo se puede obtener con dinero, y que éste no sólo es el equivalente universal de todos los valores materiales, sino que también significa la posibilidad de adquirir todos los valores espirituales. Tanto en el México de Moctezuma como en la España anterior a la Conquista, es conveniente ser rico; pero uno no puede comprarse una posición, o por lo menos no puede hacerlo directamente. Esta homogeneización de los valores por el dinero es un hecho nuevo, y anuncia la mentalidad moderna, igualitarista y economicista.

De todos modos, el deseo de hacerse rico no lo explica todo, ni mucho menos; y si es eterno, las formas que adopta la destrucción de los indios, y también sus dimensiones, son inéditas, incluso excepcionales. La explicación económica resulta a todas luces insuficiente. No se puede justificar la matanza de Caonao con una codicia cualquiera, ni las madres ahorcadas en los árboles, ni los niños colgados de los pies de las madres; ni las torturas en las que se arrancan con tenazas las carnes de las víctimas, pedazo a pedazo; los esclavos no trabajan mejor si el amo se acuesta con su mujer, encima de su cabeza. Todo ocurre como si los españoles encontraran un placer intrínseco en la crueldad, en el hecho de ejercer su poder sobre el otro, en la demostración de su capacidad de dar la muerte.

Una vez más, podríamos invocar algunos rasgos inmutables de la "naturaleza humana", que el vocabulario psicoanalítico designa con términos tales como "agresividad", "pulsión de muerte", o incluso "pulsión de dominio" (*Bemächtigungstrieb, instinct for mastery*); también podríamos, por lo que se refiere a la crueldad, recordar diferentes características de otras culturas, incluso de la sociedad azteca en particular, sociedad que tiene la reputación de ser "cruel" y de no conceder gran importancia a la cantidad de las víctimas (¡o más bien de hacer víctimas, pero para su propia gloria!): según Durán, el rey Ahuízotl sacrificó en México a 80 400 personas, sólo para la inauguración del nuevo templo. También cabría sostener que cada pueblo, desde los orígenes hasta nuestros días, tiene sus víctimas y conoce la locura homicida, y preguntarse si no es ésa una característica de las sociedades de dominio masculino (puesto que son las únicas que conocemos).

Pero sería un error borrar así todas las diferencias y limitarse a términos más afectivos que descriptivos, tales como "crueldad". Con los homicidios ocurre algo parecido a lo que ocurre con el ascenso a los volcanes: uno llega cada vez hasta la cumbre y regresa de ella; pero no trae lo mismo cada vez. De la misma forma en que fue necesario oponer la sociedad que valora lo ritual a la que valora la improvisación, o bien oponer el código al contexto, cabría hablar aquí de sociedades con sacrificio y sociedades con matanza, cuyos representantes serían, respectivamente, los aztecas y los españoles del siglo XVI.

Dentro de esta visión, el sacrificio es un homicidio religioso: se hace en nombre de la ideología oficial, y será perpetrado en la plaza pública, a ciencia y paciencia de todos. La identidad del sacrificado se determina siguiendo reglas estrictas. No debe ser demasiado extranjero, demasiado lejano: hemos visto que, en opinión de los aztecas, la carne de las tribus lejanas no era comestible para sus dioses; pero el sacrificado tampoco debe pertenecer a la misma sociedad: no se sacrifica a un conciudadano. Los sacrificados provienen de países limítrofes, que hablan el mismo idioma pero tienen un gobierno autónomo. Además, una vez que han sido capturados los dejan algún tiempo en la cárcel, con lo que los asimilan parcialmente —pero nunca por completo. El sacrificado, ni semejante ni totalmente diferente, cuenta también por sus cualidades personales: el sacrificio de un valeroso guerrero se aprecia más que el de un hombre cualquiera. En cuanto a los inválidos de todas clases, se les declara de entrada impropios para el sacrificio. Éste se efectúa en público, y muestra la fuerza del tejido social, su peso en el ser individual.

La matanza, en cambio, revela la debilidad de ese mismo tejido social, la forma en que han caído en desuso los principios morales que solían asegurar la cohesión del grupo. Se realiza de preferencia lejos, ahí donde a la ley le cuesta trabajo hacerse respetar: para los españoles, en América, o en el límite en Italia. La matanza está, entonces, íntimamente relacionada con las guerras coloniales, que se libran lejos de la metrópoli. Mientras más lejanas y extrañas sean sus víctimas, mejor será: se las extermina sin remordimientos, equiparándolas más o menos con los animales. Por definición, la identidad individual de la víctima de una matanza no es pertinente (de otro modo sería un homicidio): uno no tiene ni el tiempo ni la curiosidad necesarios para saber a quién mata en ese momento. Al contrario de los sacrificios, las matanzas no se reivindican nunca, su existencia misma generalmente se guarda en secreto y se niega. Es porque su función social no se reconoce, y se tiene la impresión de que el acto encuentra su justificación en sí mismo: uno blande el sable por el gusto de hacerlo, corta la nariz, la lengua y el sexo del indio, sin que al cortador de narices se le ocurra que esté cumpliendo rito alguno.

Si el homicidio religioso es un sacrificio, la matanza es un homicidio ateo, y los españoles parecen haber inventado (o vuelto a encontrar, pero sin tomarlo de su pasado inmediato, pues las hogueras de la Inquisición están más bien emparentadas con el sacrificio) precisamente este tipo de violencia que, en cambio, se encuentra en grandes cantidades en nuestro pasado más reciente, ya sea en el plano de la violencia individual o de la que practican los estados. Es como si los conquistadores obedecieran a la regla (si es que se le puede dar ese nombre) de Iván Karamazov: "todo está permitido". Lejos del poder central, lejos de la ley real, caen todas las interdicciones, el lazo social, que ya estaba flojo, se rompe, para revelar, no una naturaleza primitiva, la bestia dormida dentro de cada uno de nosotros, sino un ser moderno, lleno de porvenir, al que no retiene ninguna moral y que mata porque y cuando así le place. La "barbarie" de los españoles no tiene nada de atávico ni de animal; es perfectamente humana y anuncia el advenimiento de los tiempos modernos. En la Edad Media ocurre que se corte los pechos a las mujeres o los brazos a los hombres, como castigo o como venganza; pero se hace en el país de uno, o en el país de uno igual que en cualquiera otra parte. Lo que descubren los españoles es el contraste entre metrópoli y colonia; leyes morales completamente diferentes rigen la conducta aquí y allí: la matanza necesita un marco apropiado.

Pero ¿qué hacer si uno no quiere tener que escoger entre la civilización del sacrificio y la civilización de la matanza?

## IGUALDAD O DESIGUALDAD

Ciertamente el deseo de hacerse rico y la pulsión de dominio, esas dos formas de aspirar al poder, motivan el comportamiento de los españoles; pero también está condicionado por la idea que tienen de los indios, idea según la cual éstos son inferiores, en otras palabras, están a la mitad del camino entre los hombres y los animales. Sin esta premisa existencial, la destrucción no hubiera podido ocurrir.

Desde su primera formulación, esta doctrina de la desigualdad va a ser combatida por otra, que afirma, por el contrario, la igualdad entre todos los hombres. Así pues, asistimos aquí a un debate, y debemos prestar atención a las dos voces que se enfrentan. Ahora bien, este debate no sólo pone en juego la oposición igualdad-desigualdad, sino también la que existe entre identidad y diferencia; y esta nueva oposición, cuyos términos, en el plano ético, no son más neutros que los de la anterior, hace más difícil emitir un juicio sobre ambas posiciones. Ya lo habíamos visto en Colón: la diferencia se degrada en desigualdad; la igualdad, en identidad; ésas son las dos grandes figuras de la relación con el otro, que dibujan su espacio inevitable.

Las Casas y otros defensores de la igualdad acusaron tantas veces a sus adversarios de haber confundido a los indios con bestias que podríamos preguntarnos si no ha habido exageración. Debemos vol-

vernos entonces hacia los defensores de la desigualdad para ver cómo
están las cosas. El primer documento interesante a este respecto es
el célebre requerimiento, o conminación a los indios. Es obra del jurista real Palacios Rubios, y data de 1514. Es un texto nacido de la necesidad de reglamentar unas conquistas que, hasta entonces, habían sido
algo caóticas. A partir de ese momento, antes de conquistar una región
habrá que dirigirse a sus habitantes y dar lectura a ese texto. A veces
se ha querido ver en ello el deseo de la Corona de impedir guerras
no justificadas y de dar ciertos derechos a los indios; pero esa interpretación es demasiado generosa. En el contexto de nuestro debate,
el requerimiento está claramente del lado de la desigualdad, una desigualdad, por cierto, más bien implicada que afirmada.

Este texto, curioso ejemplo de un intento por dar un base legal
al cumplimiento de los deseos, comienza con una breve historia de
la humanidad, cuyo punto culminante es la aparición de Jesucristo,
al que se declara "cabeza de todo el linaje humano", especie de soberano supremo, que tiene bajo su jurisdicción al universo entero. Establecido este punto de partida, las cosas se encadenan con toda sencillez: Jesús transmitió su poder a san Pedro, y éste a los papas que
le siguieron; uno de los últimos papas regaló el continente americano
a los españoles (y en parte a los portugueses). Establecidas así las razones jurídicas de la dominación española, ya sólo falta asegurarse de
una cosa: de que los indios sean informados de la situación, pues es
posible que no se hayan enterado de esos regalos sucesivos que daban
los papas y los emperadores. Eso es lo que va a remediar la lectura
del requerimiento, hecha en presencia de un oficial del rey (pero no
se menciona a ningún intérprete). Si los indios se muestran convencidos después de esa lectura, no hay derecho de hacerlos esclavos (en
eso es en lo que el texto "protege" a los indios con la concesión de
un estatuto). Sin embargo, si no aceptan esa interpretación de su propia historia, serán duramente castigados. "Si no lo hiciéredes y en
ello maliciosamente dilación pusiéredes, certifícoos que con el ayuda de Dios, yo entraré poderosamente contra vosotros, e vos haré
guerra por todas las partes e maneras que yo pudiere, e vos subjec-
taré al yugo e obidiencia de la Iglesia, e a Sus Altezas, e tomaré vuestras personas e de vuestras mujeres e hijos, e los haré esclavos, e como
tales los venderé, e disporné dellos como Sus Altezas mandaren; e
vos tomaré vuestros bienes, e vos haré todos los males e daños que
pudiere, como a vasallos que no obedescen ni quieren rescebir su
señor, e le resisten e contradicen" (Fernández de Oviedo, 29, 7).
Hay una contradicción evidente, que no dejarán de subrayar los

opositores del requerimiento, entre la esencia de la religión que supuestamente es el fundamento de todos los derechos de los españoles y las consecuencias de esta lectura pública: el cristianismo es una religión igualitaria; pero en su nombre se reduce a los seres humanos a la esclavitud. No sólo se confunden poder temporal y poder espiritual, lo cual es la tendencia de toda ideología de estado —provenga o no del Evangelio—, sino que, además, los indios sólo pueden elegir entre dos posiciones de inferioridad: o se someten por su propia voluntad, y se vuelven siervos, o serán sometidos por la fuerza, y reducidos a la esclavitud. Hablar de legalismo, en estas condiciones, es irrisorio. Se postula de entrada que los indios son inferiores, pues los españoles deciden las reglas del juego. Se podría decir que la superioridad de quienes anuncian el requerimiento ya está contenida en el hecho de que son ellos los que hablan, mientras que los indios escuchan.

Sabemos que los conquistadores no sentían ningún escrúpulo en aplicar las instrucciones reales según les convenía, y en castigar a los indios en caso de insumisión. Todavía en 1550, Pedro de Valdivia informa al rey que los araucanos, habitantes de Chile, no se han querido someter; por consiguiente les ha hecho la guerra y, una vez que ha ganado, no ha olvidado castigarlos: "...de los cuales [indios] mandé cortar hasta [a] doscientos las manos y narices, en rebeldía de que muchas veces les había enviado mensajeros y hécholes los requerimientos que V.M. manda".

No se sabe exactamente en qué idioma se expresaban los mensajeros de Valdivia, ni cómo se las arreglaban para hacer que el contenido del requerimiento fuera comprensible para los indios... Pero sí sabemos cómo, en otros casos, los españoles dejaban muy a propósito de recurrir a los intérpretes, puesto que eso, en suma, les simplificaba la tarea: ya no se planteaba el asunto de la reacción de los indios. El historiador Fernández de Oviedo, conquistador y campeón de la tesis de la desigualdad, dejó varios relatos sobre este tema. Se empieza por capturar a los indios. "E después de estar metidos en cadena, uno les leía aquel Requerimiento, sin lengua o intérprete, e sin entender el letor ni los indios; e ya que se lo dijeran con quien entendiera su lengua, estaban sin libertad para responder a lo que se les leía, y al momento tiraban con ellos aprisionados adelante, e no dejando de dar de palos a quien poco andaba" (29, 9).

En el transcurso de otra campaña, Pedrarias Dávila le pide al propio Oviedo que lea el famoso texto. Éste le contesta a su capitán: "Señor, parésceme que estos indios no quieren escuchar la teología deste Requerimiento, ni vos tenés quién se la dé a entender; mande vuestra merced guardalle, hasta que tengamos algún indio déstos en una jaula, para que despacio lo aprenda, e el señor obispo se lo dé a entender" (29, 7).

Como dice Las Casas al analizarlo, no se sabe si lo "absurdo" del requerimiento "cosa es de reír o de llorar" (*Historia*, III, 58). El texto de Palacios Rubios no se mantiene como base jurídica de la conquista. Pero se encuentran los rastros más o menos debilitados de su espíritu incluso entre los adversarios de los conquistadores. Quizás el ejemplo más interesante sea el de Francisco de Vitoria, teólogo, jurista, y profesor en la Universidad de Salamanca, que es uno de los sitios culminantes del humanismo español del siglo XVI. Vitoria hace pedazos los argumentos que generalmente se presentan para justificar las guerras de América, pero sin embargo concibe la posibilidad de "guerras justas". Entre las razones que pueden llevar a ellas, hay dos tipos que son especialmente interesantes para nosotros. Están por una parte las que descansan en la reciprocidad, que se aplican indistintamente a los indios y a los españoles. Así ocurre cuando se viola lo que Vitoria llama "título de la sociedad natural y comunicación" (*De los indios*, 3, 1, 230). Este derecho a la comunicación se puede entender en varios niveles. Ante todo es natural que las personas puedan circular libremente fuera de su país de origen, y debe ser "lícito a cualquiera dirigirse a la región que quisiera y recorrerla" (3, 2, 232). También se puede exigir la libertad de comercio, y Vitoria recuerda aquí el principio de reciprocidad: "Ni sus príncipes [los de los indios] pueden impedir a sus súbditos que comercien con los españoles, ni, por el contrario, los príncipes de los españoles pueden prohibirles el comerciar con ellos" (3, 3, 245). Por lo que se refiere a la circulación de las ideas, Vitoria evidentemente sólo piensa en la libertad de los españoles para predicar el Evangelio a los indios, y nunca en la de los indios para propagar el *Popol Vuh* en España, pues la "salvación" cristiana es para él un valor absoluto. Sin embargo, podríamos equiparar este caso con los dos anteriores.

No ocurre lo mismo, en cambio, con otro grupo de razones, que Vitoria ofrece para justificar las guerras. En efecto, considera que una intervención es lícita si se hace en nombre de la protección de los inocentes contra la tiranía de los jefes indígenas o de sus leyes, "como son las que ordenan sacrificios de hombres inocentes o permiten la matanza de hombres exentos de culpa para comer sus carnes" (3, 15, 290). Tal justificación de la guerra es mucho menos evidente de lo que le hubiera gustado a Vitoria, y no en todos los casos es recíproca: aun si esta regla se aplicara indistintamente a indios y españoles, estos últimos son quienes decidieron el sentido de la palabra "tiranía", y eso es lo esencial. Los españoles, a diferencia de los indios, no son sólo parte, sino también juez, puesto que ellos determinan los criterios según los cuales se habrá de emitir el juicio; deciden, por ejemplo, que el sacrificio humano implica tiranía, pero no opinan lo mismo para la matanza.

Esa distribución de los papeles implica que no existe una igualdad auténtica entre españoles e indios. En realidad, Vitoria no lo oculta; su última justificación de la guerra contra los indios es totalmente clara a este respecto (si bien es cierto que se presenta en un modo dubitativo). "Esos bárbaros, aunque, como antes dijimos, no sean del todo amentes, distan, sin embargo, muy poco de los amentes. [. . .] Nada o poco más valen para gobernarse a sí mismos que los amentes, y ni aun son mucho más capaces que las mismas fieras y bestias, de las que no se diferencian siquiera ni en utilizar alimentos más tiernos o mejores que los que ellas consumen." Y añade que su "rudeza" es "mayor que la de los niños y amentes de otras naciones" (3, 18, 299-302). Así pues, es lícito intervenir en su país para ejercer lo que equivale a un derecho de tutela. Pero, incluso si se admite que se deba imponer el bien al otro, ¿quién decide, una vez más, qué es barbarie o salvajismo, y qué es civilización? Sólo una de las dos partes que se enfrentan, entre las cuales ya no subsiste ninguna igualdad ni reciprocidad. Estamos acostumbrados a considerar a Vitoria como defensor de los indios; pero, si buscamos el impacto de su discurso, y no sus intenciones, queda claro que su papel es otro: al amparo de un derecho internacional fundado en la reciprocidad, proporciona en realidad una base legal para las guerras de colonización, que hasta entonces no la tenían (por lo menos no tenían ninguna justificación que pudiese resistir a un examen más o menos serio).

Junto a estas expresiones jurídicas de la doctrina de la desigualdad, también encontramos muchas otras, en las cartas, los informes o las crónicas de la época; todas ellas tienden a presentar a los indios como imperfectamente humanos. Escojo dos testimonios entre mil, sencillamente porque sus autores son un religioso y un científico y letrado, es decir, representan a los grupos sociales generalmente mejor intencionados frente a los indios. El dominico Tomás Ortiz escribe al Consejo de Indias:

"Comen carne humana en la tierra firme; son sodométicos más que en generación alguna; ninguna justicia hay entre ellos; andan desnudos, no tienen amor ni vergüença; son estólidos, alocados, no guardan verdad si no es a su provecho; son inconstantes; no saben qué cosa sea consejo; son ingratíssimos y amigos de novedades. [. . .] Son bestiales, y précianse de ser abominables en vicios; ninguna obediencia ni cortesía tienen mozos a viejos, ni hijos a padres. No son capaces de doctrina ni castigo. [. . .] comen piojos y arañas y gusanos crudos, doquiera que los hayan; no tienen arte ni maña de hombres. Cuando han aprendido las cosas de la fe, dicen que esas cosas son para Castilla, que para ellos no valen nada, y que no quieren mudar costumbres; son sin barbas, y si a algunos les nascen, pélanlas y arráncanlas. [. . .] quanto más crescen se hacen peores; hasta diez o doce años paresce que han de salir con alguna crianza y virtud; pasando adelante se tornan como bestias brutas. En fin digo que nunca crió Dios tan cozida gente en vicios y bestialidades, sin mistura alguna de bondad o policía. [. . .] Son insensatos como asnos, y no tienen en nada matarse" (Pedro Mártir, VII, 47).

Me parece que frente a este texto huelgan los comentarios.

El segundo autor es, una vez más, Fernández de Oviedo, rica fuente de juicios xenófobos y racistas: en sus escritos los indios no están rebajados al nivel del caballo o del asno (o incluso un poco más abajo), sino que se encuentran en algún lado cerca de los materiales de construcción, madera, piedra o hierro (en todo caso, objetos inanimados). Tiene una expresión extraordinaria, de la que difícilmente podemos concebir que no sea irónica; pero no lo es: ". . .ni tampoco tienen las cabezas como otras gentes, sino de tan rescios e gruesos cascos, que el principal aviso que los cristianos tienen cuando con ellos pelean e vienen a las manos, es no darles cuchilladas en la cabeza, porque se rompen las espadas" (v, "Proemio"). No es de sorprender el que Oviedo sea de hecho partidario de la "solución final" del problema indio, solución cuya responsabilidad quisiera hacer asumir por el Dios de los cristianos. Proclama con gran seguridad que "los ha Dios de acabar muy presto" (VI, 9), y también que "Ya se desterró Satanás desta isla [la Española]; ya cesó todo con cesar y acabarse la vida a los más de los indios" (v, 4). Y aún dice más: quemar pólvora contra los paganos equivale a quemar incienso ante el Señor.

El debate entre los partidarios de la igualdad o de la desigualdad de indios y españoles llega a su apogeo, y al mismo tiempo encuentra una encarnación concreta, en la célebre controversia de Valladolid que enfrenta, en 1550, al erudito y filósofo Juan Ginés de Sepúlveda con el abad dominico y obispo de Chiapas, Bartolomé de las Casas. La misma existencia de esa confrontación tiene algo de extraordinario; por lo general, este tipo de diálogo se establece de libro a libro y los protagonistas no se enfrentan directamente. Pero, precisamente, a Sepúlveda se le negó el derecho de imprimir su tratado sobre las justas causas de la guerra contra los indios; buscando una especie de apelación, provoca el encuentro frente a un jurado de sabios, juristas y teólogos; Las Casas se propone para defender el punto de vista opuesto en esta justa de oratoria. Cuesta trabajo imaginarse el espíritu que permite que los conflictos ideológicos se resuelvan con diálogos de este tipo. Por lo demás, el conflicto no había de quedar verdaderamente resuelto: después de escuchar largos discursos (especialmente el de Las Casas, que dura cinco *días*), los jueces, agotados, se separan, y no adoptan finalmente ninguna decisión. Sin embargo, la balanza se inclina más bien del lado de Las Casas, pues Sepúlveda no obtiene la autorización para publicar su libro.

Sepúlveda apoya su argumentación en una tradición ideológica de la que también sacan sus argumentos los demás defensores de la tesis de la desigualdad. Mencionaremos entre esos autores a aquel cuyo patrocinio reivindica —con toda razón— esta tesis: Aristóteles. Sepúlveda tradujo la *Política* al latín, y es uno de los mejores especialistas de su tiempo en el pensamiento aristotélico; ¿y acaso no es Aristóteles, precisamente en la *Política*, el que establece la célebre distinción entre quienes han nacido amos y quienes han nacido esclavos? "Aquellos hombres que difieren tanto de los demás como el cuerpo del alma y la bestia del hombre [. . .] son por naturaleza esclavos [. . .]. Es pues esclavo por naturaleza el que [. . .] participa de la razón en cuanto puede percibirla, pero sin tenerla en propiedad" (1254b). Otro texto al que se encuentran referencias frecuentes es un tratado, *De regimine*, atribuido en esa época a santo Tomás de Aquino, pero que es obra de Tolomeo de Luca, donde se añade a la afirmación de la desigualdad una explicación ya antigua, y que sin embargo tiene un gran povenir: su razón se debe buscar en la influencia del clima (y en la de los astros).

Sepúlveda cree que el estado natural de la sociedad humana es la jerarquía, no la igualdad. Pero la única relación jerárquica que conoce es la de superioridad/inferioridad; por lo tanto no hay diferencias de naturaleza, sólo diferentes grados en una misma y única escala de valores, aun si la relación se puede repetir al infinito. Su diálogo *Democrates alter*, aquel cuyo *imprimatur* no logró obtener, expone claramente sus puntos de vista al respecto. Inspirándose en los principios y en las afirmaciones particulares que encuentran en la *Política* de Aristóteles, declara que todas las jerarquías, a pesar de sus diferencias de forma, están fundadas en un solo principio único: "el imperio y dominio de la perfección sobre la imperfección, de la fortaleza sobre la debilidad, de la virtud excelsa sobre el vicio" (p. 20). Da la impresión de que eso es evidente, de que se trata de una "proposición analítica"; en el momento siguiente, y todavía con espíritu aristotélico, Sepúlveda da ejemplos de esta superioridad natural: el cuerpo debe esar subordinado al alma, la materia a la forma, los hijos a los padres, la mujer al hombre, y los esclavos (definidos tautológicamente como seres inferiores) a los amos. Sólo falta dar un paso para justificar la guerra de conquista contra los indios: "Esos bárbaros [. . .] en prudencia, ingenio y todo género de virtudes y humanos sentimientos son tan inferiores a los españoles como los niños a los adultos, las mujeres a los varones, los crueles e inhumanos a los extremadamente mansos, los exageradamente intemperantes a los continentes y moderados; finalmente cuánto estoy por decir los monos a los hombres" (*ibid.*, p. 33; la última parte de la frase falta en algunos manuscritos).

Todas las operaciones que constituyen el universo mental de Sepúlveda tienen en última instancia el mismo contenido; y las afirmaciones anteriores se podrían volver a escribir como una interminable cadena de proporciones:

$$\frac{\text{indios}}{\text{españoles}} = \frac{\text{niños (varón)}}{\text{adultos (padre)}} = \frac{\text{mujeres (esposa)}}{\text{varones (esposo)}} = \frac{\text{animales (monos)}}{\text{humanos}} =$$

$$\frac{\text{crueldad}}{\text{clemencia}} = \frac{\text{intemperancia}}{\text{continencia}} = \frac{\text{materia}}{\text{forma}} = \frac{\text{cuerpo}}{\text{alma}} = \frac{\text{apetito}}{\text{razón}} = \frac{\text{mal}}{\text{bien}}$$

Claro que no todos los partidarios de la desigualdad tienen un pensamiento tan esquemático; vemos que Sepúlveda reúne toda jerarquía y toda diferencia en la simple oposición entre bueno y malo, es decir que finalmente se las arregla bastante bien con el principio de la identidad (más que con el de la diferencia). Pero la lectura de esas oposiciones en cadena no es menos instructiva. Hagamos primero a un lado la oposición donde el afirmar la superioridad del segundo término respecto al primero es cercana a la tautología: mal/bien; las que alaban tal o cual conducta (clemencia, continencia); por último, las que se apoyan en una clara diferencia biológica: animales/humanos, niños/adultos. Quedan dos series de oposiciones: las que giran alrededor de la pareja cuerpo/alma y las que oponen partes de la población del planeta cuya diferencia es evidente, pero cuya superioridad o inferioridad es problemática: indios/españoles, mujeres/varones. Claro que es revelador encontrar que los indios se equiparaban con las mujeres, lo cual prueba el paso fácil del *otro* interior al *otro* exterior (puesto que el que habla siempre es un varón español); recordemos, además, que los indios hacían una distribución simétrica e inversa: los españoles se equiparaban con las mujeres, a través de la palabra, en la conversación de los guerreros aztecas. Es inútil especular para saber si lo que se proyectó fue la imagen de la mujer en el extranjero, o los rasgos del extranjero en la mujer: ambos han estado siempre ahí, y lo que importa es su solidaridad, no la anterioridad de uno o de otro. El hacer que estas oposiciones se consideren como equivalentes con el grupo relativo al cuerpo y al alma es algo igualmente revelador: ante todo, el *otro* es nuestro propio cuerpo; de ahí la equiparación de los indios y las mujeres con los animales, con aquellos que, aunque animados, no tienen alma.

Para Sepúlveda todas las diferencias se reducen a lo que no es diferencia, la superioridad/inferioridad, el bien y el mal. Veamos ahora en qué consisten sus argumentos en favor de la justa guerra que hacen los españoles. Cuatro razones vuelven legítima una guerra (hago una paráfrasis de su discurso de Valladolid, pero los mismos argumentos se encuentran en el *Democrates alter*):

1. Es legítimo dominar por la fuerza de las armas a los hombres cuya condición natural es tal que deberían obedecer a otros, si rechazan dicha obediencia y no queda ningún otro recurso.

2. Es legítimo desterrar el abominable crimen que consiste en comer carne humana, que es una ofensa particular a la naturaleza, y poner fin al culto de los demonios, el cual, más que cualquier otra cosa, provoca la ira de Dios, con el monstruoso rito del sacrificio humano.

3. Es legítimo salvar de los graves peligros a los innumerables mortales inocentes que esos bárbaros inmolaban todos los años, apaciguando a sus dioses con corazones humanos.

4. La guerra contra los infieles se justifica porque abre el camino para la propagación de la religión cristiana y facilita la tarea de los misioneros.

Se puede decir que esta argumentación reúne cuatro proposiciones descriptivas sobre la naturaleza de los indios con un postulado que es también un imperativo moral. Esas proposiciones son: los indios son de naturaleza sumisa; practican el canibalismo; sacrifican seres humanos; desconocen la religión cristiana. En cuanto al postulado-prescripción, es el siguiente: uno tiene el derecho, inclu-

so el deber, de imponer el bien al otro. Quizás haría falta precisar
de inmediato que uno mismo es quien decide lo que está bien o mal;
uno tiene el derecho de imponer al otro lo que uno mismo considera
como un bien, sin preocuparse por saber si es igualmente un bien
desde el punto de vista del otro. Este postulado implica, pues, una
proyección del sujeto enunciante sobre el universo, una identificación de *mis* valores con *los* valores (cf. figs. 20 y 21).

No se pueden juzgar de la misma manera las proposiciones descriptivas y el postulado perscriptivo. Las proposiciones, que se refieren a la realidad empírica, pueden ser discutidas o completadas; de
hecho, en este caso particular, no están muy lejos de la verdad. Es
indiscutible que los aztecas no son cristianos, que practican el canibalismo y realizan sacrificios humanos. Incluso la proposición sobre
la tendencia natural a la obediencia no está totalmente desprovista
de verdad, aunque su formulación sea evidentemente tendenciosa:
es seguro que los indios no tienen la misma relación con el poder
que los españoles; que, precisamente, la simple pareja superiori-
dad/inferioridad cuenta menos para ellos que la jerarquía global de
la sociedad.

No sucede lo mismo con el postulado, que no surge de la verifi-
cación ni del más-o-menos, sino de la fe, del todo-o-nada; se trata
de un principio que es la base misma de la ideología operante en
Sepúlveda, y por ello no puede ser discutido (sino sólo rechazado
o aceptado). Éste es el postulado que tiene en mente cuando ofrece
el argumento siguiente: "San Agustín [. . .] asegura que es mayor
mal que perezca un alma sin bautismo que el hecho de que sean dego-
llados innumerables hombres aun inocentes" (*Democrates*, p. 79). Ésa
es la concepción "clásica": existe un valor absoluto, que aquí es el
bautismo, la pertenencia a la religión cristiana; la adquisición de este
valor pesa más que lo que la persona individual considera como su
bien supremo, a saber, la vida. Y es que la vida y la muerte del individuo son, precisamente, bienes personales, mientras que el ideal religioso es un absoluto, o más exactamente un bien social. La diferencia entre el valor común, transindividual, y el valor personal es incluso
tan grande que permite una variación cuantitativa inversa en los términos a los que van ligados esos valores: la salvación de uno justifica la muerte de miles de otros.

Anticipándonos a lo que va a seguir, podemos recordar aquí que
Las Casas, en su calidad de adversario coherente y sistemático de
Sepúlveda, llegará a rechazar precisamente este principio, cosa en la
que quizás no traicione al cristianismo en particular, sino a la esencia

de la religión en general, puesto que ésta consiste en la afirmación de valores transindividuales; abandona así la posición "clásica" para anunciar la de los "modernos". Escribe ("Entre los remedios", 20): "Desorden y gran pecado mortal es echar a un niño en el pozo por baptizarlo y salvarle el ánima, supuesto que por echarlo ha de morir." No sólo no se justifica la muerte de millares de personas por la salvación de una, sino que la muerte de uno solo pesa más aquí que su salvación. El valor personal —la vida, la muerte— tiene más peso que el valor común.

¿En qué medida el marco ideológico de Sepúlveda le permite percibir los rasgos específicos de la sociedad india? En "Del reino y los deberes del rey", texto posterior a la controversia de Valladolid (pero emparentado con ella por su espíritu), escribe: "Los más grandes filósofos declaran que estas guerras pueden emprenderse por parte de una nación muy civilizada contra gente nada civilizada que son más bárbaros de lo que uno se imagina, pues carecen de todo conocimiento de las letras, desconocen el uso del dinero, van casi siempre desnudos, hasta las mujeres, y llevan fardos sobre sus espaldas y en los hombros, como animales, durante largas jornadas. Y aquí están las pruebas de su vida salvaje, parecida a la de los animales: sus sacrificios execrables y prodigiosos de víctimas humanas a los demonios; el que coman carne humana; que entierren vivas a las mujeres de los jefes con sus maridos muertos, y otros crímenes semejantes" (I, 4-5).

El retrato que pinta así Sepúlveda es interesantísimo, tanto por cada uno de los rasgos que lo constituyen como por su combinación. Sepúlveda es sensible a las diferencias, y hasta las busca; recoge entonces algunas de las características más notables de las sociedades indias; es curioso ver que, al hacer esto, Sepúlveda vuelve a algunas de las descripciones idealizadoras de los indios (la falta de escritura, de dinero, de vestido), al tiempo que invierte su signo. ¿Qué es lo que hace que se encuentren reunidos precisamente esos signos? Sepúlveda no lo dice, pero podemos pensar que la reunión no se debe a la casualidad. La presencia de tradiciones orales en lugar de leyes escritas, de imágenes en lugar de escritura, indica un papel diferente, atribuido en uno y otro caso a la presencia y a la ausencia en general: la escritura, por oposición a la palabra, permite la ausencia de los hablantes; por oposición a la imagen, la ausencia del objeto designado, incluyendo su forma; la memorización necesaria de las leyes y de las tradiciones, impuesta por la falta de escritura, determina, como hemos visto, el predominio del ritual frente a la improvisación. Ocurre más o menos lo mismo con la ausencia del dinero, ese equivalen-

Figs. 20 y 21. *Sacrificio humano por extracción del corazón y canibalismo*

Fig. 22. *El uso de las pieles desolladas*

te universal que dispensa de la necesidad de yuxtaponer los bienes que se intercambian. La ausencia de ropa, si estuviera comprobada, hubiera indicado, por una parte, que el cuerpo sigue estando ahí, nunca disimulado a las miradas, y, por otra parte, que no hay diferencia entre situación privada y pública, íntima y social, es decir, el no reconocimiento del estatuto·singular del tercero. Por último, la falta de bestias de carga se coloca en el mismo plano que la ausencia de instrumentos: al cuerpo humano es al que le toca realizar tal o cual tarea, en vez de que esa función se atribuya a un auxiliar, animado o no; a la persona física en vez de a un intermediario.

Podríamos buscar entonces cuál es el rasgo subyacente de la sociedad descrita que es responsable de esas diferencias, y alcanzar por ese lado la reflexión esbozada a propósito de la conducta simbólica: habíamos visto que los discursos en cierta manera dependían "demasiado" de su referente (la dichosa incapacidad de mentir, o de disimular), y que había cierta insuficiencia en la concepción del otro que tenían los aztecas. A la misma insuficiencia apuntan las demás "pruebas" recogidas por Sepúlveda: el canibalismo, el sacrificio humano, el entierro de la esposa, todo ello implica que no se le reconozca plenamente al otro su estatuto de humano, semejante a uno y diferente a la vez. Ahora bien, la piedra de toque de la alteridad no es el *tú* presente y próximo, sino el *él* ausente o lejano. En los rasgos que hace notar Sepúlveda encontramos también una diferencia en el lugar que asume la ausencia (si es que ésta puede asumir un lugar): el intercambio oral, la falta de dinero y de vestido, al igual que la falta de bestias de carga, implican un predominio de la presencia frente a la ausencia, de lo inmediato frente a lo mediatizado. En este punto preciso es donde podemos ver cómo se cruzan el tema de la percepción del otro y el de la conducta simbólica (o semiótica), que me preocupan simultáneamente en todo el desarrollo de esta investigación: en cierto grado de abstracción ambos se confunden. El lenguaje sólo existe por el otro, no sólo porque uno siempre se dirige a alguien, sino también en la medida en que permite evocar al tercero ausente; a diferencia de los animales, los hombres conocen la cita textual. Pero la existencia misma de ese otro se mide por el lugar que le dedica el sistema simbólico: para invocar un ejemplo masivo y que ya es familiar, no es el mismo antes y después del advenimiento de la escritura (en el sentido estrecho). De tal modo que toda investigación sobre la alteridad es necesariamente semiótica, y recíprocamente: lo semiótico no puede ser pensado fuera de la relación con el otro.

Sería interesante relacionar los rasgos de la mentalidad azteca así anotados con lo que nos enseña sobre el funcionamiento de lo simbólico una forma de sacrificio de la que habla Durán: "Cuarenta días antes del día de la fiesta vestían un indio conforme al ídolo y con su mesmo ornamento, para que, como a los demás, representase al ídolo vivo. A este indio esclavo y purificado hacían todos aquellos cuarenta días tanta honra y acatamiento como al ídolo [. . .]. Acabados de sacrificar los dioses, luego los desollaban todos a gran prisa [. . .], que en sacándoles el corazón y [acabando de] ofrecerlo al oriente, los desolladores que tenían este particular oficio echaban de bruces al muerto, y abríanle desde el colodrillo hasta el calcañar y desollábanlo, como a carnero, sacando el cuero todo entero. [. . .] Los cueros vestíanlos otros tantos indios allí luego, y poníanles los mesmos nombres de los dioses que los otros habían representado, vistiéndoles encima de aquellos cueros las mesmas ropas e insignias de aquellos dioses, poniendo a cada uno su nombre del dios que representaba, teniéndose ellos por tales" (I, 9; cf. fig. 22).

Así pues, en una primera etapa el prisionero se convierte literalmente en el dios: recibe su nombre, su apariencia, sus insignias y su tratamiento, pues para absorber al dios habrá que sacrificar y comer a su representante. Sin embargo, son los hombres quienes han decidido esa identificación, y no lo olvidan, puesto que lo vuelven a hacer todos los años. Actúan al mismo tiempo como si confundieran al representante con lo que representa: lo que empieza como representación termina con participación e identificación; parece faltar la distancia necesaria para el funcionamiento simbólico. Luego, para identificarse con un ser o con una de sus propiedades (hay casos frecuentes de mujeres desolladas en los ritos relacionados con la fertilidad), se revisten literalmente con su piel. Eso hace pensar en la práctica de las máscaras, que se pueden hacer a semejanza de un individuo. Pero la máscara, precisamente, se asemeja, sin formar parte de aquel que representa. Aquí, el objeto de la representación sigue presente, al menos en su apariencia (la piel); el simbolizante realmente no está separado de su simbolizado. Tenemos la impresión de que ha sido tomada al pie de la letra una expresión figurada, de que encontramos la presencia ahí donde esperábamos encontrar la ausencia; curiosamente, en francés tenemos la expresión "se mettre dans la peau de quelqu'un", sin que por ello su origen se encuentre en un rito de desollamiento humano.

Al anotar así las características del comportamiento simbólico de los aztecas, no sólo me veo llevado a percatarme de la diferencia que hay entre dos formas de simbolización, sino también de la superio-

ridad de una frente a la otra; o más bien, y más exactamente, a salir
de la descripción tipológica para referirme a un esquema evolutivo.
¿Significa eso que adopto pura y simplemente la posición de los partidarios de la desigualdad? No lo creo. Existe un campo en el cual la
evolución y el progreso no son objeto de ninguna duda: es, en términos generales, el de la técnica. Es indiscutible que un hacha de bron-
ce o de hierro corta mejor que un hacha de madera o de piedra; que
el uso de la rueda reduce el esfuerzo físico necesario. Ahora bien,
esos inventos técnicos no surgen de la nada: están condicionados (sin
estar directamente determinados) por la evolución del aparato simbólico propio del hombre, evolución que igualmente se puede observar en tal o cual conducta social. Hay una "tecnología" del simbolismo, tan susceptible de evolución como la tecnología de los
instrumentos, y, dentro de esa perspectiva, los españoles son más
"avanzados" que los aztecas (o, generalizando: las sociedades con
escritura son más avanzadas que las sociedades sin escritura), aun si
sólo se trata de una diferencia de grado.

Pero volvamos a Sepúlveda. Sería tentador ver en él los gérmenes de una descripción etnológica de los indios, facilitada por la atención que presta a las diferencias. Pero hay que añadir inmediatamente que, como la diferencia en él siempre se reduce a una inferioridad,
su descripción pierde mucho de su interés. No sólo porque la curiosidad de Sepúlveda respecto a los indios es demasiado leve para que,
una vez demostrada la "inferioridad", pueda preguntarse sobre las
razones de las diferencias, ni sencillamente porque su vocabulario está
cargado de juicios de valor ("no civilizados", "bárbaros", "bestias")
en vez de tratar de ser descriptivo, sino también porque su actitud
resueltamente opuesta a los indios vicia las informaciones en las que
descansa la demostración. Sepúlveda se conforma con sacar sus informaciones de Oviedo, quien ya es violentamente anti-indio, y nunca
toma en cuenta los matices y las circunstancias. ¿Por qué reprochar
a los indios la falta de bestias de carga (en vez de anotarla simplemente), cuando el caballo y el asno, la vaca y el camello son desconocidos en el continente americano? ¿Qué bestias hubieran podido
utilizar los indios? Los propios españoles no llegan a resolver rápidamente el problema, y hemos visto que el número de víctimas entre
los cargadores no hace más que aumentar desde la conquista. La falta de vestido, observada por Colón en el Caribe, evidentemente no
caracterizaba a los habitantes de México; hemos visto, por el contrario, sus refinadas costumbres, admiradas por Cortés y sus compañeros. También el asunto del dinero, al igual que el de la escritura,

es más complejo. Las informaciones de Sepúlveda, por lo tanto, están falseadas por sus juicios de valor, por la equiparación de la diferencia con la inferioridad, y sin embargo, su retrato de los indios no deja de tener interés.

Si bien la concepción jerárquica de Sepúlveda se podía colocar bajo el patrocinio de Aristóteles, la concepción igualitarista de Las Casas merece ser presentada, como ya lo fue en su época, como surgida de la enseñanza de Cristo. El propio Las Casas (fig. 24) dice, en su discurso de Valladolid: "Mandemos a paseo en esto a Aristóteles, pues de Cristo, que es verdad eterna, tenemos el siguiente mandato: 'Amarás a tu prójimo como a ti mismo.' [. . .] Aristóteles, [. . .] aunque en verdad fue un gran filósofo, no fue digno de llegar mediante . sus elucubraciones a Dios a través del conocimiento de la verdadera fe" (*Apología*, 3).

No es que el cristianismo ignore las oposiciones, o las desigualdades; pero la oposición fundamental en este caso es la que existe entre creyente y no creyente, cristiano y no cristiano. Ahora bien, cualquiera *puede* volverse cristiano: a las diferencias de hecho no corresponden diferencias de naturaleza. No ocurre lo mismo en la oposición amo-esclavo derivada de Aristóteles: el esclavo es un ser intrínsecamente inferior, puesto que le falta, al menos parcialmente, la razón, que da la definición misma del hombre, y que no se puede adquirir a la manera de la fe. La jerarquía es irreductible en este segmento de la tradición grecorromana, de la misma manera en que la igualdad es un principio inquebrantable de la tradición cristiana; estos dos componentes de la civilización occidental, simplificados aquí a ultranza, se enfrentan entonces directamente en Valladolid. El patrocinio que cada uno de ellos reivindica tiene, claro, un valor sobre todo emblemático: no esperamos ver que aquí se haga justicia a las complejidades de la doctrina cristiana o a las sutilezas de la filosofía aristotélica.

Las Casas tampoco es el único que defiende los derechos de los indios, y que proclama que éstos en ningún caso pueden ser reducidos a la esclavitud; de hecho, la mayoría de los documentos oficiales que tienen su origen en la casa real hacen lo propio. Hemos visto cómo los reyes negaron a Colón el derecho de vender a los indios como esclavos, y el célebre testamento de Isabel afirma que no deben sufrir ningún daño en sus personas. Es especialmente explícita una orden de Carlos V fechada en 1530: "Ninguna persona sea osado de tomar en guerra ni fuera della ningún indio por esclavo, ni tenerle por tal con título que le hubo en la guerra justa, ni por rescate, ni por compra ni trueque, ni por otro título ni causa alguna, aunque sea de los indios que los mismos naturales de las dichas Indias, islas y tierra firme del mar Océano tenían o tienen, o tuvieren entre sí por esclavos." Las Nuevas Leyes de 1542, sobre el gobierno de las colonias españolas, se redactan dentro del mismo tenor (y provocan un verdadero clamor de indignación entre los colonos y los conquistadores de América).

Igualmente, en la bula papal de 1537, Paulo III afirma: "La Verdad [. . .] dijo al destinar predicadores de la fe al oficio de la predicación: *Euntes docetes omnes gentes*. A todos dijo sin ninguna excepción como quiera que todos son capaces de la doctrina. [. . .] Aquellos indios, como verdaderos hombres que son, [. . .] no están sin embargo privados ni hábiles para ser privados de su libertad ni del dominio de sus cosas." Esta afirmación se desprende de los principios cristianos fundamentales: Dios creó al hombre a su imagen; ofender al hombre es ofender a Dios mismo.

Así pues, Las Casas adopta esa posición, y le da una expresión más general, postulando así la igualdad en la base de toda política humana: afirma que las leyes y reglas naturales, así como los derechos de los hombres, son comunes a todas las naciones, cristiana y gentil, cualquiera que sea su religión, su ley, su color o su condición, sin que se puedan establecer diferencias entre ellas. Incluso da un paso más, que consiste no sólo en afirmar la igualdad abstracta, sino en precisar que se trata efectivamente de una igualdad entre *nosotros* y los *otros*, españoles e indios; de ahí lo frecuentes que son, en sus escritos, las fórmulas del tipo: "Que todos los indios que en él [el reino] hay fuesen libres, porque en verdad que lo son tan libres como yo" ("Carta al príncipe Felipe", 20.4.1544). Hace que su argumento sea particularmente concreto, con el recurso fácil a la comparación que pone a los indios en el lugar de los españoles: "Si vinieran los moros o turcos a hacelles el mismo requerimiento, afirmándoles que Mahoma era señor y criador del mundo y de los hombres, ¿fueran obligados a creerlo?" (*Historia*, III, 58).

Pero la misma afirmación de la igualdad de los hombres se hace en nombre de una religión particular, el cristianismo, sin que se reconozca tal particularismo. Hay pues un peligro potencial de ver que se afirme, no sólo la naturaleza humana de los indios, sino también su "naturaleza" cristiana. Las Casas hablaba de leyes y reglas naturales, y de derechos de los hombres; pero ¿quién decide sobre qué es natural en materia de leyes y derechos? ¿No será precisamente la religión cristiana? Puesto que el cristianismo es universalista, implica una in-diferencia esencial de todos los seres humanos. Vemos cómo se precisa el peligro de asimilación en este texto de san Juan Crisóstomo, citado y defendido en Valladolid: "Así como no existe diversidad en la naturaleza de la creación de los hombres, no se da tampoco diferencia en la vocación a la salvación de todos ellos, ya sean bárbaros o prudentes, pues la gracia de Dios tiene poder para corregir las mentes de los bárbaros e infundirles una razonable inteligencia" (*Apología*, 42).

La identidad biológica ya lleva aquí a una suerte de identidad cultural (frente a la religión): todos son llamados por el Dios de los cristianos, y es un cristiano el que decide cuál es el sentido de la palabra "salvación". Así pues, en una primera etapa Las Casas comprueba que, desde el punto de vista doctrinario, la religión cristiana *puede* ser adoptada por todos. "Nuestra religión cristiana es igual y se adapta a todas las naciones del mundo y a todas igualmente rescibe y a ninguna quita su libertad ni sus señoríos ni mete debajo de servidumbre, so color ni achaques de que son siervos *a natura* o libres" (discurso frente al rey, hacia 1520; *Historia*, III, 149). Pero inmediatamente después va a afirmar que todas las naciones *están* destinadas a la religión cristiana, y da así el paso que separa la potencia del acto: "Nunca hubo generación ni linaje, ni pueblo, ni lengua en todas las gentes criadas [. . .] de donde, mayormente después de la encarnación y pasión del Redentor, no se haya de coger y componer aquella multitud [. . .] que es el número de los predestinados, que por otro nombre lo llama San Pablo cuerpo místico de Jesucristo e Iglesia. . ." (*Historia*, I, "Prólogo"). "Porque como sea la vía universal, conviene a saber, la religión cristiana, por la divina miseración a la universidad de las gentes concedida, para que, dejadas las sendas o sectas de la infidelidad. . ." (*ibid.*, I, 1).

Como una observación empírica se presenta la afirmación, incansablemente repetida, de que los indios ya están provistos de rasgos cristianos y que aspiran a hacer reconocer su cristianismo, "salvaje" en cierta forma: "Porque nunca tanta habilidad ni dispusición ni facilidad para [la conversión] en otros tiempos ni en otras gentes se vido. [. . .] No hay en el mundo gentes tan mansas ni de menos resistencia ni más hábiles e aparejados para rescebir el yugo de Cristo como éstas" ("Carta al Consejo de Indias", 20.1.1531). "Tales gentes son de tal mansedumbre y modestia que más aún que las demás gentes del mundo están muy dispuestas y preparadas a abandonar la idolatría y a recibir en sus provincias y poblados la palabra de Dios y la anunciación de la verdad" (*Apología*, 1).

Según Las Casas, el rasgo más característico de los indios es el parecido que tienen con los cristianos. . . ¿Qué otra cosa encontramos en su retrato? Los indios están provistos de virtudes cristianas, son obedientes y pacíficos. He aquí algunas expresiones tomadas de obras diferentes, escritas en distintos momentos de su carrera: "[Estas naciones son] *toto genere* de su naturaleza gentes mansuetísimas, humilísimas, paupérrimas, inermes o sin armas, simplicísimas, y, sobre todas las que de hombres nacieron, sufridas y pacientes" (*Historia*, I, "Prólogo"). ". . .muy obediente y virtuoso, y naturalmente pacífico. . ." (*Relación*, "De los reinos. . ."). ". . .aquellas gentes domésticas, humildes, mansas y pacíficas" ("Réplicas a Sepúlveda"). "Nación tan humilde y mansa de su naturaleza, como son los indios" ("Carta a Carranza", agosto de 1555) (cf. fig. 23).

La percepción que tiene Las Casas de los indios no es más matizada que la de Colón, en la época en que éste creía en el "buen salvaje", y Las Casas casi admite que proyecta su ideal en ellos: "[Los lucayos] vivían verdaderamente aquella vida que vivieron las gentes de la Edad dorada, que tanto por los poetas e historiadores fue alabada". Y también, a propósito de un indio: "Parecíame ver en él a nuestro padre Adán, cuando estuvo y gozó del estado de la inocencia" (*Historia*, II, 44 y 45). Esta monotonía de los adjetivos es tanto más notable cuanto que lo que leemos son descripciones no sólo escritas en momentos diferentes, sino que se refieren a poblaciones igualmente distintas, e incluso alejadas entre sí, de la Florida al Perú; ahora bien, todas son, con plena regularidad, "mansas y pacíficas". A veces se da cuenta de ello, pero no se detiene gran cosa: "Aunque en algunas y muchas cosas, ritos y costumbres difieran, al menos en esto son todas o cuasi todas conformes, conviene a saber: en ser simplicísimas, pacíficas, domésticas, humildes, liberales, y, sobre todas las que procedieron de Adán, sin alguna excepción, pacientísimas; dispuestas también incomparablemente y sin algún impedimento, para ser traídas al cognoscimiento y fe de su Criador" (*Historia*, I, 76). Hay otra descripción (al comienzo de la *Relación*) igualmente reveladora a este respecto: "Todas estas universas e infinitas gentes *a toto genero* crió Dios los más simples, sin maldades ni dobleces, obedientísimas y fidelísimas a sus señores naturales e a los cristianos a quien sirven; más humildes, más pacientes, más pacíficas e quietas, sin rencillas ni bollicios, no rijosos, no querulosos, sin rancores, sin odios, sin desear venganzas, que hay en el mundo." Es impresionante ver cómo Las Casas se ve llevado a describir a los indios en términos casi completamente negativos o privativos: son personas *sin* defectos, *no* esto, *no* lo otro. . .

Y además, lo que se afirma positivamente no es sino un estado psicológico (otra vez más igual que Colón): buenos, tranquilos, pacientes; nunca hay una configuración cultural ni social, que pudiera permitir comprender las diferencias. Tampoco se presenta tal o cual conducta explicable a primera vista: ¿por qué obedecen tan humildemente los indios a los españoles, que se pintan como monstruos crueles?, ¿por qué son fácilmente derrotados por adversarios poco numerosos? La única explicación que, de vez en cuando, se le puede ocurrir a Las Casas es: porque se portan como verdaderos cristianos. Nota, por ejemplo, cierta indiferencia de los indios en cuanto a los bienes materiales, que hace que no se apresuren en trabajar y hacerse ricos. Algunos españoles ofrecen en calidad de explicación que los indios son naturalmente perezosos; Las Casas responde: "Concedemos que, según la diligencia y solicitud ferviente y infatigable cuidado que nosotros tenemos de atesorar riquezas y amontonar bienes temporales por nuestra innata ambición y cudicia insaciable, que podían ser aquestas gentes por ociosas juzgadas, pero no según la razón natural y la misma ley divina y perfección evangélica, que, como dije, la parcidad y contentamiento, con sólo lo necesario, destas gentes aprueba y loa" (*Historia*, III, 10). Así la primera impresión de Las Casas, que es acertada, se ve neutralizada porque está convencido de la universalidad del espíritu cristiano: si esa gente es indiferente a la riqueza, es porque tiene una moral cristiana.

Cierto es que su *Apologética historia* contiene una masa de informaciones, recogidas ya sea por él, ya por los misioneros, y referentes a la vida material y espiritual de los indios. Pero, como lo dice el mismo título de la obra, la historia se vuelve apología: lo esencial, para Las Casas, es que ninguna de las costumbres o de las prácticas de los indios prueba que sean seres inferiores; se acerca a todos los hechos con categorías evaluativas, y el resultado de la confrontación está decidido de antemano: si el libro de Las Casas tiene hoy en día un valor de documento etnográfico, eso se da a pesar de su autor. Hay que admitir que el retrato de los indios que se puede sacar de las obras de Las Casas es netamente más pobre que el que dejó Sepúlveda: en realidad, no aprendemos nada acerca de los indios. Si bien es indiscutible que el prejuicio de superioridad constituye un obstáculo en la vía del conocimiento, también hay que admitir que el prejuicio de igualdad es un obstáculo todavía mayor, pues consiste en

Fig. 23. *La cristianización*

Fig. 24. *Bartolomé de las Casas*

identificar pura y simplemente al otro con el propio "ideal del yo" (o con el propio yo).

Las Casas ve todo conflicto, el de los españoles con los indios en particular, en término de una oposición única, y perfectamente española: fiel/infiel. La originalidad de su posición estriba en que atribuye el polo valorizado (fiel) al otro, y el desvalorizado a "nosotros" (a los españoles). Pero esta distribución invertida de los valores, indiscutible prueba de su generosidad de espíritu, no disminuye lo esquemático de la visión. Eso se ve especialmente en las analogías a las que recurre Las Casas para describir el enfrentamiento entre indios y españoles. Por ejemplo, emplea sistemáticamente la comparación evangélica entre apóstoles y corderos, infieles y lobos, o leones, etc.; recordemos que los propios conquistadores empleaban esta comparación, pero sin darle su sentido cristiano. "En estas ovejas mansas, y de las calidades susodichas por su Hacedor y Criador así dotadas, entraron los españoles desde luego que las conocieron como lobos e tigres y leones cruelísimos de muchos días hambrientos" (*Relación*, páginas iniciales).

De la misma manera, equipara a los indios con los judíos, a los españoles con el faraón; a los indios con los cristianos, a los españoles con los moros. "La tiránica gobernación, mucho más injusta y cruel que la con que Faraón oprimió en Egipto a los judíos. . ." ("Memorial al Consejo de Indias", 1565). "Las guerras [. . .] han sido peores [. . .] que las que hacen los turcos e moros contra el pueblo cristiano" ("Disputa de Valladolid", 12); notemos de paso que Las Casas nunca manifiesta el menor cariño frente a los musulmanes, sin duda porque éstos no se pueden equiparar con unos cristianos que no saben que lo son; y cuando demuestra, en su *Apología*, que es ilegítimo tildar a los indios de "bárbaros" simplemente porque son otros, no olvida condenar "el verdadero caos de barbarie que representan los pueblos turcos y moros" (4).

En cuanto a los españoles en América, se les equipara en última instancia con el diablo. "Considérese [. . .] si les cuadra bien a los tales cristianos llamallos diablos, e si sería más encomendar los indios a los diablos del infierno que es encomendarlos a los cristianos de las Indias" (*Relación*, "Granada"). En otro sitio afirma que habrá de luchar contra los conquistadores "hasta que salga Luçifer destas Yndias" ("Carta al príncipe Felipe", 9.11.1545). Esta frase tiene un sonido familiar: también el historiador racista Fernández de Oviedo esperaba que "Satanás fuera desterrado de las islas"; sólo se ha cambiado de Satanás: allá indio, aquí español; pero la "conceptualización" sigue siendo la misma. Así, al tiempo que ignora a los indios, Las Casas desconoce a los españoles. Es cierto que éstos no son cristianos como él (o como su ideal); pero no se capta el cambio que se operó en la mentalidad española si sólo se lo presenta como una toma de poder por parte del diablo, es decir, conservando el mismo marco de referencia que se cuestiona. Los españoles, para quienes el concepto de casualidad ha sustituido al de destino, tienen una nueva manera de vivir la religión (o de vivir sin religión); eso explica, por una parte, el que construyan tan fácilmente su imperio transatlántico, el que contribuyan a que gran parte del mundo quede sometida a Europa: ¿no es ése el origen de su capacidad de adaptación y de improvisación? Pero Las Casas elige ignorar esta manera de vivir la religión, y se comporta aquí como teólogo, no como historiador.

En efecto, en materia de historia Las Casas se conforma también con mantener una posición egocéntrica, ya no en cuanto al espacio, sino al tiempo. Si bien admite que hay diferencias entre españoles e indios que podrían desfavorecer a estos últimos, las reduce inmediatamente por medio de un esquema evolucionista único: ellos (*allá*) están *ahora* como nosotros (*aquí*) estábamos *antaño* (claro que él no inventó ese esquema). En el origen todas las naciones fueron toscas y bárbaras (Las Casas no quiere reconocer la barbarie específicamente moderna); con el tiempo, alcanzarán la civilización (se sobreentiende: la nuestra). "Muncho, pues, menos razón hay para que de los defectos y costumbres incultas y no moderadas que en estas nuestras indianas gentes halláremos, nos maravillar, y por ellas, menospreciarlas, pues no solamente munchas y aun todas las más del mundo fueron muy más perversas, irracionales y en prabidad más estragadas, y en las repúblicas y en munchas virtudes y bienes morales muy menos morigeradas y ordenadas; pero nosotros mismos en nuestros antecesores fuimos muy peores, así en la irracionabilidad y confusa policía, como en vicios y costumbres brutales por toda la redondez desta nuestra España, según queda en munchas partes arriba mostrado" (*Apologética historia*, III, 263).

También en eso hay una generosidad indiscutible de parte de Las Casas, que se niega a despreciar a los otros simplemente porque son diferentes. Pero inmediatamente da un paso más, y añade: además, no son (o no serán) diferentes. El postulado de igualdad lleva consigo la afirmación de identidad, y la segunda gran figura de la alteridad, aun si es indiscutiblemente más amable, nos lleva hacia un conocimiento del otro todavía menor que la primera.

## ESCLAVISMO, COLONIALISMO Y COMUNICACIÓN

Las Casas quiere a los indios. Y es cristiano. Para él, esos dos rasgos son solidarios: los quiere precisamente *porque* es cristiano, y su amor *ilustra* su fe. Sin embargo, esa solidaridad no llega naturalmente: hemos visto que, precisamente porque era cristiano, percibía mal a los indios. ¿Puede uno querer realmente a alguien si ignora su identidad, si ve, en lugar de esa identidad, una proyección de sí o de su ideal? Sabemos que eso es posible, e incluso frecuente, en las relaciones entre personas, pero ¿qué pasa en el encuentro de culturas? ¿No corre uno el riesgo de querer transformar al otro en nombre de sí mismo, y por lo tanto, de someterlo? ¿Qué vale entonces ese amor?

El primer gran tratado que Las Casas dedica a la causa de los indios lleva por título: *Del único modo de atraer a todos los pueblos a la verdadera religión*. Este título lleva condensada la ambivalencia de la posición de Las Casas. Ese "único modo" es, evidentemente, la suavidad, la persuasión pacífica; la obra de Las Casas está enderezada contra los conquistadores que pretenden justificar sus guerras de conquista con su objetivo, que es la evangelización. Las Casas rechaza esa violencia; pero, al mismo tiempo, sólo hay para él una "verdadera" religión: la suya. Y esa "verdad" no es solamente personal (no es la religión que Las Casas considera verdadera *para él*), sino universal; es válida para todos, y por eso no renuncia al proyecto evangelizador en sí. Ahora bien, ¿no hay ya una violencia en la convicción de que uno mismo posee la verdad, cuando ése no es el caso de los otros, y que, además, hay que imponerla a esos otros?

La vida de Las Casas es rica en acciones varias en favor de los indios. Pero, con excepción de las de sus últimos años, a las que volveremos en el capítulo siguiente, todas están marcadas por una u otra forma de esa misma ambigüedad. Antes de su "conversión" a la causa de los indios, está lleno de benevolencia y humanidad hacia ellos, y sin embargo, los límites de su intervención aparecen muy pronto. Recordamos la matanza de Caonao, de la que fue testigo, en su calidad de capellán de la tropa de Narváez. ¿Qué puede hacer para aliviar los sufrimientos de los indios víctimas de la matanza? Esto es lo que él mismo cuenta: "Y así como el mancebo descendió, un español que allí estaba sacó un alfanje o media espada, y dale una cuchillada por los ijares que le echa las tripas de fuera, como si no hiciera nada. El indio, triste, toma sus tripas en las manos y sale huyendo de la casa; topa con el clérigo [Las Casas] y cognosciólo, y dícele allí algunas cosas de la fe [¿en qué idioma?], según que el tiempo y angustia lugar daba, mostrándole que si quería ser baptizado iría al cielo a vivir con Dios; el triste, llorando y haciendo sentimiento, como si ardiera en unas llamas, dijo que sí, e con esto le baptizó, cayendo luego muerto en el suelo" (*Historia*, III, 29).

A los ojos de un creyente, claro está, no es indiferente saber si un alma va al paraíso (al estar bautizada) o al infierno; cuando Las Casas hace ese gesto, su motivación es efectivamente el amor al prójimo. Sin embargo, hay algo irrisorio en este bautismo *in extremis*, y el propio Las Casas lo dice en otras ocasiones. La preocupación de conversión adopta aquí un aire absurdo, y el remedio realmente no está a la medida del mal. El beneficio que los indios sacan de la cristianización es bien pobre, como lo ilustra también una anécdota que relata Bernal Díaz: "Pero al fin quiso Jesucristo que el cacique se hizo cristiano, y le bautizó el fraile, y pidió a Alvarado que no le quemasen, sino que le ahorcasen" (Bernal, 164). También Cuauhtémoc "murió como cristiano": "los españoles lo colgaron de un árbol pochote", pero "le pusieron en las manos una cruz" (Chimalpahin, 7, 206).

Después de su "conversión", en la cual renuncia a los indios que posee, Las Casas se lanza a una nueva empresa, que es la colonización pacífica de la región de Cumana, en lo que actualmente es Venezuela: en lugar de soldados debe haber religiosos, dominicos y franciscanos, y campesinos-colonos, traídos de España; se trata efectivamente de una colonización, tanto en el plano espiritual como en el material, pero se debe llevar a cabo con suavidad. La expedición es un fracaso: Las Casas se ve obligado a hacer cada vez más concesiones a los españoles que lo acompañan, y por otra parte los indios no se muestran tan dóciles como esperaba; el asunto termina en forma sangrienta. Las Casas escapa, y no se desalienta. Unos quince años más tarde, emprende la pacificación de una región particularmente tumultuosa, en Guatemala; recibirá el nombre de Vera Paz. Una vez más, los religiosos deben sustituir a los soldados; una vez más, el resultado deberá ser una colonización igual, o incluso mejor, que si fuera llevada a cabo por los soldados: Las Casas promete que aumentarán las ganancias de la Corona si siguen sus consejos. "Nos proferimos a las asegurar y subjectar al servicio del Rey nuestro señor, y los convertir a que conozcan a su Criador, y al cabo de los hacer tributarios, conforme a las cosas que tovieren de que puedan dar tributo, lo den cada año, y sirvan con ello a Su Majestad. Y podrán salir de aquí muy grandes provechos y servicios al Rey, y a España, y a la tierra" ("Carta a un personaje de la corte", 15.10.1535). Esta empresa tiene más éxito que la anterior; pero, algunos años más tarde, cuando los misioneros se sienten en peligro, ellos mismos acuden al ejército, que de todos modos no está lejos.

También se podría mencionar en este contexto la actitud de Las Casas frente a los esclavos negros. Los adversarios del fraile dominico, que siempre fueron numerosos, no dejaron de ver en ella una prueba de su parcialidad en el asunto de los indios y, por lo tanto, un medio de refutar su testimonio sobre la destrucción de los indios. Esta interpretación es injusta, pero es cierto que Las Casas no tuvo, al comienzo, la misma actitud frente a los indios y a los negros: acepta que éstos, pero no aquéllos, puedan ser reducidos a la esclavitud. Hay que recordar que la esclavitud de los negros es entonces un hecho ya existente, mientras que la de los indios empieza ante sus ojos. Pero en la época en que escribe la *Historia de las Indias* afirma que ya no establece ninguna diferencia entre ellos: "Siempre los tuvo [a los negros] por injusta y tiránicamente hechos esclavos, porque la misma razón es dellos que de los indios" (III, 102). Sin embargo, sabemos que en 1544 todavía poseía un esclavo negro (había renunciado a sus indios en 1514), y en la *Historia* todavía se encuentran expresiones como "la ceguedad [de] venir a estas tierras y tratar a las gentes dellas como si fueran las de África" (II, 27). Sin ver en ella un hecho que destruya la autenticidad de su testimonio sobre los indios, forzoso es constatar que su actitud frente a los negros es menos clara. ¿No será porque su generosidad descansa en el espíritu de asimilación, en la afirmación de que el otro es como uno, y que esta afirmación es demasiado absurda en el caso de los negros?

Hay una cosa segura: Las Casas no quiere hacer que cese la anexión de los indios, simplemente quiere que la hagan religiosos en vez de soldados. Es lo que dice su carta al Consejo de Indias del 20 de enero de 1531: se debe ordenar a los conquistadores "que se salgan fuera, e pongan personas temerosas de Dios, de buenas conciencias, e de mucha prudencia". El sueño de Las Casas es un estado teocrático, donde el poder espiritual supere al poder temporal (lo cual es una cierta forma de volver a la Edad Media). El cambio que propone quizás tiene su mejor expresión en una comparación que encuentra en una carta enviada por el obispo de Santa Marta al rey el 30 de mayo de 1541, y que reproduce en la *Relación*: para "remediar esta tierra" es necesario que el rey "la saque ya de poder de padrastros y le dé marido que la tracte como es razón y ella merece". Así que Las Casas, al igual que Sepúlveda, equipara a la colonia con las mujeres, y no se trata de emancipación (de las mujeres o de los indios): basta con sustituir al padre, que se ha mostrado cruel, con un marido, del cual se espera que sea razonable. Ahora bien, en materia de emancipación femenina la doctrina cristiana más bien estaría de acuerdo con Aristóteles: la mujer es tan necesaria para el hombre como el esclavo para el amo.

La sumisión, y la colonización, se deben mantener, pero hay que llevarlas de otra manera; no sólo ganarán con ello los indios (al no ser torturados y exterminados), sino también el rey y España. Las Casas nunca deja de desarrollar este segundo argumento al lado del primero. Podemos pensar que, al hacerlo, no es sincero, que simplemente debe agitar ese señuelo para que presten atención a lo que dice, pero el asunto importa poco: no sólo porque es imposible dejar establecida su verdad, sino también porque los textos de Las Casas, es decir, aquello que puede tener una acción pública, dicen efectivamente que hay ventajas materiales en la colonización. Al ser recibido por el viejo rey Fernando en 1515, le dice que "éste era negocio que mucho importaba a su real consciencia y hacienda" (*Historia*, III, 84). En un memorial de 1516, afirma: "Y de todo Su Alteza será servido, y sus rentas crecerán y serán aumentadas." En su carta al Consejo de Indias del 20 de enero de 1531 sostiene que si se siguen sus consejos se obtendrán grandes beneficios, y la promesa de una prosperidad insospechada. En una carta de Nicaragua, fechada en 1535, el religioso declara "que le serví algo más al Rey, que aquellos que le pierden tantos y tan grandes reinos como éstos, e le despojan de tanta opulencia, privan de infinitos tesoros" ("Carta a un personaje de la corte").

Por lo demás, estas afirmaciones reiteradas no son suficientes para exonerar a Las Casas de toda sospecha de querer rechazar el poder imperial, y debe defenderse explícitamente, enumerando a su vez las razones que le hacen pensar que ese poder es legítimo; es lo que ocurre especialmente en el caso de las *Treinta proposiciones* (1547) y del *Tratado comprobatorio* (1552). En este último texto leemos: "Certísima cosa es en el romano Pontífice ser tal y tanto poder [sobre los] infieles." "Lícitamente pudo la Sede apostólica [. . .] a cada rey cristiano de los que le plugo elegir, señalalle ciertos reinos e provincias de los infieles." "Para la consecución y efecto del dicho fin [la predicación de la fe], por medio del tal ministerio, necesario fue que la Sede Apostólica invistiese al tal príncipe de la dignidad imperial sobre todas aquellas gentes y señoríos, e así fuese perpetuo." ¿Acaso no parecería que estamos oyendo una frase del *Requerimiento*, incluso si los reyes locales conservan aquí alguna semblanza de poder?

Es la misma actitud que adoptan a este respecto los demás defensores de los indios: no hay que hacerles la guerra, no hay que reducirlos a la esclavitud, no sólo porque al hacerlo se infligen sufrimientos a los indios (así como a la conciencia del rey), sino también porque se mejoran las finanzas de España. "No miran los españoles —escribe Motolinía— que si por los frailes no fuera ya no tuvieran de quién se servir, ni en casa ni en las estancias, que todos los hubieran ya acabado, como parece por experiencia en Santo Domingo y en las otras islas, adonde acabaron los indios" (III, 1). Y dice el obispo Ramírez de Fuenleal, en una carta a Carlos V: "Si lugar se diese a que esclavos se hiciesen, [. . .] sería gran daño desta tierra, [porque] los naturales han de ser los que la han de poblar y los que han de sustentar la tierra y dar los provechos della, porque habiendo indios, no han de faltar españoles."

No quiero sugerir, al acumular las citas, que Las Casas, o los otros defensores de los indios, debieran, o incluso pudieran, actuar de manera diferente. De todos modos, los documentos que leemos son, las más de las veces, misivas dirigidas al rey, y no es fácil ver cuál hubiera sido el interés de sugerirle que renunciara a sus reinos. Por el contrario, al pedir una actitud más humana respecto a los indios, hacen lo único posible, y verdaderamente útil; si hubo alguien que contribuyó a mejorar la situación de los indios, fue Las Casas; el odio inextinguible que le dedicaron todos los adversarios de los indios, todos los fieles de la superioridad de los blancos, es indicio suficiente de ello. Obtuvo este resultado empleando las armas que mejor le convenían: escribiendo, con pasión. Dejó un cuadro imborrable de la destrucción de lo indios, y cada una de las líneas que le han sido dedicadas desde entonces —incluyendo éstas— le debe algo. Nadie supo como él, con la misma abnegación, dedicar una inmensa energía y medio siglo de su vida a mejorar la suerte de los *otros*. Pero el reconocer que la ideología asumida por Las Casas y otros defensores de los indios es efectivamente una ideología colonialista no mengua en nada la grandeza del personaje, sino al contrario. Justamente porque no podemos dejar de admirar al hombre, importa juzgar con lucidez su política.

Los reyes de España no se equivocan. En 1573, bajo Felipe II, se redactan las ordenanzas definitivas sobre "las Indias". A la cabeza del Consejo de Indias, responsable del contenido de esas ordenanzas, se encuentra Juan de Ovando, que no sólo conoce las doctrinas de Las Casas sino que hace traer a la corte, en 1571, los textos de la célebre controversia de Valladolid. He aquí algunas muestras:

"Los descobrimientos no se den con títulos y nombres de conquista; pues habiéndose de hacer con tanta paz y caridad como deseamos, no queremos quel nombre dé ocasión ni color para que se pueda hacer fuerza ni agravio a los indios." "Infórmense de la diversidad de naciones, lenguas y setas y parcialidades de naturales que hay en la provincia, y de los señores a quien obedecen; y por vía de comercio y rescates, traten amistad con ellos, mostrándoles mucho amor y acariciándolos, y dándoles algunas cosas de rescates a que ellos se aficionaren; y no mostrando codicia de sus cosas, asiéntese amistad y alianza con los señores y principales que pareciere ser más parte para la pacificación de la tierra." "Y para que la oigan [la doctrina] con más veneración y admiración, estén revestidos [los predicadores], a lo menos, con albas o sobrepellices y estolas, y con la cruz en la mano, yendo apercebidos los cristianos, que la oigan con grandísimo acatamiento y veneración, para que a su imitación los infieles se aficionen a ser enseñados; y si para capsar más admiración y atención en los infieles, les pareciera cosa conviniente, podrán usar de música de cantores y de menestriles altos y baxos para que provoquen a los indios a se juntar. [. . .] pidiéndoles a sus hijos so color de los enseñar, y a que queden como por rehenes en la tierra de los amigos, y entreteniéndolos, persuadiéndoles que hagan primero iglesias a donde se los puedan ir a enseñar, hasta tanto que puedan entrar siguros; y por este medio y otros que parecieren más convenientes, se vayan siempre pacificando y doctrinando los naturales, sin que por ninguna vía ni ocasión puedan recebir daño; pues todo lo que deseamos es su bien y conversión."

Al leer el texto de las *Ordenanzas*, nos damos cuenta que, desde el *Requerimiento* de Palacios Rubios, no sólo ha existido Las Casas, sino también Cortés: la antigua conminación ha sufrido la influencia inextricable de los discursos de uno y otro. De Las Casas viene, evidentemente, la suavidad. La esclavitud está desterrada, al igual que la violencia, salvo en caso de necesidad extrema. La "pacificación" y la administración posterior deben practicarse con moderación, y los impuestos deben quedar dentro de los límites de lo razonable. También hay que mantener a los jefes locales, con tal de que acepten servir los intereses de la corona. La conversión misma no debe ser impuesta, sino sólo ofrecida; los indios sólo deben adoptar la religión cristiana a partir de su libre albedrío. Pero a la influencia (difusa) de Cortés es a lo que se debe la presencia asombrosa, y asumida, del discurso del parecer. El texto no podría ser más explícito a este respecto: lo que hay que desterrar no son las conquistas, sino la pala-

bra "conquista"; la "pacificación" no es sino otra palabra para designar lo mismo, pero no creamos que es vana esa preocupación lingüística. Luego, hay que actuar al amparo del comercio, *manifestando*
amor, sin *mostrar* codicia. Para quien no sepa entender este lenguaje,
se especifica que los regalos deben ser de poco valor: basta conque
gusten a los indios (es la tradición del bonete rojo regalado por
Colón). La evangelización aprovecha al mismo tiempo las escenificaciones de los espectáculos de "luz y sonido" inauguradas por Cortés: el rito debe rodearse de toda la solemnidad posible, los sacerdotes lucen sus mejores galas, y la música también hará su parte. Hay
un hecho notable: ya no se puede contar automáticamente con la
devoción de los españoles; entonces, ahí también habrá que reglamentar el parecer: no se les pide que sean buenos cristianos, sino que
lo parezcan.

A pesar de esas influencias evidentes, tampoco falta la intención
del *Requerimiento*, y el objetivo global no se modifica: sigue siendo
la sumisión de esas tierras a la corona de España. Y no se olvida,
además del señuelo, utilizar el garrote: las iglesias no sólo deben ser
hermosas, sino que deben servir también como fortalezas. En cuanto a la enseñanza, ofrecida generosamente a los hijos de los nobles,
no es más que un pretexto para apoderarse de ellos y utilizarlos, si
se da el caso, como medio de coerción (vuestros hijos en nuestras
escuelas son rehenes. . .).

Hay otra lección de Cortés que no se olvida: antes de dominar,
hay que informarse. El propio Cortés no dejó de explicitar esta regla
en documentos posteriores a la conquista, como el memorial (de 1537)
a Carlos V: antes de conquistar una región, escribe, hay que "saber
si es poblada, y de qué gente, e qué ley o rito tienen, e de qué viven,
e lo que hay en la tierra". Aquí se deja ver la función del futuro etnólogo: la exploración de esos países habrá de llevar a su (mejor) explotación, y sabemos que España es el primer país colonial que aplica
sistemáticamente este precepto, gracias a las investigaciones emprendidas por instigación de la corona. Una suerte de nueva trinidad sustituye, o más bien pone en segundo plano —pues siempre debe estar
dispuesto a intervenir— al antiguo conquistador-soldado: está formada por el estudioso, el religioso y el comerciante. El primero se
informa sobre el estado del país; el segundo permite su asimilación
espiritual; el tercero asegura las ganancias; se ayudan entre sí, y todos
ayudan a España.

Las Casas y los otros defensores de los indios no son hostiles a
la expansión española; pero prefieren una de sus formas a la otra.

Llamemos a cada una de ellas con un nombre familiar (aun si esos nombres no son del todo exactos históricamente): están en la ideología *colonialista*, contra la ideología *esclavista*. El esclavismo, en este sentido de la palabra, reduce al otro al nivel de objeto, lo cual se manifiesta especialmente en todos los casos de comportamiento en que los indios son tratados como algo menos que hombres: se usan sus carnes para alimentar a los demás indios, o incluso a los perros; los matan para extraerles la grasa, que supuestamente cura las heridas de los españoles: los equiparan con animales de carnicería; les cortan todas las extremidades, narices, manos, senos, lengua, sexo, y las transforman en muñones informes, como se cortan los árboles; se propone emplear su sangre para regar los jardines, como si fuera el agua de un río. Las Casas relata cómo aumenta el precio de una esclava según esté o no encinta, exactamente igual que con las vacas. "Este hombre perdido se loó e jactó delante de un venerable religioso, desvergonzadamente, diciendo que trabajaba cuanto podía por empreñar muchas mujeres indias, para que, vendiéndolas preñadas por esclavas, le diesen más precio de dinero por ellas" (*Relación*, "Yucatán").

Pero esta forma de utilizar a los hombres evidentemente no es la más redituable. Si, en vez de tomar al otro como objeto, se le considerara como un sujeto capaz de producir objetos que uno poseerá, se añadiría un eslabón a la cadena —un sujeto intermedio— y, al mismo tiempo, se multiplicaría al infinito el número de objetos poseídos. De esta transformación vienen dos preocupaciones adicionales. La primera es que hay que mantener al sujeto "intermedio" precisamente en ese papel de sujeto-productor-de-objetos e impedir que llegue a ser como nosotros: la gallina de los huevos de oro pierde todo su interés si ella misma consume sus productos. El ejército, o la policía, se ocupará de eso. La segunda preocupación se traduce de la manera siguiente: el sujeto será tanto más productivo cuanto mejor cuidado esté. Los religiosos proporcionarán entonces cuidados médicos por una parte, instrucción por la otra. Motolinía y Olarte dicen ingenuamente en una carta al virrey Luis de Velasco, en 1554: "Algunos [destos pobres] no han venido en tanto conocimiento que lo den de voluntad [el pago de diezmos]." La salud del cuerpo y la del alma estarán en lo subsiguiente al cuidado de especialistas laicos: el médico y el profesor.

La eficacia del colonialismo es superior a la del esclavismo; eso es, por lo menos, lo que podemos comprobar hoy en día. En la América española no faltan los colonialistas de estatura: si Colón se debe clasificar más bien del lado de los esclavistas, personajes tan diferentes, y tan opuestos en la realidad como Cortés y Las Casas, pertenecen ambos a la ideología colonialista (este parentesco es el que explicitan las ordenanzas de 1573). Un fresco de Diego Rivera en el Palacio Nacional de México muestra la estampa de la relación entre los dos personajes: por un lado Cortés, con la espada en una mano y el látigo en la otra, pisoteando a los indios; frente a él, Las Casas, protector de los indios, detiene a Cortés con una cruz. Es cierto que muchas cosas separan a esos dos hombres. Las Casas ama a los indios pero no los conoce; Cortés los conoce a su manera, incluso si no les tiene un "amor" particular; su actitud frente a la esclavitud de los indios, que hemos podido observar, ilustra bien su posición. Las Casas está en contra del repartimiento, distribución feudal de los indios a los españoles, que Cortés, por el contrario, promueve. Desconocemos casi totalmente los sentimientos de los indios de la época frente a Las Casas, lo cual ya es significativo en sí. Cortés, en cambio, es tan popular que hace temblar a los poseedores del poder legal, representantes del emperador de España, que saben que los indios se sublevarían con una palabra de Cortés. En opinión de los miembros de la segunda Audiencia, el cariño que sienten los indios por Cortés se explica porque él fue quien los conquistó, y porque los trató mejor que todos los demás conquistadores. Y sin embargo, Las Casas y Cortés están de acuerdo en un punto esencial: la sumisión de América a España, la asimilación de los indios a la religión cristiana, la preferencia por el colonialismo en detrimento del esclavismo.

Podría extrañar el que se marquen con el estigma de "colonialismo", que es un insulto en nuestros días, todas las formas que adoptó la presencia de España en América. Desde la época de la conquista, los autores que pertenecen al partido pro-español no dejan de insistir en los beneficios traídos por los españoles a las regiones salvajes, y con frecuencia encontramos estas enumeraciones: los españoles suprimieron los sacrificios humanos, el canibalismo, la poligamia, la homosexualidad, y trajeron el cristianismo, el vestido europeo, ciertos animales domésticos, instrumentos. Aun si hoy en día no siempre nos parece claro por qué una determinada novedad sería superior a determinada práctica antigua, y si podemos opinar que algunos de esos regalos se pagaron a muy alto precio, no por ello deja de haber puntos indiscutiblemente positivos: adelantos técnicos, y también, como hemos visto, simbólicos y culturales. ¿Es eso siempre colonialismo? En otras palabras, ¿es nefasta toda influencia, por el hecho mismo de su exterioridad? Planteada de esta manera, me parece que la pregunta sólo puede recibir una respuesta negativa. Se ve entonces que si el colonialismo se opone por una parte al esclavismo, se opone al mismo tiempo a otra forma, positiva o neutra, de contacto con el otro, a la que llamaré simplemente *comunicación*. A la tríada comprender/tomar/destruir corresponde otra, en el orden inverso: esclavismo/colonialismo/comunicación.

El principio de Vitoria, según el cual hay que permitir la libre circulación de los hombres, las ideas y los bienes, parece estar generalmente aceptado hoy en día (aun si no basta para justificar una guerra). ¿En nombre de qué se reservaría "América para los americanos" —o a los rusos para Rusia? Además, ¿acaso estos indios no han venido a su vez de otra parte: del norte, o incluso, si damos crédito a lo que dicen algunos, de otro continente, Asia, por el estrecho de Behring? ¿Puede la historia de un país cualquiera ser diferente de la suma de todas las influencias sucesivas que ha recibido? Si realmente existiera un pueblo que se negara a todo cambio, ¿esa voluntad ilustraría algo que no fuera una pulsión de muerte hipertrofiada? Gobineau creía que las razas superiores eran las más puras; ¿acaso no creemos en la actualidad que las culturas más ricas son las que más mezclas tienen?

Pero también tenemos otro principio, el de autodeterminación y no injerencia. ¿Cómo conciliarlos? ¿No es contradictorio reivindicar el derecho a la influencia y condenar la injerencia? No, aun si el asunto no es evidente, y exige ser precisado. No se trata de juzgar el contenido, positivo o negativo, de la influencia en cuestión: sólo se podría hacer con ayuda de criterios completamente relativos, y aún ahí correríamos el riesgo de no ponernos nunca de acuerdo, de tan complejas que son las cosas. ¿Cómo medir el impacto de la cristianización en América? La pregunta parece casi vacía de sentido, de tanto que pueden variar las respuestas. Un pequeño ejemplo podrá hacernos reflexionar sobre la relatividad de los valores; es un episodio relatado por Cortés, en su expedición a Honduras: "Y ofrecióse que un español halló un indio de los que traía en su compañía, natural de estas partes de México, comiendo un pedazo de carne de un indio que mataron en aquel pueblo cuando entraron en él, y vínomelo a decir, y en presencia de aquel señor [indio] le hice quemar, dándole a entender al dicho señor la causa de aquella justicia, que era porque había muerto aquel indio y comido de él, lo cual era defendido por vuestra majestad, y por mí en su real nombre les había sido requerido y mandado que no lo hiciesen; y que así, por le haber muerto y comido de él le mandaba quemar, porque yo no quería que matasen a nadie" (5).

Los cristianos se indignan por los casos de canibalismo (cf. fig. 21); la introducción del cristianismo lleva a suprimirlos. Pero, para lograrlo, ¡hay hombres a los que queman vivos! Toda la paradoja de la pena de muerte está ahí: la instancia penal realiza el mismo acto que condena, mata para impedir que se mate. Para los españoles era una forma de luchar contra lo que consideraban como barbarie; como los tiempos han cambiado, apenas percibimos la diferencia de "civilización" entre quemar vivo y comer muerto. Paradoja de la colonización, aunque se realice en nombre de valores que se creen superiores.

En cambio, es posible establecer un criterio ético para juzgar la forma de las influencias: lo esencial, diría yo, es saber si son *impuestas* o *propuestas*. La cristianización, al igual que la exportación de cualquier ideología o técnica, es condenable en el momento mismo en que es impuesta, ya sea por las armas o de otra manera. Existen rasgos de una civilización de los que se puede decir que son superiores o inferiores; pero eso no justifica que se impongan al otro. Aún más, el imponer la propia voluntad al otro implica que no se le reconoce la misma humanidad que a uno, lo cual es precisamente un rasgo de civilización inferior. Nadie les preguntó a los indios si querían la rueda, o los telares, o las fraguas, fueron obligados a aceptarlos; ahí reside la violencia, y no depende de la utilidad que puedan o no tener esos objetos. Pero ¿en nombre de qué se condenaría al predicador sin armas, aun si su finalidad admitida es convertirnos a su propia religión?

Quizás haya algo de utopismo, o de simplismo, en remitir así las cosas al uso de la violencia. Con más razón porque ésta, como sabemos, puede adoptar formas que en realidad no son más sutiles, sino menos evidentes: ¿se puede decir que una ideología o una técnica sólo es propuesta, cuando lo es con todos los medios existentes de comunicación? Ciertamente no. Recíprocamente, una cosa no es impuesta cuando se tiene la posibilidad de elegir otra, y de saberlo. La relación entre saber y poder, que pudimos observar en ocasión de la conquista, no es contingente, sino constitutiva. Vitoria, uno de los fundadores del derecho internacional moderno, ya estaba consciente de ello. Hemos visto que admitía la existencia de guerras justas, aquellas que son motivadas por la reparación de una injusticia. Ahora bien, no dejaba de hacerse la pregunta: ¿cómo se podrá decidir sobre lo justo de una guerra? Su respuesta pone en evidencia el papel de la información. No basta con que el príncipe así lo crea: tiene demasiado interés en el asunto, y un hombre puede equivocarse. Tampoco con que la población, aun toda ella, así lo piense: el pueblo no tiene acceso a los secretos de estado, por definición no está informado. Es necesario que la causa sea justa en sí misma, y no solamente para una opinión siempre manipulable. Esta justicia absoluta sólo es accesible a los hombres sabios, que están obligados a ella. "Conviene [. . .] consultar a hombres probos y sabios que [. . .] hablen con entera libertad y sin ira, odio ni pasión" (*Del derecho de guerra*, 21, 59). La ignorancia sólo provisionalmente es una excusa; después se vuelve culpable. "El que duda y es negligente para la verdad, no posee de buena fe" (*ibid.*, 29, 84).

Cuando Vitoria aplica esta doctrina general al caso de las guerras contra los indios, no olvida ese prurito de información: los españoles sólo podrán quejarse de la hostilidad de los indios si pueden probar que éstos han sido debidamente informados de las buenas intenciones de los recién llegados; el acto de dar la información es una obligación, igual que lo era el de buscarla. Sin embargo, Vitoria mismo no ilustra a la perfección su propio precepto —y entonces encarna la separación característica del intelectual moderno, entre decir y hacer, entre el contenido del enunciado y el sentido de la enunciación. Al lado de las razones "recíprocas" que pueden justificar una guerra, y al lado de las que eran imputables a su propio etnocentrismo, también daba otras, cuyo defecto no es la falta de reciprocidad, sino el descuido relativo de la información. Admite, por ejemplo, que los jefes, o una parte de la población, apelen a las potencias extranjeras; la intervención de éstas sería entonces una guerra justa. Pero no dice una sola palabra de las modalidades de consulta de la población en un caso tal, y no contempla la posibilidad de mala fe por parte de los jefes. O bien justifica las intervenciones hechas en nombre de alianzas militares. Pero el ejemplo que aduce —tomado de la conquista de México— lo traiciona: "Así obraron los tlascaltecas en su guerra con los mexicanos, celebrando un acuerdo con los españoles para que les ayudaran a combatirlos, y de lo que se ganó en tal lucha pudieron hacer partícipes a los españoles" (*De los indios*, 3, 17, 296). Vitoria habla como si la guerra entre mexicanos y tlaxcaltecas fuera la relación básica, donde los españoles sólo intervendrían en su calidad de aliados de estos últimos. Pero sabemos que eso es una brutal transformación de la realidad; aquí Vitoria es culpable de haberse fiado de la aproximación de los "se dice", de los decires de "los que han estado allí" (*ibid.*, 3, 18, 302), sin que haya realmente "búsqueda de la verdad".

Una buena información es el mejor medio de establecer el poder: lo hemos visto ya con Cortés y las ordenanzas reales. Pero, por otra parte, el derecho a la información es inalienable, y no hay legitimidad del poder si no se respeta ese derecho. Aquellos que no se ocupan de saber, igual que los que se abstienen de informar, son culpables ante su sociedad, o, dicho en términos positivos, la función de información es una función social esencial. Ahora bien, si la información es eficaz, la distinción entre "imponer" y "proponer" seguirá siendo pertinente.

No es necesario encerrarse en una alternativa estéril: o justificar las guerras coloniales (en nombre de la superioridad de la civilización occidental), o rehusar toda integración con el extranjero, en nombre de la identidad con uno mismo. La comunicación no violenta existe, y se la puede defender como un valor. Eso es lo que podría permitirnos actuar de modo tal que la tríada esclavismo/colonialismo/comunicación no sólo sea un instrumento de análisis conceptual, sino que también resulte que corresponde a una sucesión en el tiempo.

# 4. CONOCER

## TIPOLOGÍA DE LAS RELACIONES CON EL OTRO

Es algo paradójico equiparar el comportamiento de Las Casas y el de Cortés frente a los indios, y ha sido necesario poner varias restricciones a esta afirmación, pues la relación con el otro no se constituye en una sola dimensión. Para dar cuenta de las diferencias existentes en la realidad, hay que distinguir por lo menos tres ejes, en los que se puede situar la problemática de la alteridad. Primero hay un juicio de valor (un plano axiológico): el otro es bueno o malo, lo quiero o no lo quiero, o bien, como se prefiere decir en esa época, es mi igual o es inferior a mí (ya que por lo general, y eso es obvio, yo soy bueno, y me estimo. . .). En segundo lugar, está la acción de acercamiento o de alejamiento en relación con el otro (un plano praxeológico): adopto los valores del otro, me identifico con él; o asimilo al otro a mí, le impongo mi propia imagen; entre la sumisión al otro y la sumisión del otro hay un tercer punto, que es la neutralidad, o indiferencia. En tercer lugar, conozco o ignoro la identidad del otro (éste sería un plano epistémico); evidentemente no hay aquí ningún absoluto, sino una gradación infinita entre los estados de conocimiento menos o más elevados.

Claro que existen relaciones y afinidades entre estos tres planos, pero no hay ninguna implicación rigurosa; por lo tanto, no se puede reducir uno a otro, ni se puede prever uno a partir del otro. Las Casas conoce a los indios menos bien que Cortés, y los quiere más; pero los dos se encuentran en su política común de asimilación. El conocimiento no implica el amor, ni a la inversa; y ninguno de los dos implica por la identificación con el otro, ni es implicado por ella. Conquistar, amar y conocer son comportamientos autónomos y, en cierta forma, elementales (hemos visto que el descubrir se refiere más a las tierras que a los hombres; respecto a éstos, la actitud de Colón se puede describir en términos enteramente negativos: no ama, no conoce y no se identifica).

No se debe confundir esta delimitación de los ejes con la diversidad que se observa en un solo eje. Las Casas nos ha dado un ejemplo de amor por los indios, pero en realidad él mismo ya ilustra más de

una actitud, y, para hacerle justicia, debemos completar aquí su retrato. Es que Las Casas pasó por una serie de crisis, o de transformaciones, que lo llevaron a situarse en una serie de posiciones emparentadas, pero distintas, en el transcurso de su larga vida (1484-1566).
Renuncia a sus indios en 1514, pero no se hace dominico hasta 1522-
1523, y esta segunda conversión es tan importante como la primera.
La que habrá de interesarnos ahora es otra transformación más: la
que ocurre hacia el final de su vida, después de su regreso definitivo
de México, y también después del fracaso de varios de sus proyectos; podríamos tomar como punto de referencia el año de 1550, fecha
del debate de Valladolid (pero de hecho no hay aquí una "conversión" clara). La actitud de Las Casas frente a los indios, el amor que
les tiene, no son iguales antes y después de esa fecha.

El cambio parece haberse operado a partir de la reflexión a la que
lo llevan los sacrificios humanos de los aztecas. La existencia de esos
ritos era el argumento más convincente del partido representado por
Sepúlveda, que afirmaba la inferioridad de los indios; por otra parte,
era indiscutible (aun si no hay acuerdo en cuanto a la cantidad; cf.
figs. 20, 21, 25 y 26). Aun varios siglos más tarde, no es difícil imaginar
la reacción: es imposible leer sin inmutarse las descripciones redactadas
por los frailes españoles de la época, al dictado de sus informantes.

¿No son esos sacrificios la prueba evidente del salvajismo, y por
lo tanto de la inferioridad, de los pueblos que los practican? Ése es
el tipo de argumento que debía refutar Las Casas. Se ocupa de ello
en su *Apología* en latín, presentada a los jueces de Valladolid, y en
algunos capítulos de la *Apologética historia*, que deben haber sido escritos al mismo tiempo. Su razonamiento al respecto merece un examen detallado. En una primera etapa, Las Casas afirma que, incluso
si el canibalismo y el sacrificio humano son condenables en sí, no
se sigue de ello que haya que declarar la guerra a quienes los practican: el remedio tiene entonces el riesgo de ser peor que la enfermedad. A eso se añade el respeto, que Las Casas supone común a indios
y españoles, por las leyes del país. Si la ley impone el sacrificio,
al practicarlo uno se conduce como un buen ciudadano, y no se puede culpar al individuo por hacerlo. Pero después da un paso más:
la condena misma se vuelve problemática. Para este fin Las Casas
emplea dos tipos de argumentos, que desembocan en dos afirmaciones graduadas.

El primer argumento es del orden de los hechos, y será apoyado
por acercamientos históricos. Las Casas quiere hacer que el sacrificio humano sea menos extraño, menos excepcional para el espíritu

de su lector, y recuerda que ese sacrificio no está enteramente ausente en la propia religión cristiana. "Todo lo anteriormente expuesto parece confirmarse por la orden dada por Dios a Abraham de inmolar a su hijo único Isaac, y así puede convencerse a los hombres de que no es del todo abominable el ofrecer sacrificios humanos a Dios" (*Apología*, 37). De la misma manera, Jefté se vio obligado a sacrificar a su hija (*Jueces*, 11, 31 *ss*.). ¿Acaso todos los primogénitos no estaban prometidos a Dios? A quien objetara que todos esos ejemplos provienen del Antiguo Testamento, Las Casas recordaría que, después de todo, Jesús había sido sacrificado por Dios Padre, y que los primeros cristianos estaban igualmente obligados a hacerlo, si no querían renunciar a su fe; tal era, por lo visto, la voluntad divina. De manera comparable, en un capítulo anterior, Las Casas reconociliaba a su lector con la idea del canibalismo refiriéndole casos en que unos españoles, apremiados por la necesidad, habían comido, uno el hígado, otro el muslo de uno de sus compatriotas.

La segunda afirmación (que figura en primer lugar en la argumentación de Las Casas) es todavía más ambiciosa: se trata de probar que el sacrificio humano no sólo es aceptable por razones de fe, sino también en derecho. Al hacer esto, Las Casas se ve llevado a presuponer una definición nueva del sentimiento religioso, y en ese punto su razonamiento es particularmente interesante. Los argumentos están tomados de la "razón natural", de consideraciones *a priori* sobre la naturaleza del hombre. Las Casas acumula, uno tras otro, cuatro "previos principios":

1. Todo ser humano tiene un conocimiento intuitivo de Dios, es decir, de "algo que está por encima y es mejor que todas las cosas" (*ibid*., 35).

2. Los hombres adoran a Dios según sus capacidades y a su manera, tratando siempre de hacerlo lo mejor que pueden.

3. La mejor prueba que uno puede dar de su amor a Dios consiste en ofrecerle lo más preciado que tiene, es decir, la vida humana misma. Es el meollo del argumento, y Las Casas se expresa de la manera siguiente: "El modo principal de reverenciar a Dios es ofrecerle sacrificios, acto éste el único por el que demostramos que aquel a quien los ofrecemos es Dios y nosotros sus súbditos agradecidos. Además, la naturaleza nos enseña que es justísimo que ofrezcamos a Dios, de quien por tantos motivos nos reconocemos deudores, por la admirable eminencia de su majestad, las cosas más preciosas y excelentes.

Fig. 25. *Sacrificado con los atributos de la diosa de la sal*

Fig. 26. *Versión romántica del sacrificio*

Ahora bien, según la verdad y juicio humanos, ninguna cosa hay para los hombres más importante y preciosa que su vida. Luego la propia naturaleza enseña y dicta a aquellos que carecen de la fe, gracia y doctrina, no habiendo una ley positiva que ordene lo contrario, y encontrándose éstos dentro de los límites de la luz natural, que deben inmolar incluso víctimas humanas al Dios verdadero o al falso, si es tenido por verdadero, para que, al ofrecerle así la cosa más preciosa, se muestren especialmente agradecidos por tantos beneficios recibidos" (*ibid.*, 36).

4. Así pues, el sacrificio existe por la fuerza de la ley natural, y sus formas serán fijadas por las leyes humanas, especialmente en lo que se refiere a la naturaleza del objeto sacrificado.

Gracias a esta serie de encadenamientos, Las Casas termina por adoptar una nueva posición, e introduce lo que podríamos llamar el "perspectivismo" en el seno de la religión. Se habrá observado cómo toma sus precauciones para recordar que el dios de los indios, aunque no es el "verdadero" Dios, sin embargo es considerado por ellos como tal, y que de ahí hay que partir: "al Dios verdadero o putativo considerado como verdadero" (*ibid.*, 35); "al Dios verdadero o a aquel que se considera como verdadero" (*ibid.*, 35); "al Dios verdadero o a aquel que, por error, consideraba como verdadero" (*ibid.*, 35). Pero reconocer que su dios es verdadero para ellos, ¿no es dar el primer paso hacia otro reconocimiento, a saber, que nuestro Dios es verdadero para nosotros —sólo para nosotros? Lo que queda entonces de común y universal ya no es el Dios de la religión cristiana, al cual todos deberían llegar, sino la idea misma de divinidad, de lo que está por encima de nosotros; más bien la religiosidad que la religión. La parte presupuesta de su razonamiento es también su elemento más radical (más que lo que dice del sacrificio mismo): es verdaderamente sorprendente ver que se introduce el "perspectivismo" en un campo que tan poco se presta a él.

El sentimiento religioso no se define por un contenido universal y absoluto sino por su orientación, y se mide por su intensidad; de tal manera que incluso si el Dios cristiano es en sí una idea superior a la que se expresa por medio de Tezcatlipoca (eso es lo que cree el cristiano Las Casas), los aztecas pueden ser superiores a los cristianos en materia de religiosidad, y de hecho lo son. El concepto mismo de religión sufre una transformación total. "Pero las naciones que a sus dioses ofrecían en sacrificio hombres, por la misma razón mejor concepto formaron y más noble y digna estimación tuvieron de la excelencia y deidad y merecimiento (puesto que idólatras engañados) de sus dioses, y por consiguiente, mejor consideración naturalmente y más cierto discurso y juicio de razón y mejor usaron de los actos del entendimiento que todas las otras, y a todas las dichas hicieron ventaja como más religiosas, y sobre todos los del mundo se aventajaron los que por bien de sus pueblos ofrecieron en sacrificio sus propios hijos" (*Apologética historia*, III, 183). Dentro de la tradición cristiana, en opinión de Las Casas, sólo los mártires de las primeras épocas podían compararse con los fervientes aztecas.

Así pues, al enfrentarse con el argumento más embarazoso Las Casas se ve llevado a modificar su posición y a ilustrar por esta misma razón una variante del amor que uno tiene por el otro; un amor que ya no es asimilacionista sino distributivo en cierta forma: cada uno tiene sus propios valores; la comparación ya sólo puede referirse a relaciones —del ser con *su* dios— y no a sustancias: no hay más universales que los formales. Aunque afirma la existencia del dios único, Las Casas no da la preferencia *a priori* a la vía cristiana para alcanzar a ese dios. La igualdad, aquí, ya no se paga con el precio de la identidad; no se trata de un valor absoluto: cada quien tiene el derecho de acercarse a dios por la vía que le conviene. Ya no hay un Dios verdadero (el nuestro), sino una coexistencia de universos posibles: si alguien lo considera como verdadero. . . Las Casas ha dejado subrepticiamente la teología y practica una especie de antropología religiosa, lo cual, en su contexto, es auténticamente trastornante, pues bien parece que aquel que asume un discurso sobre la religión da el primer paso hacia la renunciación del discurso religioso mismo.

Le será todavía más fácil aplicar este principio al caso general de la alteridad, y poner entonces en evidencia la relatividad del concepto de "barbarie" (parecería que es el primero que lo hace en la época moderna): cada quien es el bárbaro del otro, para serlo basta con hablar una lengua que ese otro desconoce; no será más que un borborigmo para sus oídos. "Lo mesmo se suele llamar bárbaro un hombre comparado a otro porque es extraño en la manera de la habla, cuando el uno no pronuncia bien la lengua del otro [. . .]; y ésta fue la primera ocasión, según Estrabón, en el libro 14, que se tuvo para llamar los griegos a otras gentes bárbaras, conviene a saber, porque no pronunciaban bien, sino rudamente y con defecto, la lengua griega; y desta manera no hay hombre ni nación alguna que no sea de la otra cualquiera bárbara y bárbaro. Así lo dice Sant Pablo de sí mismo y de los otros, 1ª *ad Corinthios*, 14: *Si ego nesciero virtutem vocis, ero cui loquar barbarus, et qui loquitur mihi barbarus.* Y así, estas gentes destas Indias, como nosotros las estimamos por bárbaras, ellas, también, por no entendernos, nos tenían por bárbaros" (*ibid.*, III, 264). El radicalismo de Las Casas le impide toda solución intermedia: o afirma, como en la etapa anterior, la existencia de una sola religión verdadera, lo cual lo lleva inevitablemente a equiparar a los indios con una fase anterior, y por lo tanto inferior, de la evolución de los europeos, o, como lo hace en la vejez, acepta la coexistencia de ideales y de valores, rechaza todo sentido no relativo de la palabra "bárbaro", y por lo tanto, toda evolución.

Al afirmar la igualdad en detrimento de la jerarquía, Las Casas toca un tema cristiano clásico, como lo indica la referencia a San Pablo, citado también en la *Apología*, y esta otra referencia, al Evangelio según San Mateo: "Así que todas las cosas que quisierais que los hombres hiciesen con vosotros, así también haced vosotros con ellos" (7, 12). Comenta Las Casas: "Esto cualquier hombre con la luz natural impresa en nuestra mente lo conoce, aprende y entiende" (*Apología*, 1). Ya habíamos encontrado el tema del igualitarismo cristiano, y al mismo tiempo habíamos visto hasta qué punto era ambiguo. Todos, en esa época, invocan el espíritu del cristianismo. En nombre de la moral cristiana los católicos (y, por ejemplo, el primer Las Casas) ven a los indios como sus iguales, *por lo tanto* sus semejantes, y tratan de asimilarlos a ellos. Los protestantes, por el contrario, teniendo presentes las mismas referencias, acusan las diferencias y aíslan a su comunidad de la comunidad indígena, cuando éstas se encuentran en contacto (curiosamente, esa posición no deja de recordar la de Sepúlveda). En ambos casos se niega la identidad del otro: ya sea en el plano de la existencia, como en el caso de los católicos, ya sea en el de los valores, como sucede con los protestantes, y es un poco irrisorio buscar cuál de los dos partidos es campeón en la vía de la destrucción del otro. Pero es en la doctrina cristiana donde el último Las Casas descubre esa forma superior del igualitarismo que es el perspectivismo, donde cada quien se pone en relación con sus valores propios, en vez de confrontarse con un ideal único.

No hay que olvidar al mismo tiempo el carácter paradójico de esta unión de términos: "una religión igualitarista"; explica la complejidad de la posición de Las Casas. Esa misma paradoja tiene su ilustración en otro episodio de la historia de las ideologías y de los hombres, más o menos contemporáneo: el debate sobre la finitud o la infinitud del mundo, y por consiguiente sobre la existencia o inexistencia de una jerarquía interior al mundo. En su tratado en forma de diálogo, *De l'infinito universo e mondi*, escrito en 1584, Giordano Bruno, dominico como Las Casas, enfrenta dos concepciones. Una, que afirma el carácter finito del mundo y la jerarquía necesaria, es defendida por el aristotélico (que no se llama Sepúlveda); la otra es la suya propia. Así como Las Casas (y San Pablo antes de él) había afirmado la relatividad de las posiciones a partir de las cuales se juzgan los asuntos humanos, Bruno lo hace en relación al espacio físico, y niega la existencia de toda posición privilegiada. "Así que la tierra no está en el centro [del universo], no más que cualquier otro mundo; y no existen puntos en el espacio que pudiesen formar polos definidos y determinados para nuestra tierra, de igual manera que ésta no forma un polo definido y determinado para ningún otro punto del éter o del espacio del mundo; y esto es cierto para todos los demás cuerpos [del universo]. Desde puntos de vista diferentes todos pueden ser mirados como centros o como puntos de la circunferencia, como polos o como cenit, y así sucesivamente. Así pues, la tierra no es el centro del universo; sólo es central en relación a nuestro propio espacio circundante. [. . .] Una vez que se supone un cuerpo de tamaño infinito, se renuncia a atribuirle un centro o una periferia" (2).

No sólo la tierra no es el centro del universo, sino que tampoco lo es ningún punto físico; la noción misma de centro sólo tiene sentido en relación con un punto de vista particular: el centro y la periferia son conceptos tan relativos como los de civilización y barbarie (y aún más). "No hay en el universo ni centro ni circunferencia, sino que el conjunto es central, y también se puede considerar todo punto como una parte de la circunferencia, con relación a otro punto central" (5).

Pero la Inquisición, que había sido indulgente para Las Casas (¡ni hablar de San Pablo!), no admite la afirmación de Bruno: excluido ya de la orden de los dominicos cuando escribe estas frases, poco después había de ser apresado, juzgado por herejía y quemado en la plaza pública en 1600, último año del siglo que había visto las luchas de Las Casas. Lo igualitario de su discurso es, como el de Las Casas, a la vez cristiano y antirreligioso: pero el primer componente es el que oirán los jueces de Las Casas, mientras que los de Bruno oyen el segundo. Quizás eso se deba a que la afirmación de Las Casas se refiere al mundo de los hombres, para el cual, al fin y al cabo, son concebibles diferentes interpretaciones, mientras que la de Bruno se refiere al universo entero, que incluye a Dios —o precisamente, que no lo incluye, lo cual pertenece al dominio del sacrilegio.

Y sin embargo es un hecho digno de asombro: no se objeta nada a los proyectos propiamente políticos de Las Casas, hacia el final de su vida. Claro que no se los acepta, sino que simplemente se los ignora; por lo demás, es difícil concebir cómo tales proyectos pudieran siquiera empezar a realizarse, con lo utópicos que son y con lo poco que tienen en cuenta los intereses comprometidos en la empresa. La solución por la que se inclina Las Casas es conservar los antiguos estados, con sus reyes y gobernadores; predicar en ellos el Evangelio, pero sin el apoyo de los ejércitos; si esos reyes locales solicitan integrarse en una especie de federación presidida por el rey de España, hay que aceptarlos; sólo se aprovecharán sus riquezas si ellos mismos lo proponen: "Y si los reyes de las Indias quisieren traspasar en los reyes de Castilla el derecho y señorío que tienen sobre las minas de oro y plata, perlas y piedras y las salinas. . ." ("Carta a fray Bartolomé Carranza de Miranda", agosto de 1555). En otras palabras, Las Casas le sugiere al rey de España, ni más ni menos, que renuncie a sus posesiones allende el Atlántico. Y la única guerra que considera sería la que hiciera el rey contra los conquistadores españoles (pues Las Casas sospecha que éstos no querrán renunciar de buen grado a sus conquistas): "La orden que tiene menos inconvenientes y contiene el verdadero remedio de tantos males, y los reyes de Castilla creo yo, como creo en Dios, ser de precepto divino, a ponerla por guerra y mano armada, si no pudieren por paz, *etiam* con riesgo y peligro de todo lo temporal que tienen en las Indias obligados, es sacar los indios de poderío del diablo y ponerlos en su prístina libertad, y a sus reyes y señores naturales restituirles sus estados" (*ibid.*).

Resulta así que la justicia "distributiva" y "perspectivista" de Las Casas lo lleva a modificar otro componente de su posición: renuncia, en la práctica, al deseo de asimilar a los indios, y elige la vía neutral: los indios mismos decidirán sobre su propio porvenir.

Examinemos ahora algunos comportamientos dentro de la perspectiva del segundo eje que hemos marcado para describir las relaciones con el otro, el de la acción de identificación o de asimilación. Vasco de Quiroga ofrece un ejemplo original de esta última. Es miembro de la Segunda Audiencia de México, es decir, pertenece al poder administrativo; más tarde es obispo de Michoacán. Se parece en muchos aspectos a los demás humanistas, ya sean laicos o religiosos, que tratarán de proteger en México a los indios contra los excesos de los conquistadores; pero se distingue netamente de ellos en un punto: su actitud es asimilacionista, pero el ideal al que quiere asimilar a los indios no está encarnado por él mismo o por la España con-

temporánea; los asimila, en suma, a un tercero. Vasco de Quiroga
tiene una mente formada por la lectura: primero la de los libros cristianos, pero también la de las célebres *Saturnalias* de Luciano, donde
se expone detalladamente el mito de la edad de oro; por último, y
sobre todo, la lectura de la *Utopía* de Tomás Moro. En suma, Vasco
de Quiroga afirma que los españoles pertenecen a una fase decaden-
te de la historia, mientras que los indios, por su parte, se asemejan
a los primeros apóstoles y a los personajes del poema de Luciano (aun
si, en otras partes, el obispo de Michoacán también es capaz de repro-
bar sus defectos): "Parece que había en todo y por todo la misma
manera e igualdad, simplicidad, bondad, obediencia, humildad, fiestas,
juegos, placeres, deberes, holgares, ocios, desnudez, pobre y menos-
preciado ajuar, vestir y calzar y comer, según que la fertilidad de la
tierra se lo daba, ofrecía y producía de gracia y cuasi sin trabajo, cuidado ni solicitud suya" ("Información en derecho", p. 380).

Con eso se puede ver que Vasco de Quiroga, a pesar de su experiencia "de campo", no había llevado muy lejos el conocimiento de
los indios: apoyándose en algunas experiencias superficiales, como
Colón o como Las Casas, no ve en ellos lo que son, sino lo que él
quisiera que fueran, una variante de los personajes de Luciano. Sin
embargo, las cosas son un poco más complejas, pues esta visión idea-
lizante se detiene a medio camino: los indios efectivamente encarnan
la visión idílica de Vasco de Quiroga, pero están lejos de la perfección. Así pues, por medio de una acción deliberada que ejerce sobre
ellos, él será quien transforme esta promesa en una sociedad ideal.
Por eso, a diferencia de Las Casas, no habrá de ejercer su acción con
los reyes, sino con los propios indios. Recurre para ello a la enseñanza de un sabio: un pensador social, Tomás Moro, ya ha encontrado,
en su *Utopía*, las formas ideales que convienen para la vida de esas
personas. Es significativo el hecho de que Moro, por su parte, se ins-
piró para pintar su utopía en los primeros relatos entusiastas sobre
el Nuevo Mundo (hay en eso un fascinante juego de espejos, en el
que los malentendidos de interpretación motivan la trasformación
de la sociedad). Así que sólo queda promover este proyecto en la
realidad. Vasco de Quiroga organiza dos aldeas siguiendo las prescripciones utopistas: una cerca de la ciudad de México, la otra en
Michoacán, ambas llamadas Santa Fe, que ilustran a la vez su espíritu filantrópico y los inquietantes principios del estado utópico. La
unidad social de base en la familia extendida, formada por diez a doce
parejas de adultos emparentados, bajo las órdenes de un padre de
familia; los padres eligen a su vez al jefe de la aldea. No hay servido-

res y el trabajo es obligatorio, tanto para los hombres como para las mujeres, pero no puede pasar de seis horas diarias. Todos alternan obligatoriamente el trabajo en el campo con el trabajo artesanal; las ganancias de su producción se dividen equitativamente, según las necesidades de cada uno. Los cuidados médicos y el aprendizaje (tanto espiritual como manual) son gratuitos y obligatorios; están prohibidos los objetos y las actividades de lujo, e incluso se proscribe el uso de ropa de color. Los "hospitales"-aldeas son los únicos propietarios de los bienes, y tienen derecho a expulsar a los que se portan mal, es decir, a los insumisos, a los borrachos o a los haraganes (cierto es que en la realidad no se cumple este programa).

Vasco de Quiroga no tiene ninguna duda en cuanto a la superioridad de esta forma de vida, y considera que para alcanzarla son válidos todos los medios: así, con Sepúlveda y contra Las Casas, es un defensor de las "justas guerras" contra los indios y del reparto de éstos en encomiendas feudales. Lo cual no le impedirá, por otra parte, actuar como auténtico defensor de los indios contra las pretensiones de los colonos españoles, y sus aldeas gozan de una gran popularidad entre los indios.

Vasco de Quiroga ilustra un asimilacionismo incondicional, aunque original. Los ejemplos del comportamiento contrario, de identificación con la cultura y la sociedad de los indios, son mucho más raros (mientras que abundan los casos de identificación en el otro sentido: la Malinche era uno de ellos). El ejemplo más puro es el de Gonzalo Guerrero. Después de naufragar frente a las costas de México en 1511, cae, con algunos españoles más, en la costa de Yucatán. Sus compañeros mueren; sólo sobrevive Aguilar, el futuro intérprete de Cortés, que es vendido como esclavo en el interior del país. Diego de Landa, obispo de Yucatán, cuenta el resto: "Que Guerrero, como entendía la lengua, se fue a Chectemal, que es la Salamanca de Yucatán, y que allí le recibió un señor llamado Nachancán, el cual le dio a cargo las cosas de la guerra en que [est]uvo muy bien, venciendo muchas veces a los enemigos de su señor, y que enseñó a los indios pelear mostrándoles [la manera de] hacer fuertes y bastiones, y que con esto y con tratarse como indio, ganó mucha reputación y le casaron con una muy principal mujer en que hubo hijos; y que por esto nunca procuró salvarse como hizo Aguilar, antes bien labraba su cuerpo, criaba cabello y harpaba las orejas para traer zarcillos como los indios y es creíble que fuese idólatra como ellos" (3).

Así que tenemos una identificación completa: Guerrero adoptó la lengua, la religión, los usos y costumbres. No debe asombrar entonces que se niegue a unirse a las tropas de Cortés cuando éste desembarca en Yucatán, y que dé como razón, al decir de Bernal Díaz, precisamente su integración a la cultura de los indios: "Tiénenme por cacique y capitán cuando hay guerras; idos con Dios, que yo tengo labrada la cara y horadadas las orejas. ¡Qué dirán de mí desde que me vean esos españoles ir de esta manera! Y ya veis éstos mis hijitos cuán bonicos son" (27). Se piensa incluso que Guerrero no se mantuvo en esta posición de neutralidad y de reserva, sino que luchó contra los ejércitos de los conquistadores a la cabeza de las tropas yucatecas; según Oviedo (II. 32, 2), fue muerto en 1528 por el lugarteniente de Montejo, Alonso de Ávila, en una batalla contra el cacique de Chetumal.

El caso de Guerrero, curioso porque ilustra una de las variantes posibles de la relación con el otro, no tiene un gran significado histórico y político (también en eso es el contrario de la Malinche): nadie sigue su ejemplo y hoy en día es claro para nosotros que eso no podía haber ocurrido, pues no correspondía en nada a la relación de las fuerzas que se enfrentaban. Sólo trescientos años más tarde, cuando la independencia de México, veremos —pero en circunstancias totalmente diferentes— a los criollos tomando el partido de los indios contra los españoles.

Un ejemplo más interesante, por más complejo, de sumisión de/a los indios, es el del conquistador Álvar Núñez Cabeza de Vaca. Su destino es extraordinario: primero parte a la Florida con una expedición capitaneada por Pánfilo de Narváez, a quien ya habíamos encontrado en otras circunstancias. Hay naufragios, ocurrencias desastrosas, calamidades de todos tipos: el resultado es que Cabeza de Vaca y algunos de sus compañeros se ven obligados a vivir entre los indios, y de la misma manera que ellos. Luego emprenden un largo viaje (¡a pie!), y aparecen en México ocho años después de su llegada a la Florida. Cabeza de Vaca regresa a España para volver a irse unos cuantos años más tarde, ahora como jefe de una expedición a lo que actualmente es el Paraguay. También esa expedición acaba mal, pero por otras razones: Cabeza de Vaca, en conflicto con sus subordinados, es destituido y mandado a España, en cadenas. Sigue un largo proceso, que pierde; pero deja dos relaciones, cada una de ellas dedicada a uno de sus viajes.

En sus juicios sobre los indios, Cabeza de Vaca no da muestras de una gran originalidad: su posición es bastante cercana a la de Las Casas (antes de 1550). Los estima y no quiere hacerles daño; si hay evangelización, se debe llevar a cabo sin violencia. "Claramente se ve que estas gentes todas, para ser atraídas a ser cristianos y a obediencia de la imperial majestad, han de ser llevados con buen tratamiento, y que éste es camino muy cierto, y otro no" (I, 32). Hace esta reflexión en el momento en que se encuentra solo entre los indios; pero, cuando es gobernador del Río de la Plata, no ha olvidado el asunto, y trata de aplicarlo en sus relaciones con los indios; sin duda es una de las causas del conflicto que lo opone a los otros españoles. Pero no olvida su objetivo por ese "buen tratamiento", y declara, con toda sencillez, durante la odisea en Florida: "Ésta fue la más obediente gente que hallamos por esta tierra, y de mejor condición" (I, 30), o también: "La gente de ella [esa tierra] es muy bien acondicionada; sirven a los cristianos [los que son amigos] de muy buena voluntad" (I, 34). No excluye que se pueda recurrir a las armas, y relata detalladamente la técnica guerrera de los indios, para que "los que algunas veces se vinieren a ver con ellos estén avisados de sus costumbres y ardides, que suelen no poco aprovechar en semejantes casos" (I, 25); los pueblos en cuestión han sido exterminados desde entonces, sin dejar huella. En suma, nunca está lejos del *Requerimiento* que promete la paz con tal que los indios acepten someterse, y la guerra si se niegan a ello (cf. por ejemplo, I, 35).

Cabeza de Vaca no sólo se distingue de Las Casas en que su acción, como la de Vasco de Quiroga, se dirige más bien a los indios que a la corte, sino también por su conocimiento preciso y directo del modo de vida de los indios. Su relato contiene una notable descripción de las regiones y las poblaciones que descubre, y valiosos detalles sobre la cultura material y espiritual de los indios. Eso no es casual; en varias ocasiones explicita su preocupación: si elige un recorrido, es "porque, atravesando la tierra, víamos muchas particularidades de ella" (I, 28); si da noticia de una técnica, es "para que se vea y se conozca cuán diversos y extraños son los ingenios y industrias de los hombres humanos" (I, 30); si se interesa en una práctica determinada, es porque "todos los hombres desean saber las costumbres y ejercicios de los otros" (I, 25).

Pero allí donde el ejemplo de Cabeza de Vaca resulta más interesante es evidentemente en el plano de la identificación (posible). Para sobrevivir, se ve forzado a ejercer dos oficios. El primero es el de buhonero: durante casi seis años, recorre sin cesar el camino entre la costa y el interior, llevando a cada uno los objetos de que carece, pero que el otro tiene: alimentos, medicinas, caracoles de mar, pieles de animal, juncos para las flechas, cola. "Y este oficio me estaba a mí bien, porque andando en él tenía libertad para ir donde quería, y no era obligado a cosa alguna, y no era esclavo, y donde quiera que iba me hacían buen tratamiento y me daban de comer, por respeto de mis mercaderías, y lo más principal, porque andando en ello, yo buscaba por dónde me había de ir adelante, y entre ellos era muy conoscido" (I, 16).

El segundo oficio que ejerce Cabeza de Vaca es todavía más interesante: se vuelve curandero o, si se prefiere, chamán. No es una elección deliberada, sino que, después de ciertas peripecias, los indios deciden que Cabeza de Vaca y sus compañeros cristianos pueden curar a los enfermos, y les piden su intervención. Al principio los españoles se muestran reticentes, se declaran incompetentes; pero como los indios les quitan los víveres, acaban por aceptar. Las prácticas que eligen tienen una doble inspiración: por una parte observan a los curanderos indígenas y los imitan: imponen las manos, echan su aliento a los enfermos, los sangran y cauterizan con fuego las heridas. Por otra parte, y para mayor seguridad, recitan oraciones cristianas. "La manera con que nosotros curamos era santiguándolos y soplarlos, y rezar un *Pater noster* y un *Ave María*, y rogar lo mejor que podíamos a Dios nuestro Señor que les diese salud, y espirase en ellos que nos hiciesen algún buen tratamiento" (I, 15). Si creemos lo que cuenta Cabeza de Vaca, esas intervenciones siempre tienen éxito: hasta llega a resucitar a un muerto. . .

Cabeza de Vaca adopta los oficios de los indígenas y se viste como ellos (o anda desnudo como ellos) y come como ellos. Pero la identificación nunca es completa: hay una justificación "europea" que le hace agradable el oficio de buhonero, y oraciones cristianas en sus prácticas de curandero. En ningún momento olvida su propia identidad cultural, y esta firmeza lo sostiene en las pruebas más difíciles. "No tenía, cuando en estos trabajos me vía, otro remedio ni consuelo sino pensar en la pasión de nuestro redemptor Jesucristo y en la sangre que por mí derramó, y considerar cuánto más sería el tormento que de las espinas él padesció" (I, 22). Tampoco olvida nunca su objetivo, que es ir a reunirse con los suyos. "Y de mí sé decir que siempre tuve esperanza en Su misericordia que me había de sacar de aquella captividad, y así yo lo hablé siempre a mis compañeros" (I, 22). A pesar de lo integrado que está en la sociedad india, siente una gran alegría cuando encuentra a otros españoles: "Este día fue uno de los de mayor placer que en nuestros días habemos tenido" (I, 17). El mismo hecho de escribir un relato de su vida indica claramente su pertenencia a la cultura europea.

Cabeza de Vaca no se parece en nada a Guerrero; ni es posible imaginarlo a la cabeza de los ejércitos indios contra los españoles, ni tampoco casado y con hijos mestizos. Por lo demás, en cuanto vuelve a encontrar "la" civilización en México, toma el barco para regresar a España; nunca habrá de volver a la Florida, a Tejas o al norte de México. Y sin embargo esa prolongada estancia no deja de marcarlo, como lo vemos en particular en el relato del final de su periplo. Ha alcanzado los primeros puestos avanzados españoles en compañía de amigos indios, a quienes alienta a renunciar a toda acción hostil, asegurándoles que los cristianos no les harán ningún daño. Pero subestima la codicia de éstos y su deseo de conseguir esclavos; así que lo engañan sus propios correligionarios. "Nosotros andábamos a les buscar libertad [a los indios], y cuando pensábamos que la teníamos, sucedió tan al contrario, porque tenían acordado [los cristianos] de ir a dar en los indios que enviábamos asegurados y de paz; y ansí como lo pensaron, lo hicieron; lleváronnos por aquellos montes dos días, sin agua, perdidos y sin camino, y todos pensamos perescer de sed, y de ella se nos ahogaron siete hombres, y muchos amigos que los cristianos traían consigo no pudieron llegar hasta otro día a mediodía a donde aquella noche hallamos nosotros el agua" (I, 34). Parece que aquí el universo mental de Cabeza de Vaca se tambalea, con ayuda de la incertidumbre en cuanto a los referentes de sus pronombres personales; ya no hay dos partidos, nosotros (los cristianos) y ellos (los indios), sino tres: los cristianos, y los indios y "nosotros". Pero ¿quiénes son esos "nosotros", exteriores tanto a un mundo como al otro, puesto que los ha vivido ambos desde el interior?

Al lado de esta confusión de la identidad, también observamos, como sería de esperar, identificaciones parciales mucho más controladas. Son especialmente las de los monjes franciscanos, quienes, sin renunciar jamás a su ideal religioso ni a su objetivo evangelizador, adoptan fácilmente el modo de vida de los indios; de hecho lo uno sirve para lo otro, y el movimiento inicial de identificación facilita la asimilación en profundidad. "Y como el señor presidente [de la segunda Audiencia] les preguntase la causa por qué querían más a aquéllos [los franciscanos] que a otros, respondían los indios: 'Porque éstos andan pobres y descalzos como nosotros, asiéntanse entre nosotros, conversan entre nosotros mansamente' " (Motolinía, III, 4). Se encuentra la misma imagen en los *Coloquios* de los sacerdotes cristianos e indios, contados por los antiguos mexicanos: la primera palabra que éstos ponen en boca de los franciscanos es una afirmación de semejanza: "No dejéis que os engañemos en una cosa, / tened cuidado de considerarnos superiores, / pues en verdad, sólo somos vuestros iguales, / igual que vosotros sólo somos gente común, / además, somos hombres, como lo sois vosotros, / ciertamente no somos dioses. / También somos habitantes de la tierra, / también bebemos, también comemos, / también morimos de frío, también nos agobia el calor, / también somos mortales, también somos perecederos" (1, 28-36).

Alguien como Cabeza de Vaca avanza bastante en el camino de la identificación, y conoce bastante bien a los indios con quienes trata. Pero, como ya hemos dicho, no hay entre esos dos rasgos ninguna relación de implicación. Si hiciera falta una prueba, estaría en el ejemplo de Diego de Landa. Este franciscano debe su celebridad a un doble gesto, decisivo para nuestro conocimiento de la historia de los mayas. Por una parte, es autor de la *Relación de las cosas de Yucatán*, el documento más importante sobre el pasado de los mayas; por la otra, es el instigador de muchos autos de fe públicos en los cuales son quemados todos los libros mayas que existen en la época, como refiere Landa en su misma *Relación*: "Hallámosles gran número de libros de estas sus letras, y porque no tenían cosa en que no hubiese superstición y falsedades del demonio, se los quemamos todos, lo cual sintieron a maravilla y les dio mucha pena" (41).

De hecho, esta paradoja del hombre que al mismo tiempo ha quemado y escrito libros no es tal: se disipa si observamos que Landa rechaza cualquier identificación con los indios y exige, por el contrario, su asimilación a la religión cristiana; pero, al mismo tiempo, se interesa en conocer a esos indios. Hay en realidad una sucesión en sus gestos. Landa había vivido en Yucatán de 1549 a 1562, año del mencionado auto de fe. Sus actos, que no sólo comprenden la destrucción de los libros, sino también castigos para los indios "herejes", que son encarcelados, azotados e incluso ejecutados por órdenes suyas, son la causa de que lo llamen a España para ser juzgado (justificaba el uso de la tortura para los indios alegando que de otra manera hubiera sido imposible obtener de ellos ninguna información). Lo condena primero el Consejo de Indias, pero es absuelto por una comisión especial y lo vuelven a enviar a Yucatán, esta vez con el poder más grande que corresponde a un obispo. Durante su estancia en España, en 1566, escribe su libro, en parte para defenderse de las acusaciones que se le hacen. Vemos entonces la completa separación de las dos funciones: el asimilador actúa en Yucatán; el estudioso escribe libros en España.

Otros personajes religiosos de la época combinaron esos dos rasgos: al tiempo que tratan de convertir a todos los indios a la religión cristiana, describen también su historia, sus costumbres, su religión, y contribuyen así a su conocimiento. Pero ninguno de ellos cae en los excesos de Landa y todos lamentan la quema de manuscritos. Forman uno de los dos grandes grupos de autores a quienes se deben los conocimientos que hoy tenemos sobre el México antiguo; hay entre ellos representantes de las diferentes órdenes religiosas, franciscanos, dominicos, jesuitas. El otro grupo está constituido por los autores indios o mestizos, que o bien aprendieron español o bien se sirven del alfabeto latino para escribir en náhuatl: ellos son Muñoz Camargo, Fernando de Alva Ixtlilxóchitl, Juan Bautista Pomar, Hernando Alvarado Tezozómoc y otros (algunos textos son anónimos). Producen entre todos una masa incomparable de documentos, la más rica que tenemos acerca de cualquier sociedad tradicional.

Dos figuras excepcionales dominan el conjunto de las obras dedicadas a los indios, y merecen un examen más detallado: Diego Durán y Bernardino de Sahagún.

## DURÁN, O EL MESTIZAJE DE LAS CULTURAS

Encontramos un desdoblamiento de la personalidad infinitamente más complejo en el autor de una de las descripciones más logradas del mundo precolombino, el dominico Diego Durán. Nació en España (hacia 1537), pero, a diferencia de muchos otros personajes que marcan esa época, llega a vivir a México a los cinco o seis años, y recibe entonces una formación local. De esta experiencia resultará una comprensión desde el interior de la cultura india, que nadie iguala en el siglo XVI. De 1576 a 1581, no mucho antes de su muerte (1588), Durán redacta una *Historia de las Indias de Nueva España e islas de la tierra firme* (título incoherente, y que sin duda fue añadido al libro por otra persona), cuyas dos primeras partes tratan de la religión de los aztecas, y la tercera de su historia. Esas obras no se publican sino en el siglo XIX.

La ambivalencia de Durán es más compleja tanto porque su vida no consiste en etapas que alternan entre España y México como porque su conocimiento de la cultura india es mucho más íntimo, y es también una posición más dramática. Está por una parte el cristiano convencido, el evangelista encarnizado; éste decidió que para la conversión de los indios hacía falta un mejor conocimiento de su antigua religión. Más precisamente, Durán encadena las dos inferencias siguientes: 1] para imponer la religión cristiana hay que extirpar toda huella de religión pagana; 2] para lograr eliminar el paganismo, primero hay que conocerlo bien. "Jamás podremos hacerles conocer de veras a Dios [a los indios], mientras de raíz no les hubiéramos tirado todo lo que huela a la vieja religión de sus antepasados [. . .]. Aunque queramos quitarles de todo punto esta memoria de Amalek, no podremos por mucho trabajo que en ello se ponga si no tenemos noticia de todos los modos de religión en que vivían" (I, "Prólogo"). Toda la motivación explícita de Durán cabe en esas dos implicaciones, que no se cansa de repetir a lo largo de toda su obra sobre la religión azteca, desde (literalmente) el primer párrafo de la primera parte hasta el último de la segunda; ve en ello la única razón que lo ha llevado a emprender este trabajo: "Porque todo mi intento fue y es dar aviso a los ministros de los agüeros e idolatrías de éstos para que se tuviese advertencia y aviso de algunos descuidos que podría haber en los agüeros antiguos" (I, 19).

Para poder extirpar las idolatrías, primero hay que aprender a reconocerlas: Durán no tiene ninguna duda al respecto. Ahora bien, el clero de la época, que asume la tarea de la evangelización, es ignorante. Los sacerdotes se conforman con un conocimiento superficial de la lengua (se queja Durán de que les basta con dos expresiones, "¿cómo llamáis esto?" y "ya llegará", I, 8); sin embargo, si uno no conoce a fondo la lengua no puede comprender la cultura, y se deja ir a interpretaciones falaces, bajo la guía de esos dos ayudantes pérfidos, la analogía y el *wishful thinking*. Cuenta Durán cómo cierta forma de tonsura, relacionada con las prácticas paganas, se tomaba por un homenaje a los frailes, porque se parecía a la de ellos. "Heme hecho fuerza a creer de los tales decirlo con santa simplicidad, y no puede persuadirme, sino que es grandísima ignorancia y no entender el frasis de los indios" (I, 5). Por eso Durán les reprocha a aquellos que, como Diego de Landa o Juan de Zumárraga, primer obispo de México, quemaron los libros antiguos, el haber dificultado todavía más el trabajo de evangelización. "Y así erraron mucho los que, con buen celo, pero no con mucha prudencia, quemaron y destruyeron al principio todas las pinturas de antiguallas que tenían, pues nos dejaron tan sin luz, que delante de nuestros ojos idolatran y no los entendemos: en los 'mitotes', en los mercados, en los baños y en los cantares que cantan, lamentando sus dioses y sus señores antiguos, en las comidas y banquetes" (I, "Prólogo").

Hay ahí un debate, y algunos —que tenían noticia del trabajo que estaba haciendo Durán— no dudaban en reprocharle el contribuir a un resultado exactamente opuesto al que buscaba: a saber, despertar las antiguas supersticiones al producir un repertorio tan detallado de ellas. Durán les responde que las supervivencias de la antigua religión están presentes en todas partes (pero son invisibles para los ignorantes), y que los indios no necesitan de sus trabajos para encontrarlas. Sin embargo, si así fuese, "yo fuera el primero que lo echara en el fuego, para que no hubiera memoria de tan abominable ley" (II, 3). Así pues, no está en contra del principio de la quema de libros, sino que sencillamente duda de que ése sea el medio apropiado para luchar contra el paganismo: quizás trae más pérdida que ganancia. Por eso se entrega con pasión a su trabajo: "Saliendo este mi libro a luz, no se pretenderá ignorancia" (I, 19).

Ahora bien, una vez conocida la idolatría, no hay que parar antes de eliminarla por entero: ésa es la segunda afirmación de Durán, interesante precisamente por su carácter radical. La conversión debe ser total: ningún individuo, ninguna parcela del individuo, ninguna práctica, por fútil que parezca, debe escapar a ella. Afirma que no hay que conformarse con una aceptación de los ritos externos del cristianismo, "como la mona" (I, 17), lo cual es, desgraciadamente, demasiado frecuente, pues los frailes se contentan "con las apariencias de cristianos, que los indios nos fisguen" (I, 8). Tampoco hay que alegrarse de la conversión de la mayoría: una sola oveja sarnosa puede contagiar a todo el rebaño. "Y ya que no son todas, basta uno en un pueblo para hacer mucho mal" (II, 3). Y sobre todo, no debe uno pensar que con lograr lo esencial es suficiente: la más mínima reminiscencia de la antigua religión puede pervertir enteramente el nuevo culto (que es el único justo). "Disimulando y consintiendo estas y otras supersticiones y teniéndolas por cosas mínimas y que no van ni vienen, y no riñéndolas y reprendiéndolas mostrando enojo y pesadumbre de ellas, vienen los indios a encaminarse y a cometer otras cosas más pesadas y graves. [. . .] Dirame alguno que en eso no va nada. Digo que es idolatría finísima en ellos, [. . .] demás de ser rito antiguo" (I, 7). "Si algún olor de lo antiguo hay entre ellos, o en algunos de ellos, [se debe acabar] de desarraigar" (I, 17).

Quien roba uno roba ciento: quien deja subsistir el menor rastro de paganismo traiciona el espíritu mismo de la religión cristiana. "[Que los sacerdotes] no permitan con su flojedad y descuido, con sus holguras y pasatiempos, pasar a los indios con estas cosas mínimas, como es disimular trasquilar las cabezas a los niños, y emplumárselas con plumas de aves silvestres, ni ponerle el ule en las cabezas, o en la frente, ni entiznarlos, ni embijarlos con el betún de los dioses" (I, 5). Fray Diego, en su celo, llega a acosar a los indios hasta en sus sueños, para detectar en ellos todo resto de idolatría. "Por lo cual es menester que agora, en tratando de sueños, que sean examinados en qué era lo que soñó, porque puede ser que haya algún olor de lo antiguo, y así es menester en tocando en esta materia, preguntar: ¿Qué soñaste?, y no pasar con ella como gato sobre ascuas. Y aun lo que se había de predicar era el menosprecio de estas cosas y abominación de ellas" (I, 13).

Lo que más irrita a Durán es que los indios logran insertar segmentos de su antigua religión en el seno mismo de las prácticas religiosas cristianas. El sincretismo es un sacrilegio, y la obra de Durán se empeña específicamente en esta lucha: "[. . .] es nuestro principal intento: advertirles [a los ministros] la mezcla que puede haber acaso de nuestras fiestas con las suyas, que fingiendo éstos celebrar las fiestas de nuestro Dios y de los santos, entremetan y mezclen y celebren las de sus ídolos, cayendo el mesmo día, y en las cerimonias mezclarán sus ritos antiguos" (I, 2). Si en determinada fiesta cristiana los indios bailan en cierta forma, cuidado, es una manera de adorar a sus dioses, en las mismas narices de los sacerdotes españoles. Si determinado canto se integra en el oficio de difuntos, es otra celebración de los demonios. Si ofrendan flores y hojas de maíz para el Natalicio de Nuestra Señora, es porque a través de ella se dirigen a una antigua diosa pagana. "He oído semejantes días cantar en el areito unos cantares de Dios y del santo, y otros mezclados de sus metáforas y antiguallas, que el demonio que se los enseñó solo los entiende" (II, 3). Hasta se pregunta Durán si los que van a misa a la catedral de México no lo hacen en realidad para poder adorar ahí a los antiguos dioses, puesto que se emplearon sus representaciones en piedra para construir el templo cristiano: ¡las columnas de la catedral descansan en serpientes emplumadas!

Si bien el sincretismo religioso es la forma más escandalosa de la supervivencia de las idolatrías, las demás formas no son menos reprochables, y en su misma multiplicidad reside el peligro. En una sociedad altamente jerarquizada, codificada y ritualizada, como la de los aztecas, todo está relacionado, de cerca o de lejos, con la religión: después de todo, Durán no se equivoca. Por más que le agraden ciertos espectáculos teatrales que tienen lugar en la ciudad, no por ello deja de percibir su carácter pagano: "Todos los cuales entremeses entre ellos eran de mucha risa y contento. Lo cual no se representaba sin misterio [porque aludía a la antigua religión]" (I, 6). Ir al mercado, ofrecer banquetes, comer tal o cual alimento (por ejemplo, los perros mudos), emborracharse, tomar baños: ¡todos esos actos tienen un significado religioso y deben ser eliminados! Y Durán, que no quema los libros porque no cree en la eficacia del gesto, no vacila en destruir los objetos en los que percibe una relación, más o menos lejana, con el culto antiguo: "Y he hecho desbaratar algunos baños, [. . .] por ser baños ya antiguos, de tiempo antiguo" (I, 19). Algunos debían contestarle que ésas no eran más que costumbres, y no supersticiones, o bien adornos, y no imágenes paganas; un indio le dijo una vez, en respuesta a sus reproches, "que ya no lo hacían por lo antiguo, sino que aquel era su modo" (I, 20); a veces, de mala gana, acepta el argumento, pero en el fondo preferiría las consecuencias radicales de su posición intransigente: si toda la cultura azteca está impregnada de los antiguos valores religiosos, entonces que desaparezca. "En todo se halla superstición e idolatría; en el sembrar, en el coger, en el encerrar en las trojes, hasta en el labrar la tierra y edificar las casas. Y pues en los mortuorios y entierros y en los casamientos y nacimientos de niños [. . .]" (I, "Prólogo"). Desearía Durán que "se quitase y se olvidase cualquier uso antiguo" (I, 20); ¡cualquiera!

Sobre este punto, Durán no expresa la opinión de todos los religiosos españoles en México; toma partido en un conflicto que enfrenta dos políticas respecto a los indios, a grandes rasgos, la de los dominicos y la de los franciscanos. Unos son rigoristas: la fe no se escatima, la conversión debe ser total, incluso si eso implica transformar todos los aspectos de la vida de los conversos. Los otros son más bien realistas: ya sea porque efectivamente no se enteran de las supervivencias de la idolatría entre los indios, ya sea porque deciden no enterarse, el caso es que retroceden ante la inmensidad de la tarea (la conversión integral) y encuentran acomodo en el presente, aun imperfecto. Esta última política, que es la que se impone, resultará eficaz; pero lo cierto es que en el cristianismo mexicano todavía se ven las huellas del sincretismo.

Durán, por su parte, elige el partido rigorista, y hace amargos reproches a sus adversarios: "Ha habido religiosos que han puesto dificultad, en que no hay necesidad de echarles las fiestas de entre semana, lo cual tengo por inconveniente y no muy acertado; supuesto que son cristianos, es justo que lo sepan" (I, 17). En sus imprecaciones arde una santa indignación, cuando quiere infligir severos castigos a sus colegas, tan culpables a sus ojos como los herejes, puesto que no mantienen la pureza de la religión. "Lo cual se había de castigar como caso de inquisición, dando perpetua privación de aquel oficio [el de confesor] al que tal hace" (ɪ, 4). Pero el otro partido no grita menos, y Durán se queja de los mandatos que se ve obligado a obedecer, según los cuales ya no se debe hablar de las antiguas idolatrías; ésta es sin duda una de las razones por las cuales la obra de Durán permanece inédita, y es muy poco leída, durante trescientos años.

Ésta es una de las caras de Durán: cristiano rígido, intransigente, defensor de la pureza religiosa. Causa entonces cierta sorpresa darse cuenta de que también practica la analogía y la comparación, con el fin de que las realidades mexicanas sean comprensibles para su lector, supuestamente europeo; ciertamente no hay nada reprensible en ello, pero para alguien que hace profesión de la conservación vigilante de las diferencias, ve demasiadas semejanzas. Los traidores son castigados de la misma manera aquí y allá, y los castigos producen el mismo sentimiento de vergüenza. La tribu adopta el nombre de su guía y la familia el de su jefe. Subdividen al país en regiones como en España, y su jerarquía religiosa se asemeja a la nuestra. Sus vestidos recuerdan a las casullas y sus danzas a la sarabanda. Tienen los mismos dichos y los mismos tipos de relatos épicos. Cuando juegan, hablan y blasfeman, exactamente igual que los españoles, y además, su juego del *alquerque* recuerda el ajedrez a tal punto que uno se puede confundir: tanto en éste como en aquél las fichas son negras y blancas...

Algunas de las analogías de Durán realmente parecen un poco forzadas; pero donde la sorpresa del lector se torna estupefacción es cuando descubre que las semejanzas son especialmente abundantes en el campo de la religión. Ya no son los indios los que intentan, de manera más o menos consciente, mezclar elementos paganos con los ritos cristianos; es Durán mismo quien descubre, en el interior de los antiguos ritos paganos tal y como se practicaban antes de la conquista, elementos cristianos, en tal número que el hecho acaba por volverse inquietante. "Porque son tantos y tan enmarañados [los ritos antiguos] y muchos de ellos frisan tanto con los nuestros, que están encubiertos con ellos [. . .], porque también ellos tenían sacramentos, en cierta forma, y culto de Dios, que en muchas cosas se encuentra con la ley nuestra, como en el proceso de la obra se verá" (ɪ, "Prólogo").

¡Y se ven, en efecto, cosas impresionantes! ¿Se creía que la fiesta de Pascua era específicamente cristiana? Pero para la fiesta de Tezcatlipoca cubren de flores el templo, como hacemos nosotros el Jueves santo. Y las ofrendas a Tláloc son "exactamente" como las que vemos el Viernes santo. En cuanto al fuego nuevo, que se enciende cada cincuentaidós años, es como los cirios de Pascua... El sacrificio en honor de Chicomecóatl le hace pensar en otra fiesta cristiana: "Casi quiere parecer a la vela de la noche de Navidad" (I, 14), ¡porque la muchedumbre se queda "en vela y a la lumbre" (ibid.) hasta muy tarde! Tampoco le cuesta ningún trabajo a Durán descubrir la reproducción "exacta" de los ritos esenciales de la religión cristiana en el ritual azteca: el gran tambor que se toca a la puesta del sol es como las campanas del Ave María; la purificación azteca por el agua es como la confesión; las penitencias son muy semejantes en ambas religiones, y también los frailes mendicantes. O más bien no: las abluciones aztecas son como el bautismo: hay agua en ambos casos... "Así era el agua tenida por purificadora de los pecados. Y no iban muy fuera de camino, pues en la sustancia del agua puso Dios la virtud del sacramento del bautismo, con que somos limpios del pecado original" (I, 19). Y por si todo eso no basta, se descubre también que Tezcatlipoca, que tiene múltiples encarnaciones, reducidas para el caso a tres, no es sino una forma encubierta de la Trinidad: "Reverenciaban al padre y al hijo y al espíritu santo, y decían *tota, topiltzin* y *yolometl*, los cuales vocablos quieren decir «nuestro padre, y nuestro hijo y el corazón de ambos», haciendo fiesta a cada uno en particular y a todos tres en uno, donde se nota la noticia que hubo de la trinidad entre esta gente" (I, 8).

Lo que vemos, sobre todo, es que Durán se las arregla para encontrar semejanzas ahí donde los idólatras a los que fustiga nunca se habían atrevido a buscarlas; si se le tomara completamente en serio, uno podría conformarse con obedecer a la antigua religión, con algunas modificaciones, pusto que es la misma que la nueva. Durán clamaba por la inquisición y pedía el anatema para los que mezclaban los dos ritos, o incluso para aquellos otros, profesionales del culto cristiano, que no eran lo suficientemente duros para los primeros, pero ¿cómo se le hubiera juzgado a él si se hubiera sabido que confesión y bautismo, Navidad y Pascua florida, e incluso la Trinidad, a sus ojos no se diferenciaban en nada de los ritos y de las concepciones propios de los paganos aztecas? Aquello que a Durán le parecía la mayor infamia —el sincretismo religioso—, lo llevaba en su propia mirada...

Para tantas semejanzas sólo hay dos explicaciones posibles. Según la primera, que es la que claramente prefiere Durán, si los ritos aztecas recuerdan tanto a los cristianos, es porque los aztecas ya habían recibido, en un pasado lejano, una enseñanza cristiana. "Yo pregunté a los indios de los predicadores antiguos [. . .], y realmente eran católicos. Y que me pone admiración la noticia que había de la bienaventuranzas y del descanso de la otra vida y que, para conseguirla, era necesario el vivir bien. Pero iba esto tan mezclado de sus idolatrías y tan sangriento y abominable, que desdoraba todo el bien que se mezclaba, pero dígolo a propósito de que hubo algún predicador en esta tierra que dejó la noticia dicha" (I, 9).

Durán no se detiene en esta afirmación general, sino que precisa su creencia: el predicador en cuestión era santo Tomás, y su recuerdo se conserva en los relatos aztecas con los rasgos de Topiltzin, que no es sino otro nombre de Quetzalcóatl. La causa de esta identificación es una semejanza más que Durán encuentra: "Pues éstas eran creaturas de Dios racionales y capaces de la bienaventuranza que no las dejaría sin predicador, y si lo hubo, fue Topiltzin. El cual aportó a esta tierra, y según la relación [que] de él se da, era cantero que entallaba imágenes de piedra y las labraba curiosamente. Lo cual leemos del glorioso santo Tomás ser oficial de aquel arte" (I, 1). Mucho le hubiera agradado encontrar pruebas del paso del evangelizador un poco más tangibles que esas analogías; a veces le parece que les sigue la pista, pero en el último momento se le van de entre las manos. Le hablan de una cruz grabada en la montaña; por desgracia ya no saben dónde se encuentra. También oye decir que los indios de cierta aldea habían tenido un libro escrito con caracteres que no comprendían; corre a buscarlo, pero sólo averigua que el libro fue quemado hace unos años. "Lo cual me dio pena, porque quizá nos diera satisfacción de nuestra duda, que podría ser el sagrado evangelio en lengua hebrea, lo cual no poco reprendí a los que lo mandaron quemar" (I, 1). Esta falta de una prueba definitiva no le impide a Durán poner el siguiente título al capítulo dedicado a Quetzalcóatl: "Del ídolo llamado *Quetzalcóatl*, dios de los cholultecas, de ellos muy reverenciado y temido. Fue padre de los toltecas, y de los españoles porque anunció su venida" (I, 6).

¡Así pues, Quetzalcóatl era el padre común de los toltecas y de los españoles! A veces, sin embargo, una terrible duda se apodera del alma de Durán, y le hace ver que es igualmente posible otra explicación de todas esas semejanzas. "En muchas cosas se topaba la supersticiosa ley de éstos con la de la religión cristiana, y aunque me persuado que en esta tierra hubo predicador de ella, por muchas causas que he hallado que me dan ocasión a lo creer así, aunque llenos de tanta confusión que no dan lugar a poner cosa determinadamente, [. . .] no es justo poner cosa afirmativa, pues podemos decir, a la coincidencia dicha, que el demonio los persuadía y enseñaba, hurtando y contrahaciendo el divino culto, para ser honrado como a dios, porque todo iba mezclado con mil supersticiones" (I, 16). "De lo cual se colijen dos cosas: o que hubo noticia —como dejo dicho— de nuestra sagrada religión en esta tierra, o que el maldito de nuestro adversario el demonio las hacía contrahacer en su servicio y culto, haciéndose adorar y servir" (I, 3).

¡Qué alternativa más aterradora! Nos echan de un extremo al otro: o astucia diabólica, particularmente pérfida, o gracia divina excepcional. Durán no aguanta mucho la tensión de la duda y, en la época en que escribe su libro de historia, es decir en 1580-1581, ya ha tomado su decisión: los aztecas no son sino una de las tribus perdidas de Israel. El primer capítulo de su historia se inicia con esta afirmación: "...podríamos ultimadamente afirmar ser naturalmente judíos y gente hebrea. Y creo no incurriría en capital error el que lo afirmase, si considerado su modo de vivir, sus cerimonias, sus ritos y supersticiones, sus agüeros e hipocresías, tan emparentadas y propias a las de los judíos, que en ninguna cosa difieren" (III, 1). Las pruebas de este origen común son, una vez más, analogías: unos y otros realizan un largo viaje, se multiplican en gran número, han tenido un profeta, han conocido terremotos, han recibido el maná divino, provienen del encuentro de la tierra con el cielo y conocen el sacrificio humano (para Durán una semejanza sólo puede explicarse por la difusión). Y si en el libro sobre la religión Durán alternaba los acercamientos con los cristianos y los acercamientos con los judíos, en el libro de historia prácticamente anota sólo semejanzas entre ritos aztecas y ritos judíos.

Es muy probable que Durán proviniese de una familia de judíos conversos. Se podría ver en eso la razón del celo con que se apega a las semejanzas y descuida las diferencias; ya debía haberse entregado, de manera más o menos consciente, a una actividad de este tipo, en un esfuerzo por conciliar las religiones judía y cristiana. Quizás tenía ya una predisposición al mestizaje cultural; lo cierto es que el encuentro que se efectúa en él, entre civilización india y civilización europea, lo convierte en el más cumplido ejemplo de mestizo cultural del siglo XVI.

El encuentro de esas dos civilizaciones tan diferentes y la necesidad de convivir sólo puede introducir la disparidad en el corazón mismo de cada individuo, ya sea español o mexicano. Durán es sensible ante todo a la mutación que sufren los indios. Al final de la guerra de conquista, durante el sitio de México, muestra ya la división que impera entre los aztecas, ". . .por estar la ciudad tan llorosa y toda la tierra tan alborotada y tan divisa como estaba, porque unos querían paz con los españoles y otros guerra. Y así unos procuraban destruirlos y se reforzaban y ponían pertrechos de guerra y cercas y albarradas, y otros, se estaban quedos, deseando la paz y quietud y conservación de sus haciendas y vidas" (III, 76). Cincuenta años más tarde, en la época en que escribe sus libros, la división es igualmente fuerte, aun si su objeto, que era militar, se ha vuelto religioso; los indios también lo saben. Durán cuenta cómo había descubierto que un indio perseveraba en sus prácticas paganas. "Y así, riñéndole el mal que había hecho, me respondió: —Padre, no te espantes, pues todavía estamos *nepantla*, y como entendiese lo que quería decir por aquel vocablo y metáfora, que quiere decir 'estar en medio', torné a insistir me dijese qué medio era aquel en que estaban. Me dijo que, como no estaban aún bien arraigados en la fe, que no me espantase; de manera que aún estaban neutros, que ni bien acudían a la una ley, ni a la otra, o por mejor decir, que creían en Dios y que juntamente acudían a sus costumbres antiguas y ritos del demonio" (II, 3). Pero tampoco los españoles pueden salir intactos de este encuentro, y Durán hace, sin saberlo, lo que también es su propio retrato, o más bien, escribe la alegoría de su destino.

Su propio mestizaje se manifiesta de varias maneras. La más evidente, pero quizás también la más superficial, es que comparte el modo de vivir de los indios, sus privaciones, sus dificultades; era, según él, la suerte que les tocaba a muchos misioneros, "vueltos bestias con las bestias e indios con los indios y bárbaros con los bárbaros, gente extraña de nuestra condición y nación política". Pero es el precio que deben pagar por entender: "De lo cual sienten muy poco los que hablan desde fuera, no queriendo poner las manos en la masa" (II, 3). En esa vida le ocurre aceptar, e incluso adoptar, ciertos comportamientos de los que sospecha que puedan tener un origen idólatra, ya sea porque prefiere dejar que subsista la duda, como le ocurre con esos cantos probablemente religiosos, ante los que no puede reprimir su admiración: "Los cuales cantares he oído yo muchas veces cantar en bailes públicos, que aunque era conmemoración de sus señores, me dio mucho contento de oír tantas alabanzas y grandezas. [. . .] El cual he visto bailar algunas veces con cantares a lo divino, y es tan triste que me da pesadumbre oírlo y tristeza" (I, 21); ya sea porque pierde la esperanza de cambiar a su grey, como cuando descubre que las flores que sustituyen a los cirios en una ceremonia cristiana son en realidad una reminiscencia de Tezcatlipoca: "Véolo y callo, porque veo pasar a todos por ello, y también tomo mi báculo de rosas, como los demás, y voy. . ." (I, 4).

Otras formas de mestizaje cultural son menos conscientes y, en realidad, más importantes. En primer lugar, Durán es uno de los poquísimos individuos que realmente comprenden ambas culturas —o, si se prefiere, que es capaz de traducir los signos de una a los de la otra—; por ello su obra es la cumbre de la actividad de conocimiento que desempeñan los españoles del siglo XVI frente a los indios. Ha dejado un testimonio sobre las dificultades con las que se topa la práctica de traducción. "Todos los cantares de éstos son compuestos por unas metáforas tan oscuras que apenas hay quien las entienda, si muy de propósito no se estudian y platican para entender el sentido de ellas. Yo me he puesto de propósito a escuchar con mucha atención lo que cantan y entre las palabras y términos de la metáfora, y paréceme disparate y, después, platicado y conferido, son admirables sentencias, así en lo divino que agora componen, como en los cantares humanos que componen" (I, 21). Vemos aquí cómo el conocimiento lleva al juicio de valor: una vez que ha comprendido, Durán no puede dejar de admirar los textos aztecas, aunque se refieran a cosas divinas —es decir, idólatras.

El resultado de esta comprensión es la obra inapreciable que produce Durán sobre la religión azteca —inapreciable, pues es prácticamente el único que no se conforma con describir desde el exterior, aunque fuera atentamente y con buena disposición, sino que por lo menos intenta comprender el porqué de las cosas. "Tenía [Tezcatlipoca] una cinta de bruñido oro, con que tenía ceñida la cabeza, la cual [cinta] tenía por remate una oreja de oro, con unos bahos o humos pintados en ella": ésta es la descripción, que ciertamente es de mucho precio, pero que en sí misma es incomprensible. Sigue inmediatamente la explicación, o más bien la asociación corriente: "que significaba el oír los ruegos y plegarias de los afligidos y pecadores" (I, 4). O también: "A estas dos [mujeres] principales, para significar que morían vírgenes, al matarlas, les cruzaban las piernas, teniéndolas así cruzadas la una sobre la otra, y las manos extendidas como a los demás" (I, 16): la indicación de la finalidad permite entender en qué dirección se orientan las evocaciones simbólicas de los aztecas. Quizás no todo lo que sugiere Durán sea acertado, pero por lo menos tiene el mérito de buscar las respuestas.

Otra manifestación fascinante del mestizaje cultural se deja percibir en la evolución del punto de vista a partir del cual está escrita la obra de Durán. Como hemos visto, en su libro sobre la religión se distinguen los dos puntos de vista, azteca y español, aun si hay deslizamientos del uno al otro; sin embargo, el sincretismo fundamental de Durán hacía peligrar toda distribución clara y limpia. El libro de historia, posterior al de religión, es todavía más complejo a este respecto. Sin embargo, a primera vista la intención de Durán es sencilla: es la de un traductor, en el sentido más restringido de la palabra. Nos cuenta que tiene ante los ojos un manuscrito náhuatl, que traspone al español, confrontándolo esporádicamente con otras fuentes, o aclarando los pasajes oscuros para el lector español; es la célebre y enigmática "Crónica X" (así llamada por los especialistas actuales), admirable fresco épico de la historia azteca, cuyo original no se conoce, pero que también sirvió de punto de partida para los libros de Tezozómoc y de Tovar. "Mi intento no ha sido sino traducir el mexicano en nuestra lengua castellana" (III, 18). No deja de indicar, cuando hace falta, la diferencia que hay entre su punto de vista personal y el del relato mexicano. "Lo cual se me hizo tan increíble, que si la historia no me forzara y el haberlo hallado en otros muchos lugares fuera de esta historia escrito y pintado, no lo osara poner, por no ser tenido por hombre que escribía fábulas. Dado que el que traduce alguna historia no está más obligado de volver en romance lo que halla en extraña lengua escrito, como yo en ésta hago" (III, 41). Su objetivo no es la verdad, de la que él sería responsable, sino la fidelidad, en relación con una voz otra; el texto que nos ofrece no sólo es una traducción, sino también una cita: Durán no es el sujeto enunciador de las frases que leemos, "habiendo de escribir verdad y según la relación y memoriales de los indios" (III, 74): eso es evidentemente otra cosa que contar la verdad escueta.

Pero este proyecto no se mantiene en todo el transcurso del libro. Cuando Durán dice: "Mi voluntad no es más que tratar de la nación mexicana y de sus proezas y de la desastrada suerte que tuvo y fin" (III, 77), no hace mención de un sujeto del discurso intermedio, entre él y la historia de los aztecas: se ha convertido en narrador. Y va aún más lejos en otra comparación: "[El rey] no solamente labró y ensalzó estatuas de piedra para perpetua memoria de sus grandezas [de los miembros de su familia], por el bien, a causa de estos señores, mientras vivieron, recibió la república mexicana [sic]. Pero los historiadores y pintores pintaban con historias vivas y matices, con el pincel de su curiosidad, con vivos colores, las vidas y hazañas de estos valerosos caballeros y señores, para que su fama volase, con la claridad del sol, por todas las naciones. Cuya fama y memoria quise yo referir en esta mi historia, para que, conservada aquí, dure todo el tiem-

Fig. 27. *Retrato de Moctezuma II*

Fig. 28. *La muerte de Moctezuma*

po que ella durare, para que los amadores de la virtud se aficionen a la seguir; para que su memoria sea en bendición, pues los tales son amados de Dios y de los hombres, para ser después iguales a los santos en la gloria" (III, 11).

Creemos estar soñando: en vez de acantonarse en el papel de humilde traductor, incluso con la doble función de un "anotador", Durán reivindica el papel del historiador, cuya función es perpetuar la gloria de los héroes. Y lo hará de la misma manera que las representaciones, esculpidas o pintadas, que dejaron los propios aztecas —con la salvedad de que ve a esos héroes a semejanza de los santos del paraíso cristiano, lo cual no debía ser el caso con los pintores aztecas. Así pues, Durán se ha asimilado completamente al punto de vista azteca —pero no tanto, puesto que nunca pone en duda su fe cristiana, y que la última frase del libro de historia dice: "Concluiré con este tratado, a honra y gloria de Dios nuestro Señor y de su benditísima Madre la Virgen soberana María, sujetándola a la corrección de la santa madre Iglesia católica, cuyo siervo e hijo soy, debajo de cuyo amparo protesto de vivir y morir como verdadero y fiel cristiano" (III, 78). Durán, ni español ni azteca, es, como la Malinche, uno de los primeros mexicanos en el sentido actual de la palabra. El autor del relato original (de la "Crónica X") debía ser azteca; el lector de Durán, por fuerza, español; Durán, por su parte, es ese ser que permite el paso de uno a otro, y él mismo es la más notable de sus propias obras.

En el relato de la conquista es donde se manifiesta más claramente la fusión de puntos de vista. En efecto, por lo que se refería a la historia más antigua, Durán sólo podía apoyarse en un tipo de testimonios, los relatos tradicionales, y ésos representaban un punto de vista consistente. Ahora bien, por lo que hace a la conquista ni siquiera el punto de vista azteca es ya totalmente coherente. Al comienzo, el relato nos presenta a Moctezuma como un rey ideal, dentro de la tradición de los retratos de los reyes anteriores: "De muy buena edad y muy recogido y virtuoso y muy generoso, de ánimo invencible, y adornado de todas las virtudes que en un buen príncipe se podían hallar; cuyo consejo y parecer era siempre muy acertado, especialmente en las cosas de la guerra" (III, 52). Pero ese juicio presenta un problema, pues ya no permite entender desde dentro las razones del derrumbamiento del imperio azteca. Como hemos visto, nada es más insoportable para la mentalidad histórica de los aztecas que este acontecimiento totalmente exterior a su propia historia. Así pues, hay que encontrar dentro de ésta razones suficientes para el fracaso

de Moctezuma. Según el cronista azteca, la causa es su orgullo des-
mesurado: "Presto lo verá y experimentará lo que ha de venir sobre
él, a causa de que se ha querido hacer más que el mismo dios" (III,
66). Moctezuma está "embriagado con su soberbia [. . .]. Tiene eno-
jado al dios de lo criado y [. . .] él mismo se ha buscado el mal que
sobre él ha de venir" (III, 67). En forma comparable, el manuscrito
Tovar, derivado de la misma "Crónica X" y cercano a ella en su espíritu, incluye una ilustración que atribuye el mestizaje al propio emperador Moctezuma (cf. fig. 27): lo presentan como un hombre barba-
do, de aspecto europeo, aunque con los atributos de un jefe azteca;
tal personaje prepara evidentemente la transición entre aztecas y españoles, y la vuelve así menos chocante.

Esas frases del libro de historia de Durán, aunque seguramente
provienen de la crónica original, muestran ya la influencia cristiana.
Pero si el cronista azteca empieza a referirse a sus compatriotas como
"ellos", Durán habrá otro tanto con los españoles. Tanto uno como
el otro se han alienado de su medio original; el relato que resulta de
sus esfuerzos comunes es entonces ambivalente, de manera inextricable. Progresivamente se va borrando la diferencia entre los dos,
y Durán empieza a asumir directamente el discurso que enuncia. Por
eso introduce poco a poco otras fuentes de saber (renunciando así
a su ideal de fidelidad y adoptando el de la verdad), especialmente
los relatos de los conquistadores. Lo cual le obliga a enfrentar esas
fuentes diferentes, que a menudo están en desacuerdo, y a elegir entre
las versiones de un hecho aquélla de la que él mismo puede responder: "Lo cual se me hizo cosa dura de creer, porque ningún conquistador he hallado que tal conceda. Pero, como niegan otras, más claras y verdaderas y las callan en sus historias y escrituras y relaciones,
también negarán y callarán ésta, por ser una de las más mal hechas
y atroces que hicieron" (III, 74). "De esto la historia no hace mención ni cuenta tal cosa; pero, por haberlo oído a algunas personas
fidedignas lo pongo. [. . .] Y la causa que a creer y decir más lo uno
que lo otro me mueve es que, por boca de un conquistador religioso, fui certificado. . ." (*ibid.*). "Las cuales [mujeres], aunque la historia no lo cuenta, no creo que la virtud de los nuestros fue tanta que
les aconsejasen que perseverasen en su castidad y honestidad y reco-
gimiento en que estaban" (III, 75).

Así pues, la historia de la conquista contada por Durán se distingue sensiblemente de los relatos indígenas de los mismos hechos, y
se sitúa en algún punto intermedio entre ellos y una historia española como la de Gómara. Durán elimina de su relación todos los malen-

tendidos que podían persistir en los relatos aztecas, indica los móviles de los conquistadores tal como podían parecer a un español de la época. El relato de la matanza perpetrada por Alvarado en el templo de México es ejemplar a este respecto, y es asumido explícitamente por Durán. Veamos una breve selección: "[Los sacerdotes aztecas] sacaron una gran viga y echáronla a rodar por las gradas abajo; la cual dicen que atoró en los primeros escalones y se detuvo que no bajó, lo cual se tuvo por cosa de misterio, y cierto lo fue, porque la bondad divina no quiso que aquellos que tan gran maldad y crueldad habían cometido [el ataque al templo; es decir, los españoles] se fuesen también con ellos al infierno, sino aguardarlos a penitencia, si después la hicieron. Porque su insensibilidad fue tanta que, no conociendo aquel beneficio y merced de librarlos Dios de un peligro tan grande, subieron arriba y mataron a todos los sacerdotes y pugnaron por echar el ídolo abajo" (III, 75).

En esta escena, en que los soldados españoles atacan el templo de Huitzilopochtli y tiran los ídolos, Durán ve la intervención de la misericordia divina —pero no donde se podía esperar: Dios sólo salva a los españoles para que puedan expiar sus pecados; tirar al ídolo y matar a sus sacerdotes significaba rehusar esa gracia. Un poco más y tomaríamos a Huitzilopochtli por un profeta de Dios o por un santo cristiano; el punto de vista de Durán es indio y cristiano a la vez. Por ello mismo, Durán no se parece a ninguno de los grupos en los que participa: ni los españoles ni los indios de la época de la conquista podían pensar como él. Habiendo llegado al estado de mestizo cultural, Durán tuvo que abandonar, sin saberlo, el de mediador e intérprete, que era el que había escogido. Al afirmar su propia identidad mestiza frente a los seres que trata de describir, ya no logra su proyecto de comprensión, puesto que atribuye a sus personajes pensamientos e intenciones que sólo les pertenecen a él y a los demás mestizos culturales de su tiempo. El dominio del saber lleva a un acercamiento con el objeto observado; pero ese acercamiento mismo bloquea el proceso del saber.

No asombrará ver que el juicio de Durán respecto a los indios y su cultura es profundamente ambiguo, por no decir contradictorio. Es seguro que no ve en ellos ni buenos salvajes ni brutos desprovistos de razón, pero no sabe muy bien cómo conciliar los resultados de sus observaciones: los indios tienen una organización social admirable, pero su historia sólo contiene crueldades y violencia; son hombres notablemente inteligentes, y sin embargo permanecen en la ceguera de su fe pagana. Así pues, Durán elige finalmente no elegir, sino mantener, con toda honestidad, la ambivalencia de sus sentimientos. "El gobierno que tenían —aunque en parte era muy político y bien concertado— [. . .] en parte era tiránico y temeroso y lleno de sombras y de castigos y muerte" (I, "Prólogo"). "Todas las veces que me pongo a considerar las niñerías en que éstos tenían fundada su fe, y en lo que estribaban, me admiro de ver la ceguedad e ignorancia en que estaban metidos, gente que no era tan ignorante ni bestial como eso, sino hábil y entendida —especialmente la gente de valor— todo lo del mundo" (I, 12). En cambio, por lo que toca a los españoles, Durán está decidido: no desaprovecha oportunidad de condenar a los que predican la fe con la espada en la mano; su posición a este respecto no es muy diferente de la de ese otro dominico, Las Casas, aunque sus expresiones sean menos virulentas. Eso coloca a Durán en una situación de gran perplejidad cuando quiere pesar el pro y el contra en todo lo que ha resultado de la conquista: "En el primer año de la caña [del calendario azteca] llegaron a esta tierra los españoles y, aunque para remedio de sus ánimas [las de los indios] fue dichoso y felice, por el bien que de recibir nuestra fe ha redundado y redunda, ¿en qué tiempo experimentaron mayores males que en aquel año?" (II, 1).

Tanto en el plano axiológico como en el de la praxis, Durán sigue siendo un ser dividido: un cristiano convertido al indianismo y que convierte a los indios al cristianismo. . . Sin embargo, no hay ninguna ambigüedad en el plano epistemológico: el éxito de Durán es indiscutible. Ése no era, sin embargo, su proyecto explícito: "Otros muchos entremeses, farsas y regocijos de truhanes y de representantes pudiera contar, pero no hace al propósito de la relación, pues sólo prentendo dar aviso de lo malo que entonces había, para que el día de hoy, si algo de ello se oliere o sintiere, se remedie y extirpe como es razón" (II, 8). Tenemos la suerte de que ese proyecto utilitario haya sido suplantado por otro, que sin duda venía de que Durán era, en sus propios términos, "siempre en esto curioso de preguntar" (I, 8). Así pues, quedará para nosotros como una figura ejemplar de lo que él mismo llama el "deseo de saber" (I, 14).


## LA OBRA DE SAHAGÚN

Bernardino de Sahagún (fig. 29) nace en España en 1499; estudia en su adolescencia en la Universidad de Salamanca, y luego ingresa en la orden franciscana. Llega en 1529 a México, donde permanece hasta su muerte en 1590. Su carrera está desprovista de todo acontecimiento extraordinario: es la de un letrado. Se dice que en su juventud era tan hermoso que los demás franciscanos no querían que se mostrara en público, y que, hasta su muerte, observó escrupulosamente el ritual de su orden y las obligaciones que de él se derivaban. "Era manso, humilde, pobre, y en su conversación avisado, y afable a todos", escribe su contemporáneo y compañero Gerónimo de Mendieta (v, 1, 41).

La actividad de Sahagún, algo así como la del intelectual moderno, se desarrolla en dos direcciones principales: la enseñanza y la escritura. Sahagún es, al comienzo, gramático o "lingüista"; en México aprende el náhuatl, siguiendo en eso el ejemplo de sus antecesores religiosos como Olmos o Motolinía. Ese hecho ya es en sí muy significativo. Generalmente es el vencido el que aprende el idioma de su vencedor. No es casual el que los primeros intérpretes sean indios: los que Colón se lleva a España, los que vienen de las islas ya ocupadas por los españoles ("Julián" y "Melchor"), la Malinche, regalada a los españoles como esclava. También del lado español los que aprenden la lengua están en posición de inferioridad: Aguilar o Guerrero, obligado a vivir entre los mayas, o, más tarde, Cabeza de Vaca. No imaginamos que Colón o Cortés aprendan la lengua de aquellos a los que someten, e incluso Las Casas nunca llega a dominar una lengua indígena. Los franciscanos y otros religiosos que llegan de España son los primeros que aprenden la lengua de los vencidos y, aun si ese gesto es totalmente interesado (debe servir para propagar mejor la religión cristiana), no por ello deja de estar cargado de sentido: aunque sólo fuera para asimilar mejor al otro a uno mismo, uno empieza por asimilarse, por lo menos parcialmente, a él. Ya en la época se perciben diferentes implicaciones ideológicas de este acto puesto que, en una petición inconclusa al papa, de 1566, Las Casas refiere que hay obispos "muchos y pésimos, indignos en la presencia de Vuestra Santidad, por despreciar los obispos de aprender la lengua de sus feligreses", y los mismos superiores de las órdenes agustina, dominica y franciscana en México solicitan a la Inquisición, en una petición del 16 de septiembre de 1579, que impida la traducción de la Biblia a las lenguas indígenas.

Así pues, Sahagún aprende a fondo la lengua náhuatl, y es profesor de gramática (latina) en el colegio franciscano de Tlatelolco, desde su fundación en 1536. Este colegio está destinado a la élite mexicana, y sus estudiantes son los hijos de la antigua nobleza; el nivel de estudios se eleva rápidamente. El propio Sahagún cuenta más tarde: "Los españoles y los otros religiosos que supieron esto, reíanse mucho y hacían burla, teniendo muy por averiguado que nadie sería poderoso para poder enseñar gramática a gente tan inhábil; pero trabajando con ellos dos o tres años, vinieron a entender todas las materias del arte de la gramática, [a] hablar latín y entenderlo, y a escribir en latín, y aun a hacer versos heroicos" (x, 27).

Uno se queda absorto ante esa rápida evolución de la inteligencia: ¡hacia 1540, apenas unos veinte años después del sitio de México por Cortés, los nobles mexicanos escriben versos heroicos en latín! También es notable el hecho de que la instrucción es recíproca: al tiempo que introduce a los jóvenes mexicanos en las sutilezas de la gramática latina, Sahagún aprovecha el contacto para perfeccionar su conocimiento de la lengua y de la cultura de los mexicanos; y así relata: "Ellos por ser entendidos en la lengua latina nos dan a entender las propiedades de los vocablos y las propiedades de su manera de hablar, y las incongruidades que hablamos en los sermones, o las que decimos en las doctrinas; ellos nos las enmiendan, y cualquiera cosa que se haya de convertir en su lengua, si no va con ellos examinada, no puede ir sin defecto" (ibid.).

Los rápidos progresos de los estudiantes mexicanos provocan en el medio tanta hostilidad como el interés de los frailes por la cultura de los otros. Un tal Gerónimo López, después de haber visitado el colegio de Tlatelolco, le escribe a Carlos V: "La doctrina bueno fue que la sepan; pero el leer y escribir muy dañoso como el diablo"; y Sahagún explica: "Como vieron que esto iba adelante y aunque tenían habilidad para más, comenzaron así los seglares como los eclesiásticos a contradecir este negocio y a poner muchas objeciones contra él, para impedirle [. . .]. Decían que, pues éstos no habían de ser sacerdotes, de qué servía enseñarles la gramática, que era ponerlos en peligro de que hereticasen, y también que viendo la Sagrada Escritura entenderían en ella cómo los patriarcas antiguos tenían juntamente muchas mujeres, que era conforme a lo que ellos usaban" (ibid.). La lengua siempre ha acompañado al imperio; los españoles temen, si pierden la supremacía en este campo, perderla también en el otro.

La segunda dirección en que se orientan los esfuerzos de Sahagún es la escritura, y aquí aprovecha evidentemente los conocimientos adquiridos durante su enseñanza. Es autor de numerosos escritos, algunos de los cuales se han perdido, y que comparten todos este papel de intermediario entre las dos culturas que Sahagún había elegido desempeñar: ya sea que presenten la cultura cristiana a los indios,

Fig. 29. *Bernardino de Sahagún*

Fig. 30. *Ilustraciones del* Códice florentino

ya sea que, a la inversa, registren y describan la cultura náhuatl para uso de los españoles. También esta actividad de Sahagún se topa con diversos obstáculos. Es casi un milagro que sus escritos, en especial la *Historia*, se hayan conservado hasta ahora. Está constantemente a merced de su superior jerárquico, quien igualmente puede alentarlo o hacer que su trabajo se vuelva imposible. En determinado momento, so pretexto de que la empresa es demasiado costosa, le cortan los fondos: "Mandaron al autor que despidiese a los escribanos y que él solo escribiese de su mano lo que quisiere en ellas [las escrituras]. El cual, como era mayor de setenta años y por temblor de la mano no puede escribir nada ni se pudo alcanzar dispensación de este mandamiento, estuvieron las escrituras sin hacer nada en ellas más de cinco años" (II, "Prólogo"). Dice en otra parte que su trabajo no está completo, "por no haber podido más, por falta de ayuda y de favor" (I, "Al sincero lector"). Gerónimo de Mendieta escribe al respecto estas amargas palabras: "Tuvo tan poca dicha este bendito padre en el trabajo de sus escritos, que estos once libros que digo, se los sacó con cautela un gobernador de esta tierra y los envió a España a un cronista que pedía papeles de Indias, los cuales allá servirán de papeles para especias. Y de los demás que acá quedaron, no pudo imprimir sino solo unos cantares, para que en sus bailes los cantasen los indios en las festividades de Nuestro Señor y de sus santos" (V, 1, 41). Los demás escritos se imprimen en el siglo XIX y en el XX.

La obra maestra de Sahagún es la *Historia general de las cosas de Nueva España*. El proyecto nació, igual que en el caso de Durán, de consideraciones religiosas y proselitistas: para facilitar la expansión del cristianismo, Sahagún se propone describir con todo detalle la antigua religión de los mexicanos. Así es como lo explica: "A mí me fue mandado, por santa obediencia de mi prelado mayor, que escribiese en lengua mexicana lo que me pareciese ser útil para la doctrina, cultura y manutencia de la cristiandad de estos naturales de esta Nueva España, y para ayuda de los obreros y ministros que los doctrinan" (II, "Prólogo"). Es necesario conocer las costumbres de los futuros conversos, de la misma manera que para curar una enfermedad hay que conocer al enfermo; ésta es la comparación que utiliza en otro momento. "El médico no puede acertadamente aplicar las medicinas al enfermo [sin] que primero conozca de qué humor, o de qué causa proceda la enfermedad; [. . .] los predicadores y confesores médicos son de las ánimas, para curar las enfermedades espirituales conviene [que] tengan experiencia de las medicinas y de las enfermedades espirituales [. . .]. Los pecados de la idolatría y ritos idolátricos,

y supersticiones idolátricas y agüeros, y abusiones y ceremonias idolátricas, no son aun perdidos del todo. Para predicar contra estas cosas,
y aun para saber si las hay, menester es de saber cómo las usaban
en tiempos de su idolatría" (I, "Prólogo"). Por su parte, Durán
decía: "No es posible darse bien la sementera del trigo y los frutales
en la tierra montuosa y llena de breñas y maleza, si no estuvieren
primero gastadas todas las raíces y cepas que ella de su natural pro-
-ducía" (I, "Prólogo"). Los indios son esa tierra y ese cuerpo pasi-
vos, que deben recibir la inseminación viril y civilizada de la religión cristiana.

Por lo demás, según Sahagún, esta actitud estaría en perfecto acuerdo con la religión cristiana: "No tuvo por cosa superflua ni vana el
divino agustino tratar de la teología fabulosa de los gentiles, en sex-
to libro de *La ciudad de Dios*, porque, como él dice, conocidas las fábulas y ficciones vanas que los gentiles tenían acerca de sus dioses fin-
gidos, pudiesen fácilmente darles a entender que aquéllos no eran
dioses, ni podían dar cosa alguna que fuese provechosa a la criatura
racional" (III, "Prólogo"). Este proyecto va de acuerdo con multitud de otras acciones iniciadas por Sahagún a todo lo largo de su
vida: redacción de textos cristianos en náhuatl o participación en la
práctica de evangelización.

Pero, al lado del móvil declarado, existe otro, y a esta presencia
simultánea de dos objetivos se debe la complejidad de la obra: es el
deseo de conocer y preservar la cultura náhuatl. Este segundo proyecto comenzó a realizarse antes del primero, puesto que, ya desde
1547, Sahagún recoge un conjunto de discursos rituales, los *huehuetlatolli*, especie de filosofía moral aplicada de los aztecas, y desde 1550
empieza a registrar los relatos indígenas de la conquista. En cambio,
el primer proyecto de la *Historia* empieza a tener forma a partir de
1558, cuando Sahagún se encuentra en Tepepulco. Pero lo que más
importa aquí es que este segundo proyecto, el del conocimiento de
la cultura de los antiguos mexicanos, es el que decide el método que
va a emplear para la redacción de su obra, que a su vez es responsable del texto tal como se nos presenta hoy en día.

En efecto, la principal preocupación que domina la construcción
de la obra será más la fidelidad al objeto descrito que la búsqueda
del mejor medio de convertir a los indios; el conocimiento tendrá
mayor importancia que el interés pragmático, todavía más que en
la obra de Durán. Es lo que lleva a Sahagún a adoptar sus más importantes decisiones: el texto se habrá de redactar a partir de informaciones recogidas con los testigos más fidedignos, y, para garantizar su

fidelidad, las informaciones se registrarán en la lengua de los informantes: la *Historia* se va a escribir en náhuatl. En una segunda etapa, Sahagún decide añadir una traducción libre, y hacer ilustrar el conjunto (cf. figs. 5, 6, 8, 10, 20, 21, 22, 25, 28, 30, 31, 32 y 33). El resultado es una obra de gran complejidad estructural, en la que se entrelazan continuamente tres medios: el náhuatl, el español y el dibujo.

Así pues, primero hay que escoger bien a los informantes, y asegurarse con múltiples versiones paralelas de la exactitud de los relatos. Sahagún, que es uno de los primeros en la historia occidental en emplear esta práctica, realiza su tarea con escrupulosidad ejemplar. Durante su estancia en Tepepulco, de 1558 a 1560, reúne a algunos notables de la ciudad. "Propúseles lo que pretendía hacer y les pedí me diesen personas hábiles y experimentadas, con quien pudiese platicar y me supiesen dar razón de lo que les preguntase" (II, "Prólogo"). Los notables se retiran y vuelven al día siguiente con una lista de doce ancianos particularmente conocedores de los asuntos antiguos. Por su parte, Sahagún llama a sus cuatro mejores alumnos del colegio de Tlatelolco. "Con estos principales y gramáticos, también principales, platiqué muchos días, cerca de dos años, siguiendo la orden de la minuta que yo tenía hecha. Todas las cosas que conferimos me las dieron por pinturas, que aquélla era la escritura que ellos antiguamente usaban, y los gramáticos las declararon en su lengua, escribiendo la declaración al pie de la pintura" (*ibid.*).

Sahagún vuelve a Tlatelolco en 1561, y se queda hasta 1565; se repite el procedimiento inicial: los notables escogen a los especialistas, y él se rodea de sus mejores discípulos: "Por espacio de un año y algo más, encerrados en el Colegio, se enmendó, declaró y añadió todo lo que de Tepepulco truje escrito, y todo se tornó a escribir de nuevo" (*ibid.*). En este momento es cuando se constituye la parte esencial del texto definitivo. Por último, a partir de 1565 está en México, y todo el trabajo se revisa una vez más; en ese momento es cuando llega a una división en doce libros, incluyendo en su plan los materiales reunidos anteriormente sobre la filosofía moral (que pasan a ser el libro VI) y sobre la conquista (libro XII). "Por espacio de tres años pasé y repasé a mis solas estas mis escrituras, y las torné a enmendar y las dividí por libros, en doce libros, y cada libro por capítulos y algunos libros por capítulos y párrafos. [. . .] Los mexicanos añadieron y enmendaron muchas cosas a los doce libros, cuando se iban sacando en blanco" (*ibid.*). Durante todo su trabajo Sahagún consulta, al mismo tiempo que a sus informantes, los antiguos códices en los que está registrada la historia de los mexicanos por medio de dibujos, y hace que se los expliquen. Su actitud respecto a ellos es inversa a la de Diego de Landa e idéntica a la de Durán. Refiere la existencia de las quemas de libros, pero añade: "No dejaron de quedar muchas [escrituras] escondidas que las hemos visto, y aun ahora se guardan, por donde hemos entendido sus antiguallas" (x, 27).

Una vez establecido en forma definitiva el texto náhuatl, Sahagún decide *añadir* una traducción. Esta decisión es tan importante como la primera (encontrar especialistas y comprobar lo que dicen por medio de versiones paralelas), si no es que más. Sobre este punto, para apreciar su originalidad, comparemos el trabajo de Sahagún con el de sus contemporáneos igualmente interesados en la historia mexicana, y que también recurren —no podían hacer otra cosa— a los informantes y a los códices (dejamos de lado, entonces, las compilaciones como la *Apologética historia* de Las Casas o la *Historia natural y moral de las Indias Occidentales* de José de Acosta). Claro que Motolinía ha oído el discurso de los indios, pero su *Historia* está escrita desde su propio punto de vista, y la palabra de los demás sólo interviene en forma de breves citas, a veces acompañadas de una observación como: "Ésta es manera de hablar de los indios, y otras que aquí van, que no corren tanto con nuestro romance" (III, 14). El resto del tiempo, tenemos un "estilo indirecto libre", una mezcla de discursos cuyos ingredientes no es posible aislar con precisión: el contenido es de los informantes, el punto de vista es de Motolinía; pero ¿cómo saber dónde termina uno y empieza el otro?

La obra de Durán es más compleja. Nos dice que su libro sobre los indios está tomado "de su relación y pintura", y también "de algunos viejos" (III, 1), y describe cuidadosamente unos y otros. Escoge con gran atención, pero no se enfrasca, como Sahagún, en procedimientos complicados. También emplea, para su libro de historia, la "Crónica X" en náhuatl, que no es un códice pictográfico. Como hemos visto, a veces considera que su trabajo es el de un traductor, pero, en realidad, no se trata nada más de una traducción: el propio Durán señala a menudo que hace cortes, o que deja a un lado la crónica para emplear informaciones provenientes de testigos o de otros manuscritos; explica con regularidad las razones que lo mueven a escoger tal o cual versión. A veces también se refiere a su propia experiencia de niño criado en México; el resultado es que su libro, como ya lo hemos visto, deja oír una voz cuya multiplicidad es interior.

Además, Durán, como los otros traductores-recopiladores, interviene en otra forma, que podríamos llamar anotación (aunque sus observaciones figuran en el interior del texto y no en su exterior). Para examinar esta práctica, tomemos otro ejemplo, el del padre Martín de Jesús o de la Coruña, supuesto traductor de la *Relación de Michoacán*. Hay explicaciones de expresiones idiomáticas o metafóricas: ". . .nunca usan de palabras de presente sino de futuro: Yo me casaré contigo. Y su intención es de presente con cópula, porque tienen esta manera de hablar en su lengua" (III, 16; cabe preguntarse si esta manera de hablar es característica exclusiva de los tarascos); indicaciones sobre las formas de hablar: "Lo que va aquí contando en todo su razonamiento este papa, todas las guerras y hechos, atribuía a su dios Curicaueri que lo hacía y no va contando más de los señores" (II, 2); complementos de información que hacen inteligible el relato, al explicitar los sobrentendidos por medio de la descripción de las costumbres: "Según la costumbre que solían tener cuando tomaban algún cautivo que habían de sacrificar, bailaban con él y decían que aquel baile era para dolerse de él y hacerle ir presto al cielo" (II, 34); por último, algunas indicaciones sobre lo que ha ocurrido desde la época del relato: "Donde le sacó después un español, digo sus cenizas, con no mucho oro porque era el principio de la conquista" (II, 31).

Pero también hay otras intervenciones de este fraile, con lo que su texto está escrito a veces en estilo indirecto libre, en vez de conservar el estilo directo. Siempre indica al sujeto hablante con "ellos", "la gente", nunca "nosotros"; emplea expresiones modalizantes antes de algunas afirmaciones, como "decía esta gente" (III, 1); a veces introduce comparaciones que no pueden venir de sus informantes: "No se mezclaban los linajes, como los judíos" (III, 12); incluso hay detalles cuya autenticidad puede parecer problemática. Tales intervenciones no anulan el valor documental de un texto como la *Relación de Michoacán*, pero sí muestran los límites de la fidelidad de la traducción; límites que desaparecerían si tuviéramos, junto con la traducción, el texto original.

Sahagún, por su parte, elige el camino de la fidelidad total, puesto que reproduce el discurso tal como se lo dicen, y *agrega* su traducción, en vez de *sustituir* el discurso con la traducción (Olmos es uno de los pocos que, en México, se le adelantaron con esta misma solución). Por lo demás, esta traducción ya no necesita ser literal (pero ¿lo eran las de los otros?: nunca podremos saberlo), pues su función es diferente de la del texto en náhuatl; así pues, omite algunos desarrollos y añade otros; el diálogo de las voces se vuelve por ello más sutil. Notemos de inmediato que esta fidelidad total no quiere decir autenticidad total; pero ésta es imposible por definición, no por razones metafísicas, sino porque son los españoles los que traen la escritura. Aun cuando tenemos el texto en náhuatl, ya no podemos separar lo que es expresión del punto de vista mexicano de lo que se pone para dar gusto, o por el contrario, disgusto, a los españoles: ellos son los destinatarios de *todos* esos textos; ahora bien, el destinatario es tan responsable del contenido de un discurso como su autor.

Por último, el manuscrito se ilustra; los dibujantes son mexicanos, pero ya han recibido una fuerte influencia del arte europeo, de tal manera que el dibujo mismo es un lugar de encuentro entre dos sistemas de representación, diálogo que se superpone al de las lenguas y de los puntos de vista que componen el texto. En su totalidad, la creación (que no he contado aquí con todos sus detalles) de la *Historia general de las cosas de Nueva España*, esta obra excepcional en todo, ocupa a Sahagún durante casi cuarenta años.

El resultado de esos esfuerzos es una inapreciable enciclopedia de la vida espiritual y material de los aztecas antes de la conquista, el retrato detallado de una sociedad que difería muy especialmente de nuestras sociedades occidentales y que estaba destinada a extinguirse definitivamente en poco tiempo. Corresponde a la ambición de Sahagún, admitida por él, de no "haber dejado a oscuras las cosas de estos naturales de esta Nueva España" (I, "Prólogo"), y justificaría que una de sus comparaciones no sólo se aplicara a las palabras, como quería Sahagún, sino también a las cosas que éstas designan: "Es esta obra como una red barredera para sacar a la luz todos los vocablos de esta lengua con sus propias y metafóricas significaciones, y todas sus maneras de hablar, y las más de sus antiguallas buenas y malas" (*ibid.*).

Pero si bien esta enciclopedia se considera en su justo valor desde su publicación, y sirve de base a todos los estudios sobre el mundo azteca, se ha concedido menos atención al hecho de que también se trata de un libro, de un objeto, o más bien un acto, que merece ser analizado en cuanto tal; precisamente desde ese punto de vista nos interesa aquí Sahagún, dentro del marco de esta investigación sobre las relaciones con el otro, y sobre el lugar que ocupa en ellas el conocimiento. Se podría ver en Durán y en Sahagún dos formas opuestas de una relación, un poco como antaño se describía la oposición entre clásicos y románticos: interpenetración de contrarios en aquel caso, su separación en éste; es cosa segura que, si bien Sahagún es más fiel a los discursos de los indios, Durán está más cerca de ellos, y los comprende mejor. Pero en realidad la diferencia entre los dos es menos clara, pues la *Historia* de Sahagún es a su vez el lugar de interacción de dos voces (dejando de lado los dibujos), pero esta interacción adopta formas menos visibles y su análisis exige una observación más atenta.

1. Sería evidentemente ingenuo pensar que la única voz que se expresa en el texto náhuatl es la de los informantes, y en el texto español la de Sahagún; no sólo —y esto es evidente— son los informantes responsables de la mayor parte del texto español, sino que, como veremos, Sahagún está presente, aunque en forma menos discreta, en el texto náhuatl. Pero hay pasajes que faltan en una u otra versión, y éstos son directamente pertinentes para nuestro asunto. Las intervenciones más evidentes de Sahagún en el texto español son los diferentes prólogos, advertencias, prefacios o digresiones, que asumen la función de un marco: aseguran la transición entre el texto presentado y el mundo que lo rodea. Sin embargo, esos prefacios no tienen la misma finalidad que el texto principal: son un metatexto, se refieren más bien al libro que a los aztecas, y la comparación no siempre resulta esclarecedora. Sin embargo, Sahagún interviene en varias ocasiones, como en el apéndice del libro I o al final del capítulo 20, libro II. La primera vez, después de describir el panteón de los aztecas, añade una refutación, precedida por la exhortación siguiente: "Vosotros, los habitantes de esta Nueva España, que sois los mexicanos, tlaxcaltecas, y los que habitáis en la tierra de Mechuacan, y todos los demás indios de estas Indias Occidentales, sabed: Que todos habéis vivido en grandes tinieblas de infidelidad e idolatría en que os dejaron vuestros antepasados, como está claro por vuestras escrituras y pinturas, y ritos idolátricos en que habéis vivido hasta ahora. Pues oíd ahora con atención. . ." Y Sahagún transcribe fielmente (en latín) cuatro capítulos de la Biblia, que tratan de la idolatría y sus nefastos efectos; luego viene la refutación propiamente dicha. Así pues, se dirige aquí a sus mismos informantes, y habla en nombre propio; luego viene otra exhortación, ahora "al lector"; y por último algunas "Exclamaciones del autor", que no están dirigidas a nadie en particular, si no es a Dios, en las que expresa cómo lamenta ver a los mexicanos perdidos así en el error.

La segunda intervención, aislada también con el título "Exclamación del autor", viene después de la descripción de un sacrificio de niños. "No creo que haya corazón tan duro que oyendo una crueldad tan inhumana, y más que bestial y endiablada, como la que arriba queda puesta, no se enternezca y mueva a lágrimas y horror y espanto." Esta exclamación sirve sobre todo para buscar una justificación, una defensa de los mexicanos, a quienes se podría juzgar mal después de tales relatos. "La culpa de esta tan cruel ceguedad, que en estos desdichados niños se ejecutaba, no se debe tanto imputar a la crueldad de los padres, los cuales derramando muchas lágrimas y con gran dolor de sus corazones la ejercitaban, cuanto al crudelísimo odio de nuestro enemigo antiquísimo Satanás. . ." (II, 20).

Lo notable de estas intervenciones no es sólo lo poco numerosas que son (recuerdo que el texto español de la obra de Sahagún ocupa unas setecientas páginas), sino también el hecho de que estén tan claramente separadas del resto: aquí, Sahagún yuxtapone su voz a la de los informantes, sin que sea posible ninguna confusión entre las dos. Renuncia, en cambio, a todo juicio de valor en las descripciones de los ritos aztecas, que presentan exclusivamente el punto de vista de los indios. Tomemos como ejemplo la descripción de un sacrificio humano y veamos cómo los diferentes autores de la época conservan el punto de vista indio que se expresa en el relato, o influyen en él. Veamos primero a Motolinía:

"En esta piedra tendían a los desventurados de espaldas para los sacrificar, y el pecho muy tieso, porque los tenían atados de los pies y de las manos, y el principal sacerdote de los ídolos o su lugarteniente, que eran los que más ordinariamente sacrificaban, [. . .] con aquel cruel navajón, como el pecho estaba tan tieso, con mucha fuerza abrían al desventurado y de presto sacábanle el corazón, y el oficial de esta maldad daba con el corazón encima del umbral del altar de parte de afuera, y allí dejaba hecha una mancha de sangre [. . .]. Y nadie piense que ninguno de los que sacrificaban matándoles y sacándoles el corazón, o cualquiera otra muerte, que era de su propia voluntad, sino por fuerza, y sintiendo muy sentida la muerte y su espantoso dolor" (I, 6).

"Cruel", "maldad", "desventurados", "espantoso dolor": es obvio que Motolinía, quien dispone de un relato indígena pero no lo cita, introduce su propio punto de vista en el texto, salpicándolo con términos que expresan la posición común de Motolinía y de su lector posible; Motolinía presiente y explicita, en cierta forma, la reacción de éste. Las dos voces no están en situación de igualdad, y cada una se expresa a su vez: una de las dos (la de Motolinía) incluye e integra a la otra, que ya no se dirige directamente al lector, sino que sólo lo hace por medio de Motolinía, quien sigue siendo el único sujeto, en el sentido pleno del término.

Tomemos ahora una escena semejante, descrita por Durán: "Este indio tomaba su carguilla del presente que los caballeros del sol enviaban, con el báculo y rodela, y empezaba a subir por el templo arriba, muy poco a poco, representando el curso que el sol hace de oriente a poniente. Y en llegando que llegaba a lo alto del templo, puesto de pies en la piedra del sol, en el medio de ella —que era hacer el medio día— llegaban los sacrificadores y sacrificábanle allí; abriéndole el pecho por medio y sacándole el corazón, ofrecíanselo al sol, y rociando con la sangre hacia arriba al mismo sol. Luego, para representar la caída del sol hacia occidente, dejaban caer el cuerpo muerto por las gradas abajo" (III, 23).

No hay "cruel", no hay "maldad", no hay "desventurados": Durán transcribe el relato en un tono tranquilo y se abstiene de todo juicio de valor (cosa que no dejará de hacer en otras ocasiones). Pero en vez de esto aparece un nuevo vocabulario, ausente en Motolinía: el de la interpretación. El esclavo representa al sol, el centro de la piedra marca el mediodía, la caída del cuerpo representa la puesta del sol. . . Durán, como hemos visto, comprende los ritos de los que habla, o más bien, conoce las asociaciones que suelen acompañarlos, y comparte sus conocimientos con su lector.

El estilo de Sahagún también es diferente: "Sus dueños [de los cautivos] los subían arrastrando por los cabellos hasta el tajón donde había de morir. Llegándolos al tajón, que era una piedra de tres palmos en alto o poco más, y dos de ancho, o casi, echábanlos sobre ella de espaldas y tomábanlos cinco: dos por las piernas y dos por los brazos y uno por la cabeza, y venía luego el sacerdote que le había de matar y dábale con ambas manos, con una piedra de pedernal, hecha a manera de hierro de lanzón, por los pechos, y por el agujero que hacía metía la mano y arrancábale el corazón, y luego le ofrecía al sol; echábale en una jícara. Después de haberles sacado el corazón, y después de haber echado la sangre en una jícara, la cual recibía el señor del mismo muerto, echaban el cuerpo a rodar por las gradas abajo del *cu*" (II, 2).

Parecería de pronto que estamos leyendo una página de "nouveau roman"; esta descripción es todo lo contrario de las de Durán o Motolinía: no hay ningún juicio de valor, pero tampoco ninguna interpretación; nos enfrentamos a una pura descripción. Sahagún parece practicar la técnica literaria de la distanciación: describe todo desde el exterior, acumulando los detalles técnicos; de ahí la abundancia de medidas: "tres palmos o poco más", "dos, o casi", etcétera.

Pero sería un error pensar que Sahagún nos ofrece el relato de los indios en bruto, mientras que Motolinía y Durán le ponen el sello de su propia personalidad, o de su cultura; en otras palabras, que la monofonía sustituye a la difonía. Es más que seguro que los indios no hablaban como lo hace Sahagún: su texto huele a encuesta etnográfica, a preguntas minuciosas (y en última instancia se queda un poco al lado del tema, pues entendemos la forma pero no el sentido). Los indios no necesitaban expresarse así entre ellos; ese discurso está fuertemente determinado por la identidad de su interlocutor. Por lo demás, el texto de Sahagún lo comprueba: el fragmento que acabamos de leer no tiene contrapartida en náhuatl; ha sido redactado por el propio Sahagún, en español, a partir de los testimonios que se encuentran en otro capítulo (II, 21); ahí se encuentran los elementos del rito, pero ninguno de los detalles técnicos. ¿Representará entonces esta última versión el grado cero de la intervención? Podemos dudarlo, no porque los misioneros desempeñaran mal su trabajo etnográfico, sino porque quizás el grado cero en sí sea ilusorio. El discurso, ya lo hemos dicho, está fatalmente determinado por la identidad de su interlocutor; ahora bien, éste es, en todos los casos posibles, un español, un extranjero. Podemos ir más lejos, y, sin poder observarlo, estar seguros de que entre ellos los aztecas no hablaban en la misma forma si se dirigían a un niño, o a un recién iniciado, o a un viejo sabio, y el sacerdote y el guerrero no hablaban de la misma manera.

2. Otra intervención bien circunscrita de Sahagún se encuentra en los títulos de algunos capítulos, especialmente del libro I. Esos títulos constituyen un intento, muy tímido por cierto, aunque Sahagún lo hace varias veces, de establecer una serie de equivalencias entre los dioses aztecas y los dioses romanos: "7. Trata de la diosa que se llama Chicomecóatl. Es otra diosa Ceres"; "11. Que trata de la diosa del agua, que la llamaban Chalchiuhtlicue; es otra Juno"; "Que trata de la diosa de las cosas carnales, la cual llamaban Tlazoltéotl, otra Venus", etc. En el prólogo del libro I propone una analogía sobre las ciudades y sus habitantes: "Esta célebre y gran ciudad de Tula, muy rica y decente, muy sabia y muy esforzada, tuvo la adversa fortuna de Troya. [. . .] la ciudad de México, que es otra Venecia [por los canales], y ellos en saber y en policía son otros venecianos. Los tlaxcaltecas parecen haber sucedido en la fortuna de los cartagineses." Éste es un tipo de comparación muy difundido en los escritos de la época (volveré a esto); lo notable aquí es un papel tan limitado, tanto por el número como por el lugar que se le asigna: una vez más, fuera del texto que describe el universo azteca (esas analogías no figuran en la versión náhuatl), en el marco (títulos, prefacios)

y no dentro del cuadro mismo. Aquí también es imposible equivocarse sobre el origen de la voz; la intervención es franca, no disimulada, hasta se exhibe.

Estas dos formas de interacción, "exclamaciones" y analogías, separan así con perfecta claridad los discursos de unos y otro. Pero hay otras formas que van a encarnar interpenetraciones cada vez más complejas de las dos voces.

3. Cuando se trata de la descripción de un sacrificio, Sahagún no añade, en el texto, ningún término que implique un juicio moral. Pero al hablar del panteón azteca se encuentra frente a una elección difícil: sea cual fuere el término empleado, el juicio de valor es inevitable; se compromete de igual manera si traduce por "dios" o por "diablo"; o, en cuanto al que lo sirve, por "sacerdote" o por "nigromante": el primer término legitima, el segundo condena; ninguno es neutro. ¿Cómo resolverlo? La solución de Sahagún consiste en no optar por ninguno de los dos términos, sino en alternarlos; en suma, erige en sistema la ausencia de sistema, y con ello neutraliza los dos términos, que en principio son portadores de juicios morales opuestos y ahora se vuelven sinónimos. Por ejemplo, un título del apéndice 3 del libro II anuncia la "Relación de ciertas ceremonias que se hacían a honra del demonio", y el título del apéndice siguiente, el 4, es "Relación de las diferencias de ministros que servían a los dioses". El primer capítulo del tercer libro invierte el orden: el título dice: "Del principio que tuvieron los dioses", y una de las primeras frases: "Según lo que dijeron y supieron los naturales viejos, del nacimiento y principio del diablo que se decía Huitzilopochtli. . ." En el prólogo a toda la obra, Sahagún establece la misma neutralidad por medio de un *lapsus* controlado: "Escribí doce libros de las cosas divinas, o por mejor decir idolátricas. . ." Podríamos imaginar que los informantes piensan "dios" y Sahagún "el diablo". Pero al acoger los dos términos dentro de su propio discurso, lo inclina en el sentido de sus informantes, sin por ello adoptar enteramente la posición de éstos: gracias a su alternancia, los términos pierden sus matices cualitativos.

En otro título encontramos un testimonio diferente de la ambivalencia propia a la posición de Sahagún: "Es oración del gran sátrapa donde se ponen delicadezas muchas. . ." (VI, 5). Quizás, como lo han afirmado algunos, Sahagún, semejante en eso a Durán, admira en los aztecas las cosas naturales (el lenguaje en este caso) y condena las sobrenaturales (los ídolos); de todos modos tenemos aquí otro ejemplo más donde la voz de los informantes se deja oír dentro de la de Sahagún, transformándola. En otros textos, predicaciones cristianas dirigidas a los mexicanos y escritas en náhuatl, se observa otra interferencia: Sahagún emplea algunos procedimientos estilísticos de la prosa de los aztecas (paralelismos, metáforas).

4. Si la voz de los informantes estaba presente en el discurso de Sahagún, ahora es la voz de Sahagún la que impregna los discursos de los informantes. No se trata de intervenciones directas que, como hemos visto, están claramente indicadas y delimitadas, sino de una presencia a la vez más difusa y más masiva. Y es que Sahagún trabaja a partir de un plan concebido después de sus primeros encuentros con la cultura azteca, pero también en función de su idea de lo que puede ser una civilización. Sabemos por el propio Sahagún que emplea un cuestionario, y es imposible sobrestimar este hecho. Desgraciadamente no se conservaron los cuestionarios, pero han sido reconstruidos, gracias al ingenio de los investigadores actuales. Por ejemplo, la descripción de los dioses aztecas en el libro I revela que todos los capítulos (y por lo tanto todas las respuestas) obedecen a un orden, que corresponde a las siguientes preguntas: 1. ¿Cuáles son los títulos, los atributos y las características de este dios? 2. ¿Cuáles son sus poderes? 3. ¿Cuáles son los ritos en su honor? 4. ¿Cuál es su apariencia? Así pues, Sahagún impone su esquema conceptual al saber azteca, y éste se nos muestra como portador de una organización que viene en realidad del cuestionario. Es cierto que, en el interior de cada libro, se ve una transformación: el comienzo siempre sigue un orden muy estricto, mientras que la continuación presenta cada vez más digresiones y desviaciones del esquema; Sahagún tuvo el acierto de conservarlas, y la parte que se deja a la improvisación compensa en cierta medida el efecto del cuestionario. Pero eso le impide a Sahagún comprender, por ejemplo, la naturaleza de la divinidad suprema (uno de cuyos nombres es Tezcatlipoca), puesto que es invisible e intangible, que ella misma es su propio origen, y que es creadora de historia pero está desprovista de historia propia. Sahagún espera que los dioses aztecas se parezcan a los dioses romanos, ¡no al Dios de los cristianos! En algunos casos, el resultado es francamente negativo, como en el libro VII, que trata de la "astrología natural" de los indios, donde Sahagún no entiende bien las respuestas que se apoyan en una concepción cósmica enteramente diferente de la suya, y aparentemente vuelve sin cesar a sus cuestionarios.

Los cuestionarios no sólo imponen una organización europea al

Fig. 31. *La serpiente fabulosa*

Figs. 32 y 33. *Algunas ilustraciones del* Códice florentino

saber americano, y a veces impiden el paso de la información pertinente, sino que también determinan los temas a tratar, y excluye otros,
para dar un ejemplo contundente (pero habría muchos más), al leer
el libro de Sahagún aprendemos muy pocas cosas sobre la vida sexual
de los aztecas. Quizás esa información fue soslayada por los mismos
informantes; quizás, en forma inconsciente, por Sahagún; no lo podemos saber, pero da la impresión de que los actos de crueldad, ya presentes en la mitología cristiana, no escandalizan demasiado al encues-
tador español y que los transcribe fielmente, mientras que la
sexualidad no encuentra lugar.

Es bastante divertido ver que los primeros editores del libro, en
el siglo XIX, ejercen por su parte una censura totalmente consciente
frente a los raros pasajes del libro que contienen referencias a la sexualidad, y que ellos juzgan escabrosos: en esa época ya no hay interdicciones referentes a la religión (hablando a grandes rasgos), y por
lo tanto, ya no hay sacrilegio ni blasfemia; el pudor, en cambio, ha
aumentado, y todo les parece obsceno. En su prefacio (de 1880), el
traductor francés se siente obligado a justificar largamente "esos con-
trastes entre la pureza del alma y las libertades en la expresión del
pensamiento" en los religiosos españoles del siglo XVI, y culpa finalmente a los indígenas, cuyas expresiones, en la confesión, corrom-
pieron según él el oído del buen fraile —"ahora bien, no necesito
decir en qué inmundas basuras se veían obligados los primeros confesores de los indios a desarrollar sus confesiones de todos los días"
("Prefacio", p. XIII). Así pues, el traductor se precia a su vez de su
valentía, que le hace traducir íntegramente el texto de Sahagún, aunque de vez en cuando se permite algunas enmiendas: "El traductor
piensa que aquí debe, a imitación de Bustamante [el primer editor
del texto español], suprimir un pasaje escabroso cuya lectura se vol-
vería insoportable debido a las delicadezas de la lengua francesa" (p.
430); de hecho el pasaje en cuestión se conserva en nota, en español
—idioma que por lo visto es menos delicado. En otra ocasión dice:
"El capítulo que sigue contiene pasajes escabrosos que son excusables por la ingenuidad del lenguaje primitivamente empleado y por
la decisión de Sahagún de dar todo con sinceridad [. . .]. Seguiré absolutamente el texto en mi traducción, sin hacer otros cambios que sustituir con la palabra *desnudez* la palabra más realista que creyó poder
emplear Sahagún para no alejarse de lo que en lengua náhuatl le decían
sus ancianos" (p. 201). De hecho, lo que dice el texto español es,
sencillamente, *miembro genital* (III, 5): ¿realmente hay que responsa-
bilizar de esta expresión a los ancianos aztecas? ¡Felicitémonos enton-

ces de que Sahagún no haya sido tan mojigato como lo fueron sus editores, trescientos años más tarde! De todos modos es responsable del texto náhuatl mismo, y no sólo de la versión española; el original muestra las huellas de las convicciones religiosas, de la educación y del estrato social de Sahagún.

5. Si pasamos ahora al nivel macroestructural, después de estas observaciones sobre la microestructura, encontramos el mismo tipo de "visita" de una voz en la otra. La elección de temas, por ejemplo, deja oír la voz de los informantes en la de Sahagún. Recordamos que el proyecto explícito de éste era facilitar la evangelización de los indios con el estudio de su religión. Pero apenas corresponde a esta idea un tercio de la obra. Cualquiera que haya sido la primera intención de Sahagún, está claro que la riqueza de los materiales que se le ofrecían lo determinó a sustituir su proyecto inicial por otro, y trató de constituir una descripción enciclopédica, en la que los asuntos de los hombres o de la naturaleza ocupan tanto lugar como lo divino o lo sobrenatural; es altamente probable que esta transformación se deba a la influencia de sus informantes indígenas. ¿Cuál puede ser la utilidad cristiana de una descripción como ésta, de la serpiente de agua (cf. fig. 31)?:

"Para cazar personas tiene esta culebra una astucia notable, hace un hoyo cerca del agua, del tamaño de un lebrillo grande, y toma peces grandes de las cuevas, como barbos u otros de otra manera, y tráelos en la boca y échalos en el hoyo que tiene hecho, y antes que los eche levanta el cuello en alto y mira a todas partes, luego echa los peces en la lagunilla, y vuelve otra vez por otros; y algunos indios atrevidos, entre tanto que sale otra vez, tómanle los peces de la lagunilla y echan a huir con ellos. De que sale otra vez la culebra luego ve que le han tomado los peces, y luego se levanta en alto sobre la cola, y mira a todas partes, y aunque vaya algo lejos el que lleva los peces, vele, y si no le ve por el olor le va rastreando, y echa tras él tan recio como una saeta, que parece que vuela por encima de los zacates y de las matas, y como llega al que le lleva los peces, enróscasele al cuello y apriétale reciamente, y la cola, como la tiene hendida, métesela por las narices cada punta por cada ventana, o se las mete por el sieso; hecho esto apriétase reciamente el cuerpo de aquel que le hurtó los peces, y mátale" (XI, 4, 3).

Sahagún transcribe y traduce aquí lo que le cuentan, sin preocuparse del sitio que pueda ocupar una información como ésa en relación con el proyecto inicial.

6. Al mismo tiempo, el plan de conjunto sigue siendo el de Sahagún: es una suma escolástica, que va de lo más alto (dios) a lo más
bajo (las piedras). Los numerosos retoques y adiciones obscurecen
algo este plan; pero, siguiendo sus grandes lineamientos, podemos
reconstruirlo de la manera siguiente: los libros i, ii y iii tratan de los
dioses; los libros iv, v y vii, de astrología y adivinación, es decir, de
las relaciones entre dioses y hombres; los libros viii, ix y x están
dedicados a los asuntos humanos; por último, el libro xi se refiere
a los animales, las plantas y los minerales. Dos libros, que corresponden a materiales recogidos con anterioridad, realmente no tienen lugar en este plan: el libro vi (recopilación de discursos rituales) y el libro xii (relato de la conquista). Este plan no sólo
corresponde más al espíritu de Sahagún que al de sus informantes,
sino que la existencia misma de un proyecto enciclopédico como éste,
con sus subdivisiones en libros y capítulos, no tiene correspondien-
te en la cultura azteca. Aunque la obra de Sahagún tampoco es muy
común en la tradición europea, le pertenece plenamente, sin impor-
tar que su contenido venga de los informantes. Se podría decir que,
a partir de los *discursos* de los aztecas, Sahagún produjo un *libro*; ahora bien, en este contexto el libro es una categoría europea. Y sin
embargo el objetivo inicial se invierte: Sahagún había partido de la
idea de utilizar el saber de los indios para constribuir a la propagación de la cultura de los europeos; acabó por poner su propio saber
al servicio de la preservación de la cultura indígena. . .

Se podrían recoger, evidentemente, otras formas de la interpenetración de las dos culturas; pero éstas bastan para mostrar la complejidad del tema de la enunciación en la *Historia general de las cosas de Nueva
España*; o podría decir, la distancia entre la ideología profesada por
Sahagún y la que es imputable al autor del libro. Esto también se
trasluce en las reflexiones que da al margen de la exposición central.
No es que Sahagún dude de su fe o renuncie a su misión. Pero se
ve llevado a distinguir, a la manera de Las Casas o de Durán, entre
la religiosidad en sí y su objeto: si bien el Dios de los cristianos es
superior, el sentimiento religioso de los indios es más fuerte: "En
lo que toca a la religión y cultura de sus dioscs no creo ha habido
en el mundo idólatras tan reverenciadores de sus dioses, ni tan a su
costa, como éstos de esta Nueva España" (i, "Prólogo"). La susti-
tución de la sociedad azteca por la sociedad española resulta ser entonces un arma de doble filo, y, después de pesar atentamente el pro

y el contra, Sahagún decide, con más fuerza que Durán, que el resultado final es negativo. "Como esto cesó por la venida de los españoles, y porque ellos derrocaron y echaron por tierra todas las costumbres y maneras de regir que tenían estos naturales, y quisieron reducirlos a la manera de vivir de España, así en las cosas divinas como en las humanas, teniendo entendido que eran idólatras y bárbaros, perdiose todo el regimiento que tenían. [. . .] Pero viendo ahora que esta manera de policía cría gente muy viciosa, de muy malas inclinaciones y muy malas obras, las cuales los hace a ellos odiosos a Dios y a los hombres, y aun los causan grandes enfermedades y breve vida. . ." (x, 27).

Sahagún es consciente de que los valores sociales forman un conjunto en que todo va unido: no se puede derrocar a los ídolos sin trastornar al mismo tiempo a la sociedad; y además, desde el punto de vista cristiano, la que ha sido edificada en su lugar es inferior a la primera. "En lo que toca [a] que eran para más en los tiempos pasados, así para el regimiento de la república como para el servicio de los dioses, es la causa porque tenían el negocio de su regimiento conforme a la necesidad de la gente" (*ibid.*). Sahagún no llega a ninguna conclusión revolucionaria; pero ¿acaso su razonamiento no implica que la cristianización trajo, a fin de cuentas, más mal que bien, y que entonces hubiera sido preferible que no hubiera ocurrido? En realidad su sueño, como el de otros franciscanos, sería más bien la creación de un estado ideal nuevo: mexicano (y por lo tanto independiente de España) y cristiano a la vez, un reino de Dios en la tierra. Pero al mismo tiempo sabe que este sueño no está a punto de realizarse, y se conforma entonces con recoger los aspectos negativos del estado actual. Sin embargo esta posición, combinada con la importancia que le concede a la cultura mexicana, hace que su obra provoque una franca condena por parte de las autoridades: no sólo le quitan los fondos, como ya hemos visto, sino que una cédula real de Felipe II, fechada en 1577, prohibe que cualquiera conozca esta obra y, con más razón, que se contribuya a difundirla.

Según lo que dice Sahagún, la presencia de los frailes también tiene un efecto ambiguo en la práctica cotidiana. La nueva religión lleva a adoptar nuevas costumbres, y éstas provocan una reacción todavía más alejada del espíritu cristiano que la antigua religión. Sahagún relata sin espíritu humorístico los disgustos que los esperan en la educación de los jóvenes: "Tomamos aquel estilo de criar los muchachos en nuestras casas, [. . .] donde los enseñábamos a levantarse a la media noche, y los enseñábamos a decir los maitines de Nuestra

Señora, y luego de mañana, las horas; y aun les enseñábamos a que de noche se azotasen y tuviesen oración mental; pero como no se ejercitaban en los trabajos corporales como solían y como demanda la condición de su briosa sensualidad, y también comían mejor de lo que acostumbraban de su república antigua, porque ejercitábamos con ellos la blandura y piedad que entre nosotros se usa, comenzaron a tener bríos sensuales y a entender en cosas de lascivia. . ." (*ibid*.). ¡Ésta es la forma en que Dios nos coduce al demonio!

Una vez más, no se trata de afirmar que Sahagún adoptó el partido de los indios. Otros pasajes del libro lo muestran enteramente firme en sus convicciones cristianas, y todos los documentos de que disponemos dan fe de que, hasta el final de su vida, la cristianización de los mexicanos lo preocupa más que cualquier otra cosa. Pero debemos ver hasta qué punto su obra es producto de la interacción entre dos voces, dos culturas, dos puntos de vista, aun si dicha interacción es menos evidente que en Durán. Por eso sólo podemos rechazar el intento, por parte de ciertos especialistas contemporáneos, de romper esta obra excepcional al declarar, menospreciando toda interacción, que los informantes son los únicos responsables del texto náhuatl del libro, y que Sahagún sólo es responsable del texto español; en otras palabras, de convertir en dos libros una obra cuyo interés está, en gran parte, en que es *uno solo*. Digan lo que digan, un diálogo no es la adición de dos monólogos. Y sólo podemos desear la rápida publicación de una edición por fin completa, o crítica, que permitiera leer y apreciar en su justo valor este monumento único del pensamiento humano.

¿Cómo situar a Sahagún en la tipología de las relaciones con el otro? En el plano de los juicios de valor, se apega a la doctrina cristiana de la igualdad entre todos los seres humanos. "Según verdad, en las cosas de policía echan el pie delante a muchas otras naciones que tienen gran presunción de políticos, sacando fuera algunas tiranías que su manera de regir contenía" (I, "Prólogo"). "Es certísimo que estas gentes todas son nuestros hermanos, procedentes del tronco de Adán como nosotros, son nuestros prójimos, a quien somos obligados a amar como a nosotros mismos" (*ibid*.).

Pero esta posición de principio no lo lleva a una afirmación de identidad, ni a una idealización de los indios a la manera de Las Casas; los indios tienen cualidades y defectos, igual que los españoles, pero con una distribución diferente. A veces se queja de diferentes rasgos de su carácter que le parecen lamentables; sin embargo, no los explica por una inferioridad natural (como hubiera hecho Sepúlveda), sino por las condiciones diferentes en que viven, especialmente las condiciones climáticas; el cambio es notable. Después de mencionar su pereza y su hipocresía, dice: "Y no me maravillo tanto de las tachas y dislates de los naturales de esta tierra, porque los españoles que en ella habitan, y mucho más los que en ella nacen, cobran estas malas inclinaciones. [. . .] y esto pienso que lo hace el clima, o constelaciones de esta tierra" (x, 27). Un detalle ilustra claramente la diferencia entre Las Casas y Sahagún: para Las Casas, como recordamos, todos los indios son portadores de las mismas cualidades: no hay diferencias entre los pueblos, sin hablar de los individuos. Sahagún, por su parte, llama a sus informantes por su nombre.

En el plano de la conducta, Sahagún ocupa igualmente una posición específica: de ninguna manera renuncia a su modo de vida ni a su identidad (no tiene nada de un Guerrero); sin embargo, aprende a conocer profundamente la lengua y la cultura del otro, dedica toda su vida a esta tarea y acaba, como hemos visto, por compartir algunos valores de aquellos que, al principio, eran su objeto de estudio.

Pero ahí donde el ejemplo de Sahagún es más interesante es, evidentemente, en el plano epistémico, o del conocimiento. Lo que primero llama la atención es el aspecto cuantitativo: la suma de sus conocimientos es enorme, y rebasa a todas las demás (la que más se le acerca es la de Durán). La naturaleza cualitativa de este conocimiento es más difícil de formular. Sahagún aporta una impresionante masa de materiales, pero no los interpreta, es decir, no los traduce a las categorías de otra cultura (la suya), haciendo evidente con ese gesto la relatividad de esa cultura; a esa tarea se dedicarán —a partir de sus encuestas— los etnólogos de hoy. Se podría decir que en la medida en que su trabajo, o el de los demás sabios frailes contemporáneos suyos, contenía gérmenes de la actitud etnológica, no era recibible para su época; de todos modos es bastante impresionante ver que los libros de Motolinía, Olmos, Las Casas (*Apologética historia*), Sahagún, Durán, Tovar, Mendieta, no se publican hasta el siglo XIX, o llegan incluso a perderse. Como hemos visto, Sahagún sólo da un tímido paso en esa dirección: son sus comparaciones entre el panteón azteca y el panteón romano. Las Casas, en la *Apologética historia*, avanza mucho más en la vía del comparatismo, y otros siguen sus pasos. Pero la actitud comparatista no es la del etnólogo. El comparatista pone en el mismo plano varios *objetos*, todos exteriores a él, y sigue siendo el único *sujeto*. Tanto en Sahagún como en Las Casas, la comparación se refiere a los dioses de los *otros*: de los aztecas, de los romanos, de los griegos; no coloca al otro en el mismo plano que uno, y no pone en duda sus propias categorías. El etnólogo, en cambio, contribuye al esclarecimiento recíproco de una cultura por medio de otra, a "hacernos reflejar en el rostro del otro", según las hermosas palabras que usaba ya en el siglo XVI Urbain Chauveton: conocemos al otro por medio de nosotros, pero también a nosotros mismos por medio del otro.

Sahagún no es un etnólogo, digan lo que digan sus admiradores modernos. Y, a diferencia de Las Casas, no es fundamentalmente comparatista; su trabajo está más relacionado con la etnografía, con la recolección de documentos, premisa indispensable para el trabajo etnológico. El diálogo de las culturas es, en él, fortuito e inconsciente, es un resbalón no controlado, no adquiere la categoría de método (y no puede adquirirla); hasta es un enemigo resuelto del hibridismo entre culturas; el que sea fácil asimilar a la Virgen María con la diosa azteca Tonantzin es para él algo relacionado con una "invención satánica" (XI, 12, apéndice 7), y no se cansa de poner a sus correligionarios en guardia contra todo entusiasmo fácil ante las coincidencias entre las dos religiones, o ante la rapidez con que los indios adoptan el cristianismo. Su intención no es lograr la interpenetración de las voces, sino yuxtaponerlas: o son los indígenas, que cuentan sus "idolatrías", o es la palabra de la Biblia, copiada en el interior mismo de su libro; una de esas voces dice la verdad, la otra miente. Y sin embargo, vemos aquí los primeros esbozos del futuro diálogo, los embriones informes que anuncian nuestro presente.

# LA PROFECÍA DE LAS CASAS

Al final de su vida, Las Casas escribe en su testamento: "E creo que por estas impías y celerosas e ignominiosas obras tan injusta, tiránica y barbáricamente hechos en ellas y contra ellas, Dios ha de derramar sobre España su furor e ira, porque toda ella ha comunicado y participado poco que mucho en las sangrientas riquezas robadas y tan usurpadas y mal habidas, y con tantos estragos e acabamientos de aquellas gentes."

Estas palabras, a medias entre la profecía y la maldición, establecen la responsabilidad colectiva de los españoles, y no sólo de los conquistadores, para los tiempos futuros, no sólo para el presente. Y anuncian que el crimen será castigado, que el pecado será expiado.

Estamos en buena situación hoy en día para juzgar si la visión de Las Casas fue acertada o no. Se puede introducir una ligera corrección a la extensión de su profecía, y sustituir "España" por "Europa occidental": incluso si España tiene el papel principal en el movimiento de colonización y destrucción de los *otros*, no está sola: portugueses, franceses, ingleses, holandeses, la siguen muy de cerca, y serán alcanzados más tarde por los belgas, italianos y alemanes. Y si bien los españoles hacen más que otras naciones europeas en materia de destrucción, no es porque éstas no hayan tratado de igualarlos o de superarlos. Leamos pues "Dios ha de derramar sobre Europa su furor e ira", si eso puede hacernos sentir más directamente involucrados.

¿Se cumplió la profecía? Cada cual contestará esta pregunta según su juicio. En lo que a mí concierne, consciente de la parte de arbitrariedad que hay en toda apreciación del presente, cuando la memoria colectiva todavía no ha hecho su selección, y consciente también de la elección ideológica que eso implica, prefiero asumir abiertamente mi visión de las cosas sin disfrazar la descripción de las cosas mismas. Al hacer esto escojo en el presente los elementos que me parecen más característicos, que por consiguiente contienen en germen el futuro —o deberían contenerlo. Como debe ser, estas observaciones serán totalmente elípticas.

Claro que numerosos acontecimientos de la historia reciente parecen dar razón a Las Casas. La esclavitud fue abolida hace unos cien años, y el colonialismo a la antigua (a la española) hace unos veinte. Se han ejercido, y siguen ejerciéndose, numerosas venganzas contra ciudadanos de las antiguas potencias coloniales, cuyo único crimen personal es a menudo su pertenencia a la nación en cuestión; los ingleses, los norteamericanos, los franceses son considerados colectivamente responsables por sus antiguos colonizados. No sé si haya que ver en eso el efecto del furor y la ira de Dios, pero pienso que dos reacciones se imponen a aquel que ha tomado conocimiento de la historia ejemplar de la conquista de América: primero, que actos como ésos nunca lograrán equilibrar la balanza de los crímenes perpetrados por los europeos (y que en ese sentido son excusables); luego, que esos actos sólo llegan a reproducir lo más condenable de lo que hicieron los europeos, y nada es más triste que ver repetirse la historia —justamente cuando se trata de la historia de una destrucción. El que Europa fuera colonizada a su vez por los pueblos de África, Asia o América Latina (ya sé que estamos lejos de eso) quizás fuera una "hermosa revancha", pero no podría constituir mi ideal.

Una mujer maya murió devorada por los perros. Su historia, reducida a unas cuantas líneas, concentra una de las versiones extremas de la relación con el otro. Ya su marido, de quien es el "Otro interior", no le deja ninguna posibilidad de afirmarse en cuanto sujeto libre: el marido, que teme morir en la guerra, quiere conjurar el peligro privando a la mujer de su voluntad; la guerra no será sólo una historia de hombres: aun muerto él, su mujer debe seguir perteneciéndole. Cuando llega el conquistador español, esa mujer ya no es más que el lugar donde se enfrentan los deseos y las voluntades de dos hombres. Matar a los hombres, violar a las mujeres: éstas son al mismo tiempo pruebas de que un hombre detenta el poder, y sus recompensas. La mujer elige obedecer a su marido y a las reglas de su propia sociedad; pone todo lo que le queda de voluntad personal en inhibir la violencia de la que ha sido objeto. Pero, justamente, la exterioridad cultural determina el desenlace de este pequeño drama: no es violada, como hubiera podido serlo una española en tiempos de guerra, sino que la echan a los perros, porque es al mismo tiempo india y mujer que niega su consentimiento. Jamás ha sido más trágico el destino del otro.

Escribo este libro para tratar de lograr que no se olvide este relato, ni mil otros semejantes. Creo en la necesidad de "buscar la verdad" y en la obligación de hacerla conocer; sé que la función de información existe, y que el efecto de la información puede ser poderoso. Lo que deseo no es que las mujeres mayas hagan devorar por los perros a los europeos con que se encuentran (suposición absurda, naturalmente), sino que se recuerde qué es lo que podría producirse si no se logra descubrir al otro.

Porque el otro está por descubrir. El asunto es digno de asombro, pues el hombre nunca está solo, y no sería lo que es sin su dimensión social. Y sin embargo así es: para el niño que acaba de nacer, *su* mundo es *el* mundo, y el crecimiento es un aprendizaje de la exterioridad y de la socialidad; se podría decir un poco a la ligera que la vida humana está encerrada entre esos dos extremos, aquel en que el *yo* invade al mundo, y aquel en que el mundo acaba por absorber al *yo*, en forma de cadáver o de cenizas. Y como el descubrimiento del otro tiene varios grados, desde el otro como objeto, confundido con el mundo que lo rodea, hasta el otro como sujeto, igual al *yo*, pero diferente de él, con un infinito número de matices intermedios, bien podemos pasarnos la vida sin terminar nunca el descubrimiento pleno del otro (suponiendo que se pueda dar). Cada uno de nosotros debe volverlo a iniciar a su vez; las experiencias anteriores no nos dispensan de ello, pero pueden enseñarnos cuáles son los efectos del desconocimiento.

Sin embargo, aun si el descubrimiento del otro debe ser asumido por cada individuo, y vuelve a empezar eternamente, también tiene una historia, formas social y culturalmente determinadas. La historia de la conquista de América me hace creer que se produjo (o más bien se *reveló*) un gran cambio en los albores del siglo XVI, digamos entre Colón y Cortés; se puede observar una diferencia semejante (claro que no en los detalles) entre Moctezuma y Cortés; opera entonces tanto en el tiempo como en el espacio, y si me he detenido más en el contraste espacial que en el contraste temporal, es porque este último se confunde en infinitas transiciones, mientras que aquél, con la ayuda de los océanos, tiene toda la nitidez que se pudiera desear. Desde aquella época, y durante casi trescientos cincuenta años, Europa occidental se ha esforzado por asimilar al otro, por hacer desaparecer su alteridad exterior, y en gran medida lo ha logrado. Su modo de vida y sus valores se han extendido al mundo entero; como quería Colón, los colonizados adoptaron nuestras costumbres y se vistieron.

Este éxito extraordinario se debe, entre otros, a un rasgo específico de la civilización occidental, que durante mucho tiempo se había tomado como un rasgo humano general, lo cual hacía que su florecimiento entre los occidentales se volviera entonces la prueba de su superioridad natural: es, paradójicamente, la capacidad de los euro-

peos para entender a los otros. Cortés nos da un buen ejemplo de
ello, y estaba consciente de que el arte de la adaptación y de la improvisación regía su conducta. Podríamos decir esquemáticamente que
ésta se organiza en dos etapas. La primera es la del interés por el otro,
incluso al precio de cierta empatía, o identificación provisional. Cortés
se mete en su piel, pero en forma metafórica y ya no literal: la diferencia es considerable. Se asegura así de la comprensión de la lengua, del conocimiento de la política (de ahí su interés por las disensiones internas de los aztecas), y hasta domina la emisión de los
mensajes en un código apropiado: vemos cómo se hace pasar por
Quetzalcóatl, que ha regresado a la tierra. Pero, al hacer esto, nunca
abandona su sentimiento de superioridad; hasta ocurre lo contrario,
su capacidad de comprender al otro la confirma. Viene entonces la
segunda etapa, durante la cual no se conforma con reafirmar su propia identidad (que nunca ha dejado verdaderamente), sino que procede a asimilar a los indios a su propio mundo. Recordamos que los
frailes franciscanos adoptan en la misma forma las costumbres de los
indios (ropa, comida) para convertirlos mejor a la religión cristiana.
Los europeos dan prueba de notables cualidades de flexibilidad e
improvisación que les permiten imponer mejor en todas partes su
propio modo de vida. Claro que esta capacidad de adaptación y de
absorción al mismo tiempo no es en modo alguno un valor universal, y trae consigo su otra cara, que se aprecia mucho menos. El igualitarismo, una de cuyas versiones es característica de la religión cristiana (occidental) y también de la ideología de los estados capitalistas
modernos, sirve igualmente a la expansión colonial: ésta es otra lección, un poco sorprendente, de nuestra historia ejemplar.

Al mismo tiempo que obliteraba la extrañeza del otro exterior,
la civilización occidental encontraba que tenía un otro interior. Desde la época clásica hasta el final del romanticismo (es decir hasta nuestros días), los escritores y los moralistas no han dejado de descubrir
que la persona no es una, o incluso que no es nada, que yo es otro,
o una simple cámara de ecos. Ya no creemos en los hombres-bestias
del bosque, pero hemos descubierto a la bestia en el hombre, "ese
misterioso elemento del alma que no parece reconocer ninguna jurisdicción humana pero que, a pesar de la inocencia del individuo al
que habita, sueña sueños horribles y murmura los pensamientos más
prohibidos" (Melville, *Pierre o de las ambigüedades*, IV, 2). La instau-
ración del inconsciente se puede considerar como el punto culminante de este descubrimiento del otro en uno mismo.

Creo que a su vez este período de la historia europea está llegando a su fin. Los representantes de la civilización occidental ya no creen tan ingenuamente en su superioridad, y por aquí el movimiento de asimilación se está quedando sin aliento, aun si los países, nuevos o antiguos, del Tercer Mundo todavía quieren vivir como los europeos. Por lo menos en el plano ideológico, tratamos de combinar lo que nos parece mejor en los dos términos de la alternativa; queremos igualdad sin que implique necesariamente identidad, pero también diferencia, sin que ésta degenere en superioridad/inferioridad; esperamos cosechar las ganancias del modelo igualitarista y del modelo jerárquico; aspiramos a volver a encontrar el sentido de lo social sin perder la cualidad de lo individual. El socialista ruso Alexander Herzen escribe, a mediados del siglo XIX: "Comprender toda la amplitud, la realidad y la sacralidad de los derechos de la persona sin destruir a la sociedad, sin fraccionarla en átomos: ése es el objetivo social más difícil." Hoy en día seguimos diciéndonos lo mismo.

Vivir la diferencia en la igualdad: se dice más fácilmente de lo que se hace. Sin embargo, varios personajes de mi historia ejemplar se acercan a esa meta, de diferentes maneras. En el plano axiológico, Las Casas logra, en la vejez, amar y estimar a los indios no en función de su propio ideal, sino del de ellos: es un amor no unificador, podríamos decir que "neutro", para emplear el término de Blanchot y de Barthes. En el plano de la acción, de la asimilación del otro o de la identificación con él, Cabeza de Vaca también alcanza un punto neutro, no porque fuera indiferente a las dos culturas, sino porque las había vivido ambas desde el interior; de repente, a su alrededor ya no había más que "ellos"; sin volverse indio, Cabeza de Vaca ya no era totalmente español. Su experiencia simboliza y anuncia la del exiliado moderno, el cual personifica a su vez una tendencia propia de nuestra sociedad: ese ser que ha perdido su patria sin adquirir otra, que vive en la doble exterioridad. El exiliado es el que mejor encarna hoy en día, desviándolo de su sentido original, el ideal de Hugo de San Víctor, que éste formulaba de la manera siguiente en el siglo XII: "El hombre que encuentra que su patria es dulce no es más que un tierno principiante; aquel para quien cada suelo es como el suyo propio ya es fuerte, pero sólo es perfecto aquel para quien el mundo entero es como un país extranjero" (yo, que soy un búlgaro que vive en Francia, tomo esta cita de Édouard Saïd, palestino que vive en los Estados Unidos, el cual a su vez la había encontrado en Erich Auerbach, alemán exiliado en Turquía).

Por último, en el plano del conocimiento, un Durán y un Sahagún anuncian, sin realizarlo plenamente, el diálogo de culturas que

caracteriza a nuestro tiempo, y que encarna a nuestros ojos la etno-
logía, a la vez hija del colonialismo y prueba de su agonía: un diálogo en que nadie tiene la última palabra, en que ninguna de las voces
reduce a la otra al estado de simple objeto, y en que uno saca ventajas de su exterioridad respecto al otro; Durán y Sahagún, símbolos
ambiguos, por ser espíritus medievales; quizás esa misma exterioridad respecto a la cultura de su tiempo sea la responsable de su modernidad. A través de estos diferentes ejemplos se afirma una misma propiedad: una nueva exotopía (para hablar como Bajtin), una afirmación
de la exterioridad del otro que corre parejas con su reconocimiento
en tanto sujeto. Quizás haya en eso no sólo una nueva manera de
vivir la alteridad, sino también un rasgo característico de nuestro
tiempo, como lo eran el individualismo o el autotelismo para la época cuyo fin empezamos a vislumbrar. Así pensaría un optimista como
Levinas: "Nuestra época no se define por el triunfo de la técnica por
la técnica, como no se define por el arte por el arte, como no se define por el nihilismo. Es acción para un mundo que viene, superación
de su época —superación de sí que requiere la epifanía del Otro."

¿Ilustra este libro esa nueva actitud frente al otro, por medio de
mi relación con los autores y los personajes del siglo XVI? Sólo puedo dar testimonio de mis intenciones, no del efecto que producen.
He querido evitar dos extremos. El primero es la tentación de hacer
oír la voz de esos personajes tal como es en sí; de tratar de desaparecer yo para servir mejor al otro. El segundo es someter a los otros
a uno mismo, convertirlos en marionetas cuyos hilos están enteramente bajo nuestro control. No busqué entre los dos un terreno de
compromiso, sino la vía del diálogo. Interpelo esos textos, los tras-
pongo, los interpreto, pero también los dejo hablar (de ahí la cantidad de citas), y defenderse. Esos personajes, de Colón a Sahagún,
no hablaban mi lenguaje; pero dejar al otro intacto no es hacerlo vivir,
como tampoco lo es el obliterar enteramente su voz. Cercanos y lejanos al mismo tiempo he querido verlos como uno de los interlocutores de nuestro diálogo.

Pero nuestra época también se define por una experiencia en cierta forma caricaturesca de esos mismos rasgos; sin duda es inevitable.
Esta experiencia a menudo oculta el rasgo nuevo por su abundancia,
y a veces hasta lo antecede, pues la parodia vive muy bien sin su
modelo. El amor "neutro", la justicia "distributiva" de Las Casas
son parodiados, vaciados de sentido, en un relativismo generaliza-
do, donde todo vale lo mismo, con tal de elegir el punto de vista
apropiado; el perspectivismo lleva a la indiferencia y a la renuncia

a todo valor. El descubrimiento por parte del "yo" de los "ellos" que lo habitan va acompañado por la afirmación mucho más aterradora de la desaparición del "yo" en el "nosotros", característica de los regímenes totalitarios. El exilio es fecundo si uno pertenece a dos culturas a la vez, sin identificarse con ninguna; pero si la sociedad entera está hecha de exiliados, el diálogo de las culturas cesa: se ve sustituido por el eclecticismo y el comparatismo, por la capacidad de gustar un poco de todo, de simpatizar blandamente con todas las opciones sin adoptar nunca ninguna. La heterología, que hace oír la diferencia de las voces, es necesaria; la polilogía es desabrida. La posición del etnólogo, por último, es fecunda; lo es mucho menos la del turista al que la curiosidad de conocer las costumbres extranjeras lleva hasta la isla de Bali o los suburbios de Bahia, pero que encierra la experiencia de lo heterogéneo dentro del espacio de sus vacaciones pagadas. Cierto que, a diferencia del etnólogo, paga sus vacaciones con su propio dinero.

La historia ejemplar de la conquista de América nos enseña que la civilización occidental ha vencido, entre otras cosas, gracias a su superioridad en la comunicación humana, pero también que esa superioridad se ha afirmado a expensas de la comunicación con el mundo. Habiendo salido del período colonial, sentimos confusamente la necesidad de revalorar esta comunicación con el mundo; pero aquí también parece que la parodia antecede a la versión en serio. Los *hippies* norteamericanos de los años sesenta, al negarse a adoptar el ideal de su país que bombardeaba a Vietnam, trataron de volver a encontrar la vida del buen salvaje. Algo así como los indios de las descripciones de Sepúlveda, querían prescindir del dinero, olvidar los libros y la escritura, mostrar su indiferencia por el vestido, y renunciar al uso de las máquinas, para hacerlo todo ellos solos. Pero esas comunidades estaban evidentemente destinadas al fracaso, puesto que plantaban esos rasgos primitivos sobre una mentalidad individualista perfectamente moderna. El "Club Méditerranée", por su parte, le permite a uno vivir esta zambullida en el mundo primitivo (ausencia de dinero, de libros y a veces de ropa) sin poner en duda la continuidad de su vida de "civilizado"; el éxito comercial de esta idea es bien conocido. Los retornos a las religiones antiguas y nuevas son incontables; dan prueba de la fuerza que tiene esa tendencia, pero creo yo que no pueden encarnarla: el regreso al pasado es imposible. Sabemos que ya no queremos la moral (la amoral) del "todo vale", pues ya hemos experimentado sus consecuencias; pero hay que encontrar nuevas interdicciones, o una nueva motivación para las antiguas, a fin de poder percibir su sentido. La capacidad de improvisación y de identificación instantánea busca equilibrarse con una valoración del ritual y de la identidad, pero podemos dudar de que el regreso al terruño sea suficiente.

Al relatar y analizar la historia de la conquista de América, me he visto llevado a dos conclusiones aparentemente contradictorias. Para hablar de las fomas y de las especies de comunicación, me coloqué primero en una perspectiva tipológica: los indios favorecen el intercambio con el mundo, los europeos, el intercambio con los seres humanos; ninguno de los dos es intrínsecamente superior al otro, y siempre necesitamos los dos a la vez; si ganamos en un plano, perdemos necesariamente en el otro. Pero al mismo tiempo, fui llevado a comprobar una evolución en la "tecnología" del simbolismo; para simplificar, esta evolución se puede reducir a la aparición de la escritura. Ahora bien, la presencia de la escritura favorece la improvisación a expensas del ritual, como también ocurre con la concepción lineal del tiempo o, de otra manera, con la percepción del otro. ¿Habrá también una evolución entre la comunicación con el mundo y la comunicación entre los hombres? En términos más generales, si es que hay evolución, ¿no vuelve a encontrar el concepto de barbarie un sentido no relativo?

Para mí, la solución de esta aporía no consiste en abandonar una de las dos afirmaciones, sino más bien en reconocer, para cada evento, múltiples determinaciones, que condenan al fracaso toda tentativa de sistematizar la historia. Esto es lo que explica que el progreso tecnológico, cosa que sabemos demasiado bien hoy en día, no implique superioridad en el plano de los valores morales y sociales (ni tampoco una inferioridad). Las sociedades con escritura son más avanzadas que las sociedades sin escritura; pero se puede dudar si hay que escoger entre sociedades con sacrificio y sociedades con matanza.

En otro plano, la experiencia reciente es desalentadora: el deseo de superar el individualismo de la sociedad igualitaria y de llegar a la socialidad propia de las sociedades jerárquicas se encuentra, entre otros, en los estados totalitarios. Éstos se parecen al niño monstruoso al que temía Bernard Shaw, presentado, según parece, por Isadora Duncan: tan feo como aquél y tan tonto como ésta. Esos estados, ciertamente modernos en tanto que no se les puede asimilar ni a las sociedades con sacrificio ni a las sociedades con matanza, reúnen sin embargo ciertos rasgos de las dos, y merecerían la creación de una "palabra-valija": son sociedades con *sacrifitanza*. Como en las primeras, se profesa una religión de estado; como en las segundas, el comportamiento está fundado en el principio karamazoviano del "todo vale". Como en el sacrificio, se mata primero en casa; como en el caso de las matanzas, se disimula y se niega la existencia de esas muertes. Como en aquél, se elige individualmente a las víctimas; como en éstas, se las extermina sin ninguna idea de ritual. El tercer término existe, pero es peor que los dos anteriores; ¿qué hacer?

La forma de discurso que se impuso a mí para este libro, la historia ejemplar, resulta también del deseo de trascender los límites de la escritura sistemática sin "regresar" por ello al mito puro. Al comparar a Colón con Cortés, a Cortés con Moctezuma, tomo conciencia de que las formas de la comunicación, tanto producción como interpretación, aun si son universales y eternas, no se ofrecen a la libre elección del escritor, sino que están correlacionadas con las ideologías en vigor, y por eso mismo pueden volverse su signo. Pero ¿cuál es el discurso apropiado para la mentalidad heterológica? En la civilización europea, el *logos* ha vencido al *mythos*; o más bien, en lugar del discurso polimorfo, se impusieron dos géneros homogéneos: la ciencia y todo lo que está emparentado con ella está en relación con el discurso sistemático; la literatura y sus avatares practican el discurso narrativo. Pero este último campo se va estrechando día con día: hasta los mitos se reducen a cuadros con entrada doble, la historia misma es sustituida por el análisis sistemático, y las novelas luchan a brazo partido contra el desarrollo temporal, en pro de la forma espacial, y tienden a la matriz inmóvil. Yo no podía separarme de la visión de los "vencedores" sin renunciar al mismo tiempo a la forma discursiva de la que éstos se habían apropiado. Siento la necesidad (y no veo en ello nada de individual, por eso lo escribo) de quedarme con el relato que más bien propone que impone; de volver a encontrar, en el interior de un solo texto, la complementariedad del discurso narrativo y del discurso sistemático; de tal manera que mi "historia" quizás se parezca más, en cuanto al género, y haciendo abstracción de toda consideración de valor, a la de Herodoto que al ideal de muchos historiadores contemporáneos. Algunos de los hechos que relato llevan a afirmaciones generales; otros (u otros aspectos de los mismos hechos) no. Al lado de los relatos que someto a análisis quedan otros, insumisos. Y si, en este mismo momento, "saco la moraleja" de mi historia, de ninguna manera es porque piense revelar y fijar su sentido; un relato no es reductible a una máxima pero eso es porque me parece más franco formular algunas de las impresiones que deja en mí, puesto que yo también soy uno de sus lectores.

La historia ejemplar ha existido en el pasado, pero el término ya no tiene el mismo sentido ahora que entonces. Desde Cicerón se repite el dicho que reza *Historia magistra vitae*; su sentido es que el destino del hombre no se puede cambiar, y que uno puede modelar su conducta presente siguiendo a los héroes del pasado. Esta concepción de la historia y del destino pereció con la aparición de la ideología individualista moderna, puesto que con ella se prefiere creer que la vida de un hombre le pertenece, y que no tiene nada que ver con la de otro. No pienso que el relato de la conquista de América sea ejemplar en el sentido de que podría representar una imagen fiel de nuestra relación con el otro; no sólo Cortés no es igual a Colón, sino que nosotros ya no somos iguales a Cortés. Dice el dicho que si se ignora la historia se corre el riesgo de repetirla; pero no por conocerla se sabe qué es lo que se debe hacer. Nos parecemos a los conquistadores y somos diferentes de ellos: su ejemplo es instructivo, pero nunca estaremos seguros de que, al *no* comportarnos como ellos, no estamos precisamente imitándolos, puesto que nos adaptamos a las nuevas circunstancias. Pero su historia puede ser ejemplar para nosotros porque nos permite reflexionar sobre nosotros mismos, descubrir tanto las semejanzas como las diferencias: una vez más, el conocimiento de uno mismo pasa por el conocimiento del otro.

Para Cortés, la conquista del saber lleva a la del poder. Conservo de él la conquista del saber, aun si es para resistir al poder. Hay cierta ligereza en conformarse con condenar a los conquistadores malos y añorar a los indios buenos, como si bastara con identificar al mal para combatirlo. Reconocer la superioridad de los conquistadores en tal o cual punto no significa que se les elogie; es necesario analizar las armas de la conquista si queremos poder detenerla algún día. Porque las conquistas no pertenecen sólo al pasado.

No creo que la historia obedezca a un sistema, ni que sus supuestas "leyes" permitan deducir las formas sociales futuras, o siquiera presentes. Creo más bien que el hacerse consciente de la relatividad, y por lo tanto de lo arbitrario, de un rasgo de nuestra cultura ya es desplazarlo un poco, y que la historia (no la ciencia, sino su objeto) no es más que una serie de esos desplazamientos imperceptibles.

# NOTA BIBLIOGRÁFICA

Las obras citadas en el texto se incluyen en la lista de Referencias; doy aquí algunos datos bibliográficos adicionales. Los comentaristas modernos se registran en función de un solo criterio: el de su posible influencia en mi propio texto. Así pues, esta nota no es más que una *tabula gratulatoria*.

## DESCUBRIR

Los textos utilizados en esta sección son ante todo los de Colón, luego los de sus contemporáneos y compañeros (Chanca, Cuneo, Méndez), y luego los escritos de los historiadores contemporáneos de Colón: Pedro Mártir, Bernáldez, Hernando Colón, Oviedo, Las Casas. Entre las biografías modernas, la de Madariaga (*Vida del muy magnífico señor don Cristóbal Colón*, Buenos Aires, Sudamericana, 1942) sigue siendo de agradable lectura, abstracción hecha de su racismo. Acaba de aparecer en francés una voluminosa biografía: J. Heers, *Christophe Colomb*, París, Hachette, 1981. Uno de los pocos estudios que tocan muy de cerca el tema aquí tratado es el de L. Olschki, "What Columbus saw on landing in the West Indies". *Proceedings of the American Philosophical Society*, 81 (1941), pp. 633-659; a primera vista las conclusiones de Olschki son completamente diferentes, lo cual se explica en parte por lo general de su objetivo y en parte por su ideología eurocentrista. A. Gerbi, en *La naturaleza de las Indias Nuevas. De Cristóbal Colón a Gonzalo Fernández de Oviedo*, México, Fondo de Cultura Económica, 1978 (original italiano, 1975), estudia la percepción de la naturaleza en Colón, desde un punto de vista que también es diferente.

Sobre el hecho global del descubrimiento, mencionaré tres obras. La de P. Chaunu (*Conquête et exploitation des nouveaux mondes, xvi* s.*, París, PUF, 1969) contiene una inmensa bibliografía y numerosas informaciones. El librito de J. H. Elliott, *The Old World and the New, 1492-1650* (Cambridge, Cambridge University Press, 1970), es sugerente. *La invención de América*, de E. O'Gorman (México, Fondo de Cultura Económica, 1958), estudia la evolución de las concepciones geográficas relacionadas con el descubrimiento de América.

## CONQUISTAR

Hay una mina inagotable de información histórica y bibliográfica en los cuatro volúmenes de *Guide to Ethnological Studies*, publicados bajo la dirección de H. F. Cline, que constituyen los tomos 12 a 15 del *Handbook of the Middle American Indians* (Austin, University of Texas Press, 1972-1975).

Las fuentes más valiosas para el conocimiento de la sociedad azteca son a] las descripciones, compilaciones y traducciones de los frailes españoles (utilicé las de Motolinía, Durán, Sahagún, Tovar, Landa, la *Relación de Michoacán*), a las que hay que añadir la descripción de un laico, A. de Zorita; b] los escritos, en lenguas indígenas o en español, de indios o de mestizos (como Tezozómoc, Ixtlilxóchitl, J. B. Pomar, los *Libros de Chilam Balam*, los *Anales de los cakchiqueles*, Chimalpahin). Las referencias a Sahagún remiten al *Códice florentino* (abreviado con las siglas *CF*), que es la versión ilustrada y bilingüe de su libro (para todos los pasajes de los que tenemos el texto en náhuatl), o a la *Historia general de las cosas de Nueva España*, para los demás pasajes.

Entre los conquistadores, los autores más importantes son Cortés (cartas de relación a Carlos V y otros documentos) y Bernal Díaz (*Historia verdadera de la conquista de la Nueva España*). También utilicé las crónicas más breves de J. Díaz, F. de Aguilar, A. de Tapia, D. Godoy. Los primeros historiadores, como Pedro Mártir, Godoy, Gómara, Oviedo y Las Casas, también contribuyen con documentos inéditos.

Sobre las razones de la victoria española, véase J. Soustelle, *Rencontre de la civilisation hispanique et des civilisations indigènes de l'Amérique*, París, s.f. (mimeografiado). Para los *huehuetlatolli* utilicé el estudio de Thelma D. Sullivan, "The rhetorical orations, or *Huehuetlatolli*, collected by Sahagún", en M. S. Edmonson (ed.), *Sixteenth-century Mexico, The work of Sahagún*, Albuquerque, University of New Mexico Press, 1974, pp. 79-109. Sobre el mito de Quetzalcóatl, consúltese el libro básico de J. Lafaye, *Quetzalcoatl et Guadalupe*, París, Gallimard, 1974, así como las notas de A. Pagden a su excepcional traducción al inglés de las *Cartas* de Cortés. Para el pensamiento azteca, aproveché el libro de M. León-Portilla, *Filosofía náhuatl*, México, UNAM, 1959. Los libros de Octavio Paz, por ejemplo, *El laberinto de la soledad* (México, Fondo de Cultura Económica, 1959) y *Posdata* (México, Siglo XXI Editores, 1971) son una valiosísima fuente de reflexión para quien desee interrogarse sobre la historia de México.

El marco que me permite enfrentar a los aztecas con los españoles debe mucho a los trabajos de sociología comparada de Louis Dumont, especialmente *Homo hierarchicus*, París, Gallimard, 1966; *Homo aequalis*, París, Gallimard, 1977; "La conception moderne de l'individu", *L'Esprit*, febrero de 1978, pp. 3-39. Sobre los efectos de la presencia o de la ausencia de escritura, cf. J. Goody, *The domestication of the savage mind*, Cambridge, Cambridge University Press, 1977. La idea de la improvisación como característica de la civilización occidental en el Renacimiento viene sobre todo del ensayo de Stephen Greenblatt, "Improvisation and power", en É. Saïd (ed.), *Literature and society*, Baltimore y Londres, The Johns Hopkins University Press, 1980, pp. 57-99; él también cita la historia de los lucayos de Pedro Mártir. Sobre la relación entre perspectiva linear y grandes descubrimientos en el Renacimiento, cf., entre otros, S. Y. Edgerton, Jr., "The art of Renaissance picture-making and the great Western age of discovery", en *Essays presented to Myron P. Gilmore*, Firenze, La Nuova Italia Editrice, 1978, t. 2, pp. 133-

153. Para las características formales de la representación entre los mexicanos, hacen autoridad los escritos de D. Robertson, por ejemplo, "Mexican Indian art and the Atlantic filter. Sixteenth to eighteenth centuries", en F. Chiapelli (ed.), *First images of America*, Berkeley-Los Ángeles-Londres, University of California Press, 1976, t. 1, pp. 483-494.

### AMAR

Gran parte de las fuentes utilizadas para este capítulo son las mismas que para el anterior. Hay que añadirles las demás obras de Las Casas, los tratados de Sepúlveda y de Vitoria y muchos documentos de las autoridades civiles y religiosas.

Los historiadores demógrafos que han transformado nuestras ideas sobre la población indígena antes y después de la conquista suelen designarse con el nombre de "escuela de Berkeley". Véanse en particular las obras de S. Cook y W. W. Borah, *The Indian population of Central Mexico (1531-1610)*, Berkeley-Los Angeles-Londres, University of California Press, 1960; *Ensayos sobre historia de la población: México y el Caribe*, México, Siglo XXI Editores, 1977. Para el debate Las Casas-Sepúlveda recurrí a las obras de L. Hanke (especialmente *Aristotle and the American Indian*, Bloomington y Londres, Indiana University Press, 1970 [1a. ed., 1959], y *All mankind is one*, DeKalb, Ill., Northern Illinois University Press, 1974), S. Zavala (por ejemplo, *La filosofía política en la conquista de América*, México, Fondo de Cultura Económica, 1972 [1a. ed., 1947]), M. Bataillon (*Études sur Bartolomé de Las Casas*, París, Centre de recherches de l'Institut d'études hispaniques, 1965) y la publicación colectiva *Bartolomé de Las Casas in history*, dirigida por J. Friede y B. Keen (DeKalb, Ill., Northern Illinois University Press, 1971).

Hay gran cantidad de información sobre la imagen de los aztecas en Occidente en B. Keen, *The Aztec image in Western thought*, New Brunswick, N. J., Rutgers University Press, 1971; y, sobre el efecto general del descubrimiento y de la conquista, en F. Chiapelli (ed.), *First images of America*, Berkeley-Los Angeles-Londres, University of California Press, 1976, 2 vols.

### CONOCER

Sobre Vasco de Quiroga, consulté S. Zavala, *Recuerdo de Vasco de Quiroga*, México, Porrúa, 1965, y F. B. Warren, *Vasco de Quiroga and his Pueblo-hospitals of Santa Fe*, Washington, Academy of American Franciscan History, 1963. Sobre Sahagún, dos fuentes me fueron especialmente útiles: el volumen colectivo publicado bajo la dirección de M. S. Edmondson, *Sixteenth-century Mexico. The work of Sahagún*, Albuquerque, University of New Mexico Press, 1974, en particular el estudio de A. López Austin sobre los cuestionarios, y los textos reunidos en *Guide to ethnohistorical studies*, t. 2, 1973 (t. 13 del ya mencionado *Handbook*). La obra de R. Ricard, *La conquête spirituelle du Mexique* (París, Institut d'ethnologie de Paris, 1933) sigue siendo muy instructiva;

la de G. Baudot, *Utopie et histoire au Mexique* (Toulouse, Privat, 1976), contiene numerosas informaciones. El artículo de F. Lestringant, "Calvinistes et cannibales", *Bulletin de la Société du protestantisme français*, 1 y 2, 1980, pp. 9-26 y 167-192, me pareció muy sugerente.

EPÍLOGO

E. Levinas, filósofo de la alteridad, es autor de *Totalité et infini*, La Haya, M. Nijhoff, 1961. Cito aquí *Humanismo del otro hombre*, México, Siglo XXI Editores, 1974, p. 53. Blanchot habla de lo neutro en *L'entretien infini* (París, Gallimard, 1969), y Barthes, en *Roland Barthes* (París, Seuil, 1975). La referencia de Auerbach es de "Philologie und Weltliteratur", publicado en su libro *Gesammelte Aufsätze zur romanischen Philologie*, Berna, Francke, 1967; la de Saïd es de su libro *L'orientalisme*, París, Seuil, 1980. De Herzen (Gercen en ruso), cito *Sobranie sochinenij*, en 30 volúmenes (Moscú-Leningrado, 1955, t. 5, p. 62). L. Dumont expone algunos rasgos de la modernidad en sus obras antes citadas y en "La communauté anthropologique et l'idéologie", *L'Homme*, 18 (1978), 3-4, pp. 83-110. Se puede tener acceso a los textos de Bajtin sobre la alteridad y la exotopía por medio de mi libro *Mikhaïl Bakhtine: le principe dialogique*, París, Seuil, 1981.

Sobre la oposición discurso narrativo/discurso sistemático, cf. H. Weinrich, "Structures narratives du mythe", *Poétique*, 1 (1970), pp. 25-34, y K. Stierle, "L'histoire comme exemple, l'exemple comme histoire", *Poétique*, 3 (1972), 10, pp. 176-198.

Por último, quisiera dar las gracias a todos aquellos que, con sus intervenciones orales o escritas, me ayudaron a corregir versiones anteriores de este trabajo, y muy especialmente a Catherine Malamound, Fedora Cohan, Esther Pasztory, Diana Fane.

REFERENCIAS

J. de Acosta, *Historia natural y moral de las Indias*, México, Fondo de Cultura Económica, 1962.

F. de Aguilar, *Relación breve de la conquista de la Nueva España*, México, Porrúa, 1954.

*Anales de los cakchiqueles (Memorial de Sololá), Título de los Señores de Totonicapan*, México, Fondo de Cultura Económica, 1950.

P. Mártir de Anglería, *De Orbe Novo*. Trad. esp.: *Décadas del Nuevo Mundo*, Buenos Aires, Bajel, 1944.

A. Bernáldez, *Historia de los Reyes Católicos don Fernando y doña Isabel*, Granada, 1856.

L. de Bienvenida, "Carta a don Felipe", 10 de febrero de 1548, en *Cartas de Indias*, t. 1, Madrid, Biblioteca de Autores Españoles, t. 264, 1974, pp. 70-82.

F. de Bologna, "Lettre à Clément de Monelia", trad. fr.: H. Ternaux-Compans, *Recueil de pièces relatives à la conquête du Mexique*, París, 1838, pp. 205-221.

G. Bruno, "De l'infinito universo e mondi", en *Opere italiane*, t. 1, Bari, 1907.

A. N. Cabeza de Vaca, *Naufragios y comentarios*, Madrid, Taurus, 1969.

"Carta... a Mr. de Xèvres", 4 de junio de 1516, *Colección de documentos inéditos... América*, t. 7, Madrid, 1867, pp. 397-430.

Carlos V, "Cédula", 1530, en Diego de Encinas, *Cedulario indiano* (1596), 4 vols., Madrid, Cultura Hispánica, 1945-1946.

*Códice florentino*, ed. facsimilar del manuscrito: México, Archivo General de la Nación, 1981, 3 vols. Trad. ingl.: *Florentine Codex*, 12 vols. Santa Fe, N. M., Monographs of the School of American Research, 1950-1969 (edición bilingüe). Véase Sahagún para la traducción al español.

*Colección de cantares mexicanos*, México, 1904.

C. Colón, *Raccolta colombiana*, I, t. 1 y 2, Roma, 1892-1894.

H. Colón, *Historie*. Trad. esp.: *Vida del Almirante don Cristóbal Colón*, México, Fondo de Cultura Económica, 1947.

*Coloquios y doctrina cristiana*, ed. facsimilar, introducción, paleografía, versión del náhuatl y notas de Miguel León-Portilla, México, UNAM, 1986. Trad. al inglés: "The Aztec-Spanish dialogues of 1524", *Alcheringa*, 4(1980), 2, pp. 52-193 (ed. bilingüe náhuatl-inglés).

H. Cortés, *Cartas y documentos*, México, Porrúa, 1963.

M. de Cuneo, "Carta a Annari", 28 de octubre de 1495, *Raccolta colombiana*, vol. III, t. 2, pp. 95-107.

U. Chauveton, "Aux lecteurs chrestiens", en J. Benzoni, *Histoire nouvelle du Nouveau Monde*, Lyon, 1579.

*Chilam Balam de Chumayel*, trad. es.: *Libro de los libros de Chilam Balam*, México, Fondo de Cultura Económica, 1948. Trad. fr.: *Les prophéties de Chilam Balam*, París, Gallimard, 1976 (versión poética).

F. S. A. M. Chimalpahin, *Relaciones originales de Chalco Amaquemecan*, México, Fondo de Cultura Económica, 1982. Trad. fr.: *Sixième et septième relations*, París, 1889 (ed. bilingüe).

B. Díaz del Castillo, *Historia verdadera de la conquista de la Nueva España*, 2 vols., México, Porrúa, 1955. También: *Verdadera historia de los sucesos de la conquista de la Nueva España, por el capitán Bernal Díaz del Castillo, uno de sus conquistadores*, en *Historiadores primitivos de Indias*, t. II (facsimilar de la edición de 1632), Madrid, Biblioteca de Autores Españoles, t. 26, 1947.

J. Díaz, "Itinerario...", en J. García Icazbalceta, *Colección de documentos para la historia de México*, t. 1, México, 1858, pp. 281-308 (con el "original" italiano).

D. Durán, *Historia de las Indias de Nueva España e Islas de la Tierra Firme*, 2 vols., México, Porrúa, 1967.

G. Fernández de Oviedo y Valdés, *Historia general y natural de las Indias, islas y Tierra Firme del Mar Océano*, 5 vols., Madrid, Biblioteca de Autores Españoles, t. 117-121, 1959.

Fernando e Isabel, "Carta... a D. C. Colón", en M. Fernández de Navarrete, *Colección de los viages y descubrimientos*, t. 2, Madrid, 1825, pp. 21-22.

M. Jaume Ferrer, "Carta a Colón", 5 de agosto de 1495, en M. Fernández de Navarrete, *Colección de los viages y descubrimientos*, t. 2, Madrid, 1825, pp. 103-105.

Diego Godoy, "Relación a H. Cortés", en *Historiadores primitivos de Indias*, t. 1, Madrid, Biblioteca de Autores Españoles, t. 22, 1877, pp. 465-470.

F. López de Gómara, *Historia de la conquista de México*, México, P. Robredo, 1943.

F. de Alva Ixtlilxóchitl, "Relación de la venida de los españoles", en B. de Sahagún, *Historia general de las cosas de Nueva España*, México, Porrúa, 1956.

D. de Landa, *Relación de las cosas de Yucatán*, México, Porrúa, 1959.

B. de Las Casas, *Apologética historia sumaria*, 2 vols., México, UNAM, 1967.

B. de Las Casas, *Apologia*. Trad. esp.: *Apología...*, Madrid, Nacional, 1975.

B. de Las Casas, *Historia de las Indias*, 3 vols., México, Fondo de Cultura Económica, 1951.

B. de Las Casas, todos los demás escritos: *Opúsculos, cartas y memoriales*, Madrid, Biblioteca de Autores Españoles, t. 110, 1958.

G. López, "Carta al Emperador", en J. García Icazbalceta, *Colección de documentos para la historia de México*, t. 2, México, 1866, pp. 141-154.

Maquiavelo, *Obras políticas*, La Habana, 1971.

G. de Mendieta, *Historia eclesiástica indiana*, México, Porrúa, 1971.

T. Motolinía, *Historia de los indios de la Nueva España*, México, Porrúa, 1969.

T. Motolinía y D. Olarte, "Carta de Cholula", 27 de agosto de 1554, en *Documentos inéditos del siglo XVI para la historia de México*, México, 1914, pp. 228-232.

A. de Nebrija, *Gramática de la lengua castellana*, Oxford, 1926.

"Ordenanzas de Su Magestad...", en *Colección de documentos inéditos... América*, t. 16, Madrid, 1871, pp. 142-187.

J. L. de Palacios Rubios, "Requerimiento". Texto reproducido en G. Fernández de Oviedo, *Historia general y natural de las Indias, islas y Tierra Firme del Mar Océano*.

Paulo III, "Sublimus Deus". Trad. esp.: *Documentos inéditos del siglo XVI para la historia de México*, México, 1914, pp. 84-86.

J. Bautista Pomar, *Relación de Tezcoco*, México, S. Chávez Hayhoe, 1941.

V. de Quiroga, *Documentos*, México, Polis, 1939.

S. Ramírez de Fuenleal, "Carta", 3 de noviembre de 1532, en *Colección de documentos inéditos del Archivo de Indias*, t. 13, Madrid, 1870, pp. 250-260.

*Relación de las ceremonias y ritos, población y gobierno de los indios de la provincia de Mechuacán*, Madrid, Aguilar, 1956.

B. de Sahagún, *Historia general de las cosas de Nueva España*, 4 vols., México, Porrúa, 1956.

J. de San Miguel, "Carta", 20 de agosto de 1550, cit. en J. Friede, "Las Casas y el movimiento indigenista en España y América en la primera mitad del siglo XVI", *Revista de Historia de América*, 34 (1952), p. 371.

Salmerón, Maldonado, Ceynos, V. de Quiroga, "Carta a Su Magestad", 14 de agosto de 1531, en *Colección de documentos inéditos. . . América*, t. 41, Madrid, 1844, pp. 40-138.

J. Ginés de Sepúlveda, *Democrates Alter*. Trad. esp.: *Demócrates segundo. De las justas causas de la guerra contra los indios*, Madrid, Instituto F. de Vitoria, 1951.

J. Ginés de Sepúlveda, "Del reino y los deberes del rey", *Tratados políticos*, Madrid, Instituto de Estudios Políticos, 1963.

A. de Tapia, "Relación sobre la conquista de México", en J. García Icazbalceta, *Colección de documentos para la historia de México*, t. 2, México, 1866, pp. 554-594.

H. Alvarado Tezozómoc, *Crónica mexicana*, México, Vigil-Leyenda, 1944.

J. Tovar, *Manuscrit Tovar: Origines et croyances des Indiens du Mexique*, Graz, Akademische Druck- und Verlagsanstalt, 1972 (ed. bilingüe; contiene también la carta a Acosta).

P. de Valdivia, *Cartas. . .*, Sevilla, 1929.

F. de Vitoria, *De Indis, De Jure Belli*. Trad. esp.: *Relecciones sobre los indios y el derecho de guerra*, Buenos Aires, Espasa-Calpe, 1946.

A. de Zorita (o Zurita), *Breve y sumaria relación de los señores de la Nueva España*, México, UNAM, 1942.

J. de Zumárraga, "Carta a Su Magestad", 27 de agosto de 1529, en J. García Icazbalceta, *Don Fray Juan de Zumárraga*, t. 2, México, Porrúa, 1947, pp. 169-245.

# ÍNDICE DE ILUSTRACIONES

# ÍNDICE DE NOMBRES Y DE OBRAS ANÓNIMAS

De este índice se excluyen: 1. Los personajes literarios, mitológicos y religiosos; 2. Los destinatarios de las cartas y relaciones. El índice no incluye la Noticia bibliográfica.

impreso en editorial melo, s. a.
av. año de juárez 226 local d-col. granjas san antonio
del. iztapalapa-09070 méxico, d. f.
dos mil ejemplares y sobrantes para reposición
31 de octubre de 1989